LE DERNIER ÉCHANTILLON

DU MÊME AUTEUR

CITÉS, Théâtre typographique, 1995.
DE MORT NATURELLE, Grasset, coll. « Grand Format », 1996.
TRAITEMENT SPÉCIAL, Grasset, coll. « Grand Format », 1997.
MESURES D'URGENCE (PIÈGES POUR DEUX), Presses Pocket, 1997.
SITUATION CRITIQUE, Grasset, coll. « Grand Format », 1998.
UN REMÈDE MIRACLE, Grasset, coll. « Grand Format », 2000.
LE PATIENT, Grasset, coll. « Grand Format », 2001.
FATAL, Grasset, coll. « Grand Format », 2003.
LE SYSTÈME, Grasset, coll. « Grand Format », 2006.

MICHAEL PALMER

LE DERNIER ÉCHANTILLON

roman

Traduit de l'anglais (États-Unis)
par
DELPHINE RIVET

BERNARD GRASSET
PARIS

L'édition originale de cet ouvrage a été publiée par St. Martin's Press, à New York, en 2007, sous le titre :

THE FIFTH VIAL

ISBN 978-2-246-74531-0
ISSN 1263-9559

A Zoe May Palmer,
Benjamin Miles Palmer et Clemma Rose Prince.

Puissiez-vous grandir dans un monde en paix.
Et comme toujours, à Luke.

Prologue

Le commencement est la partie la plus importante de toute œuvre.

PLATON, *La République*, Livre II.

— RAMENEZ-MOI À LA MAISON ! S'il vous plaît, ramenez-moi chez moi ! Je vous en supplie !

Lonnie Durkin savait ce qu'était un cauchemar. Sa mère lui avait parlé des mauvais rêves quand il était petit et avait commencé à se réveiller toutes les nuits en hurlant. Mais il voyait bien que la cage ne faisait pas partie d'un cauchemar.

Elle était bien réelle.

— S'il vous plaît !

Lonnie sauta de son lit, passa les doigts à travers le grillage et donna un coup de pied dans le portillon fermé à clé.

A ce moment-là, le fourgon emprunta un virage qui le projeta violemment contre le mur, où il se cogna la tête et l'épaule. Il retomba en poussant un cri, puis regagna le lit en rampant.

Le fourgon était une maison roulante, comme celle de Tonton Gus et Tata Diane. Mais eux, au lieu d'une cage à l'arrière, ils avaient une jolie chambre avec un lit et des placards. Cinq ans plus tôt, pour le seizième anniversaire de Lonnie, ils l'avaient emmené en camping-car à Yellowstone et ils l'avaient laissé dormir toutes les nuits dans le lit. Celui de la cage était trop petit, et le matelas trop dur. A côté du lit, il y avait une chaise, une carafe d'eau accrochée à un support planté dans le mur, et des gobelets en carton. Sur la chaise était posé un magazine qui s'appelait *MAD*, avec plein de bandes dessinées bizarres, mais bien trop de textes pour lui. Et enfin, il y avait la télécommande de la télé attachée au mur à l'extérieur de la cage. Voilà, c'était tout.

Lonnie ne pouvait s'arrêter de penser à sa mère et à son père, et aux employés de la ferme. Les gars savaient qu'il adorait les M&M's et ils lui en donnaient toujours quelques-uns quand il venait leur rendre visite aux champs et, parfois même, les aider.

— Laissez-moi partir ! S'il vous plaît ne me faites pas de mal ! Laissez-moi partir !

La cage était constituée des trois parois du fourgon et fermée sur le quatrième côté par un grillage, semblable à celui du poulailler, derrière la grange, chez Lonnie. Il barrait entièrement l'accès au reste du véhicule et la seule ouverture était un portillon cadenassé. Il y avait une lumière au plafond devant la cage, mais pas de fenêtre. De l'autre côté du grillage se trouvaient les toilettes, et ensuite, la cloison accordéon qui fermait le couloir menant à l'avant, où se trouvaient Vincent et Connie.

A bout de nerfs, Lonnie se leva et donna des coups de pied dans le grillage. Il devait se trouver dans cette cage depuis trois jours, peut-être quatre. Et pendant tout ce temps, le fourgon ne s'était presque pas arrêté.

Il n'avait pas froid, mais c'était pourtant ce qu'il ressentait : le froid, la frayeur et la solitude.

— S'il vous plaît ! S'il vous plaît, ramenez-moi à la maison !

Sa voix était à peine audible.

En dehors des piqûres et des prises de sang, ni Vincent ni Connie ne lui avaient fait de mal, mais Lonnie voyait bien qu'ils ne l'aimaient pas. Ils le regardaient comme M. et Mme Wilcox qui habitaient près de la ferme, et une fois, pendant qu'il était aux toilettes, il avait entendu Vincent le traiter de pauvre débile.

— Laissez-moi partir ! Je veux rentrer chez moi ! Je vous en prie ! C'est pas juste !

Le fourgon ralentit et s'arrêta. Quelques instants plus tard, Vincent ouvrait la porte derrière les toilettes. C'était un grand type aux cheveux jaunes bouclés, pas gros, contrairement à Lonnie, seulement costaud. Un navire de guerre était tatoué sur chacun de ses bras, juste au-dessus du poignet. Vincent avait été tellement gentil avec lui au début ! Connie aussi d'ailleurs. Ils s'étaient arrêtés au niveau de Lonnie qui se rendait à pied au centre sportif et lui avaient demandé la direction de la ferme. Ils disaient être des cousins de sa mère. Sinon, jamais il ne serait monté avec eux. Sa mère lui avait bien appris à ne pas suivre des étrangers. Mais eux n'étaient pas des étrangers. C'étaient des cousins, qui connaissaient son prénom et ceux de ses parents, mais qui n'avaient jamais eu l'occasion de leur rendre visite.

Vincent se tenait debout près de la porte des toilettes, les mains sur les hanches. Lonnie vit tout de suite qu'il était en colère avant même qu'il ouvre la bouche.

— Qu'est-ce que je t'ai dit à propos des cris ?

— De n-n-ne pas crier.

— Alors pourquoi tu le fais ?

— Je-j'ai peur.

Malgré lui, Lonnie sentit ses yeux se remplir de larmes. Dire que l'autre jour, sa mère lui expliquait justement qu'elle était fière de lui parce qu'il pleurait moins souvent. Et voilà qu'il allait se mettre à pleurer.

— Je t'ai déjà dit que tu n'avais rien à craindre. Plus qu'un seul jour et on te laisse partir.

— P-promis ?

— Oui, c'est promis. Mais si tu continues à faire du boucan, ma promesse ne tient plus et je te confisque la télécommande.

— De toute façon, elle marche pas bien la télé !

— Quoi ?

— Rien, rien.

— Je ne veux plus entendre de bruit. Je ne plaisante pas !

Vincent tourna les talons et sortit avant que Lonnie ait pu prononcer un mot de plus. Après s'être essuyé les yeux du revers de la main, Lonnie tira la couverture sur lui et ramena les genoux contre sa poitrine. Plus qu'un seul jour et on te laisse partir. Il aurait dû lui demander de faire « promis-juré-craché ». Plus qu'un jour... Ses larmes coulaient sans qu'il puisse les retenir. Puis, peu à peu, les sanglots de Lonnie firent place à un sommeil agité.

Lorsqu'il se réveilla, le fourgon s'était arrêté. Son épaule lui faisait mal et il avait une grosse bosse au-dessus de l'œil. Il se redressa en pensant qu'il devrait bientôt retourner faire pipi.

Une femme se tenait devant le grillage et le regardait. Elle portait le même genre de tenue d'hôpital bleue que les médecins qui lui avaient réparé sa hernie, et par-dessus, une blouse blanche. Ses cheveux châtains étaient tirés en arrière et recouverts d'une charlotte d'hôpital. Vincent était derrière elle, une petite matraque noire à la main. La porte de communication lui était fermée.

— Bonjour Lonnie, lança la femme en ajustant ses lunettes pour le regarder. Je suis le Dr Prouty. Est-ce que Vincent ou Connie t'ont prévenu que j'allais venir ?

Lonnie parvint à faire non de la tête.

— Bon, en tout cas, tu n'as rien à craindre. Je vais prendre ta température, te faire une prise de sang et t'examiner comme le font les médecins. Tu comprends ?

Cette fois, Lonnie opina. Malgré la voix posée et la peau lisse du médecin, il y avait quelque chose en elle qui le retenait d'ouvrir la bouche. Quelque chose de froid.

— Bien. Maintenant, je veux que tu me donnes ta parole que si j'ouvre cette porte et que j'entre, tu te montreras coopératif... coopératif, Lonnie, tu sais ce que veut dire ce mot ?

— Je... je sais.

— Très bien.

Le Dr Prouty adressa un signe de tête à Vincent, qui déverrouilla et ouvrit en grand le portillon tout en gardant la matraque bien en évidence.

— Maintenant, Lonnie, répéta le Dr Prouty, je vais te faire une piqûre et puis t'examiner. Ensuite, je vais te demander de te déshabiller et d'enfiler cette chemise qui s'attache dans le dos. Tu comprends ?

— Il faut que j'aille faire pipi.

— D'accord. Vincent va t'emmener et ensuite il t'aidera à te changer. Mais d'abord je vais te faire cette piqûre.

— Ensuite, je pourrai aller faire pipi ?

— Tu pourras y aller, répondit le Dr Prouty avec un peu d'impatience dans la voix.

Lonnie bougea à peine lorsque la seringue se planta dans son bras. Puis il alla uriner dans les minuscules toilettes. Lorsqu'il eut terminé, Vincent le prit par le bras et le reconduisit dans la cage pour qu'il enfile la chemise d'hôpital. Même ainsi couvert, il se sentait nu. La peur qui n'avait cessé de monter en lui enserrait maintenant sa poitrine. Tandis que le Dr Prouty l'examinait, il sentit ses paupières s'alourdir.

— Il s'endort, entendit-il. Amenons-le à l'avant pendant qu'il peut encore se tenir debout.

Vincent le prit par un bras et l'aida à se lever. Puis le Dr Prouty ouvrit la porte. C'était la première fois que Lonnie allait à l'avant du fourgon depuis le jour où il y était monté. L'aménagement n'avait plus rien à voir. Sous un plafonnier aveuglant se trouvait un lit étroit couvert d'un drap vert, et, à côté du lit, un médecin de grande taille avec un masque bleu qui lui couvrait la bouche et le nez.

— Installez-le pendant que j'enfile ma tenue stérile, dit le Dr Prouty.

Lonnie tourna le regard vers elle et vit qu'elle aussi portait un masque. Il se sentait tremblotant, à peine capable de se tenir debout. Vincent l'aida à s'allonger sur le ventre et le sangla au lit, après quoi on le recouvrit d'un drap. Le grand médecin lui enfonça alors une aiguille dans le bras et la laissa là. Les yeux de Lonnie se fermèrent et refusèrent de s'ouvrir. Sa peur reflua.

— Maintenant, je vais te mettre un masque respiratoire sur le visage... parfait. C'est bon, inspire et expire. Inspire, expire. Tu ne sentiras rien.

« Le corps est celui d'un homme blanc bien nourri d'une vingtaine d'années, mesurant un mètre soixante-quinze et pesant quatre-vingt-neuf kilos. Cheveux châtains, yeux bleus. Ni tatouages ni... »

Le Dr Stanley Woyczek dictait ses observations dans un casque-micro tout en travaillant. Il entamait son deuxième trimestre en tant que médecin légiste du district 19 de Floride, qui comprenait les comtés de Sainte-Lucie, Martin, Indian River et Okeechobee, tous situés au nord et à l'ouest de West Palm Beach. Il adorait les enjeux de ce travail, avec son lot d'énigmes à résoudre, mais en revanche il ne s'était toujours pas fait aux drames. Certaines affaires lui restaient en mémoire des semaines durant, si ce n'était des années. Il savait que celle-là en ferait partie. Un jeune homme, sans rien qui permette de l'identifier, était sorti en courant d'un bosquet et avait déboulé sur une section peu passante de la Route 70, où il avait immédiatement été expédié dans l'au-delà par un semi-remorque. Le chauffeur estimait qu'il roulait environ à cent kilomètres à l'heure lorsque l'homme avait surgi de nulle part, juste entre ses deux phares. Heureusement, songea le Dr Woyczek, la douleur de l'impact n'avait pas dû durer plus d'une ou deux secondes.

Il n'avait a priori consommé ni drogue ni alcool. A supposer qu'un test toxicologique plus pointu ne révèle rien de plus, deux questions cruciales demeureraient à la fin de l'autopsie : Qui ? Et pourquoi ?

— On observe une incision bien cicatrisée au-dessus du canal inguinal gauche, sans doute suite à une intervention chirurgicale sur une hernie. On note aussi une lacération de dix-sept centimètres et une fracture ouverte de la boîte crânienne au-dessus de l'oreille gauche, et une déchirure verticale de trente centimètres sur la gauche de la poitrine, à travers laquelle est visible une partie sectionnée de l'aorte.

Woyczek indiqua d'un geste à son assistante qu'il était temps de retourner le corps, ce qu'ils firent avec soin.

— Sur la partie postérieure, nous avons une abrasion profonde au niveau de l'omoplate droite, mais aucune autre...

Il s'interrompit et regarda le haut des fesses de l'homme, juste au-dessus de la hanche droite, puis la même zone de l'autre côté.

— Chantelle, à quoi cela vous fait-il penser ?

L'assistante étudia les deux zones.

— Des points de ponction, dit-elle.

— Sans aucun doute.

— En effet, docteur. Il y en a six de chaque côté, peut-être plus.

— Je vais en regarder quelques-unes au microscope pour les dater mais ces ponctions sont récentes. J'en suis sûr. Je crois que nous tenons une piste.

Il recula et enleva ses gants en caoutchouc.

— Restez ici deux minutes, Chantelle. J'appelle les enquêteurs. Je peux me tromper, mais c'est peu probable. Au cours des dernières vingt-quatre heures, quarante-huit au plus, notre inconnu a été donneur de moelle osseuse.

Chapitre 1

[Les] faux savants [...] ne se soucient guère de la vérité de ce dont ils parlent mais n'ont pour but que de faire adopter leurs opinions personnelles.

PLATON, *Phédon.*

— ALLEZ-Y, MADEMOISELLE REYES, recousez-le.

Natalie regarda la coupure sur le front de Darren Jones, qui lui entaillait le sourcil et la joue. La plus grosse blessure au couteau qu'elle avait vue jusqu'alors était celle qu'elle s'était faite au doigt. Deux pansements avaient suffi à la soigner. Elle se força à ne pas regarder dans les yeux Cliff Renfro, l'interne en chirurgie chargé des urgences, et le suivit dans le couloir.

Au cours de ses trois années et un mois d'études de médecine, elle avait recousu d'innombrables oreillers, diverses variétés de fruits, quelques animaux en peluche dépenaillés, et récemment, en prenant ce qu'elle considérait comme de gros risques, les fesses de son jean préféré. L'ordre de Renfro ne rimait à rien. Elle venait de commencer sa deuxième journée de stage aux urgences du Metropolitan Hospital de Boston et même si Renfro avait pu apprécier la justesse de son diagnostic auprès de plusieurs patients, il ne l'avait jamais vue suturer.

— Docteur Renfro, je... euh, pense qu'il vaudrait peut-être mieux que je revoie cela avec vous avant de...

— Pas la peine. Quand vous aurez fini, prescrivez-lui un antibiotique. Je signerai l'ordonnance.

L'interne se retourna et disparut avant qu'elle ait pu répondre. Son amie Veronica Kelly, qui avait déjà achevé son stage en chirurgie, lui avait dit que Renfro passerait assistant du chef de service d'ici un an. Après des années de pratique à White Memorial, un CHU renommé, il arborait un air blasé, fatigué des patients du Metropolitan Hospital, qu'il considérait comme des voyous.

« Renfro est intelligent et vachement compétent, avait dit Veronica, et il s'occupe volontiers de la grosse traumatologie. Mais les trucs de routine, il s'en fout complètement. »

Pour lui, un adolescent noir victime d'une bagarre entre gangs, c'était de la routine. Natalie hésita devant la chambre du patient, se demandant quelles seraient les conséquences si elle pourchassait Renfro et lui demandait une démonstration de ses talents.

— Ça va, Nat ?

L'infirmière, une femme à la voix rocailleuse pour qui les urgences n'avaient plus de secrets, avait participé la veille à l'accueil des étudiants. Elle leur avait notamment expliqué que la tradition voulait qu'à Metro, tous les membres du personnel ou presque s'appellent par leur prénom et se tutoient. Le sien était Bev, Beverly Richardson.

— J'ai demandé cet hôpital parce que j'ai entendu dire qu'on laissait beaucoup de responsabilités aux stagiaires, mais recoudre le visage d'un gamin dès mon deuxième jour, c'est un peu plus que ce que j'espérais.

— Est-ce que tu as déjà suturé ?

— Rien de vivant, à part quelques malheureuses oranges.

Bev soupira.

— Cliff est un super toubib, mais il est parfois un peu immature et il lui arrive de se montrer brusque. Et pour être tout à fait honnête, je crois qu'il ne se soucie guère de nos patients.

— Eh bien moi si, déclara Natalie, qui faillit énumérer toutes les fois où elle avait été amenée dans ces mêmes urgences, portée, traînée ou poussée en fauteuil roulant.

— Nous aimons travailler avec des gens qui prennent leur métier à cœur. La vie est assez dure comme ça dans ce quartier. L'hôpital devrait être une sorte de sanctuaire.

— Je suis tout à fait d'accord. D'après le doyen Goldenberg, je vais être admise au service de chirurgie de White Memorial en qualité d'interne. Le Dr Renfro en a peut-être entendu parler et il veut voir de quoi je suis capable.

— Ou peut-être qu'il sent que tu n'es pas comme lui et qu'il veut voir si tu vas te défiler ou accepter ce défi.

— Il ne serait pas le premier, répondit Natalie qui serrait les dents en pensant au bouquin de chirurgie plastique qu'elle avait potassé la semaine passée.

— Tu es bien la sportive de haut niveau, alors ?

Cette question ne prit pas Natalie au dépourvu. Son tragique accident lors des sélections pour les jeux Olympiques avait été mentionné dans la presse locale et nationale et fait la couverture de *Sports Illustrated*, si bien que le jour où elle avait commencé l'école de médecine, à trente-deux ans, les gens l'avaient tout de suite reconnue.

— J'étais, dit-elle sèchement pour indiquer qu'elle ne voulait pas s'attarder sur ce sujet.

— Tu crois que tu es capable de t'occuper du visage de ce garçon ?

— Disons qu'au moins, j'aurai à cœur de bien m'occuper de lui, si ça peut aider.

— Ça compte énormément, répondit Bev. Allez, vas-y. Je vais te préparer du nylon 6/0. Nous partons du principe que tous les patients peuvent être séropositifs, même si c'est loin d'être le cas, donc tu ferais mieux de passer une blouse et une visière en plastique. Si j'ai l'impression que tu commets une erreur, je m'éclaircirai la gorge et tu pourras t'écarter pour qu'on parle. Garde tes doigts à l'écart de l'instrument. Aiguille droite, surjet sous-cutané avec un espacement de trois millimètres. Ne tire pas trop pour éviter que la peau plisse et ne lui rase pas les sourcils parce que après ça ne repousse jamais correctement.

— Merci.

— Bienvenue aux urgences !

— Vous êtes sûre que vous faites du bon boulot ?

Natalie leva les yeux vers Bev Richardson, qui lui indiqua fièrement d'un signe de tête que c'était le cas. Depuis que Nat avait insensibilisé les bords de la plaie, Darren Jones déversait un flot continu de paroles. Sans doute le stress. S'il savait qu'il n'était pas le seul ! Un jour, Natalie réussirait sans doute cette procédure en trois fois moins de temps, mais en tout cas, la cicatrice ne semblait pas mal du tout.

— Oui, ça se passe bien, répondit-elle sur un ton nonchalant.

— Est-ce que je vais avoir une cicatrice ?

— Chaque fois que la peau est coupée, il y a cicatrice.

— Les femmes aiment les cicatrices. Ça fait mystérieux. En plus je suis un dur, alors pourquoi ne pas l'annoncer direct, pas vrai ?

— Tu m'as l'air malin. Et ça, c'est plus important que d'être un dur.

— Les durs comme moi, ça vous fait peur ?

— Le mec qui t'a tailladé me ferait sans doute peur, dit Natalie en souriant sous son masque. Tu vas toujours au lycée ?

— J'ai encore une année à faire, mais j'ai arrêté.

— Tu devrais envisager d'y retourner.

— Aucune chance, doc, fit Darren en riant. Vous pouvez pas savoir ce genre de trucs doc, mais moi, là où j'habite, être un dur, c'est tout ce qui compte.

Natalie sourit de nouveau. Si elle devait se mesurer à ce garçon, elle gagnerait les doigts dans le nez. Elle se rappela que lorsqu'elle était adolescente, ce n'était pas la première personne à lui suggérer de reprendre ses études qui l'avait poussée à s'inscrire à la Edith Newhouse Academy for Girls, ni même la seconde. Mais à un moment donné, grâce à ceux qui avaient déjà tenté de l'en persuader par le passé, quelqu'un était enfin parvenu à tailler une brèche dans l'armure de sa propre dureté.

— Etre dur, c'est nager à contre-courant et avoir le courage d'être différent, dit-elle en nouant le dernier point. Etre dur, c'est avoir conscience que tu n'auras qu'une seule vie, donc autant faire le maximum pour en profiter.

— J'y penserai, répondit l'ado sans grande conviction.

Natalie regarda Bev par-dessus son épaule, qui la félicita par signes pour sa technique et lui articula les mots « Steri-strip » avec un signe de tête en direction des paquets de sutures adhésives qu'elle avait posés sur le plateau d'instruments. Après en avoir gaspillé plusieurs, Natalie parvint à décider où couper et à les placer par-dessus l'incision pour réduire la cicatrice en ôtant la tension sur la suture.

« Cinq jours », articula silencieusement Bev en levant une main.

— Ces points de suture seront sans doute prêts à être retirés dans cinq jours, déclara Natalie, heureuse de pouvoir s'abriter derrière le mot « sans doute », au moins pour le moment.

— Vous êtes quelqu'un de bien, docteur, dit Darren. Je le sens.

Natalie enleva son masque et ses gants. Encore un jalon de posé, songea-t-elle. C'était un gros avantage d'avoir trente-cinq ans pour être étudiante en médecine, surtout elle qui avait déjà pas mal vécu. Elle prenait des décisions plus facilement que la plupart des autres étudiants, qui avaient tous dix ans de moins qu'elle, au minimum. Elle faisait souvent preuve de plus de clairvoyance et de confiance en elle.

— N'oublie jamais qui tu es, bonhomme, répondit-elle.

— Reste là, Darren, dit Bev, j'ai une injection antitétanique à te faire et quelques médicaments et conseils à te donner.

— Des médicaments contre la douleur? demanda Darren avec une note d'espoir dans la voix.

— Non, désolée, des antibiotiques.

— Eh, tu dis que tu es un dur ! fit Natalie en sortant de la pièce. Les durs n'ont pas besoin de ça !

Elle écrivit son rapport au bureau des infirmières, très satisfaite de la manière dont elle avait géré la situation. Renfro lui avait lancé un défi puis avait tourné les talons, mais elle s'était montrée largement à la hauteur. Elle avait établi des records en athlétisme au lycée, à la fac et au niveau national, avant de manquer d'un cheveu la sélection en équipe olympique. En chemin, elle avait rencontré un tas de Cliff Renfro, qui satisfaisaient leur ego en se nourrissant de l'insécurité des autres. En tout cas, elle était toujours la même : la femme qui avait couru le 1 500 mètres en quatre minutes, huit secondes et trois centièmes. Il n'avait qu'à essayer de faire aussi bien, ce Cliff Renfro. Elle n'avait cédé devant aucun des autres et elle ne se laisserait pas non plus intimider par lui.

Bev apparut à ses côtés.

— Saralee, qui travaillait en salle 4, est partie. Tu sais de quoi il s'agit ?

— Oui, pour les alcooliques.

— Et aussi les gens de la rue, ajouta Bev. On met les patients là lorsqu'ils sont particulièrement euh... crasseux.

— Je sais, j'y ai travaillé un peu hier. Ça n'était pas si épouvantable.

— Bref, il y a eu pas mal d'admissions aux urgences pendant que tu faisais la suture et plusieurs médecins ont été appelés en renfort dans l'autre aile. Donc, à son grand chagrin, Cliff s'est retrouvé tout seul en salle 4. Il veut que tu viennes le relever dès que tu auras terminé.

— Ça y est.

— Très bien. Tu as bien soigné ce gamin, Nat. Je pense que White Memorial a fait un bon choix. Tu seras un excellent médecin.

— Cet hôpital est peut-être le meilleur mais il a une décennie de retard en ce qui concerne l'intégration des femmes dans leurs formations chirurgicales.

— C'est ce que j'ai entendu dire. En tout cas, tu t'en sortiras très bien. C'est moi qui te le dis, et j'en ai vu passer, des étudiants !

Elles se retournèrent soudain en entendant l'écho d'une altercation à l'autre bout du couloir.

— Mais puisque je vous dis que vous vous trompez, docteur ! J'ai un problème ! Un truc grave. Juste derrière l'œil ! C'est une douleur insupportable !

Un aide-soignant faisait sortir un homme de la salle 4. Même de loin, on comprenait pourquoi il avait été amené dans cette pièce. Grisonnant, le visage fatigué, il devait avoir une quarantaine ou même une cinquantaine d'années, selon Natalie. Il portait un coupe-vent sale, un pantalon en toile taché et des baskets sans lacets. Une casquette graisseuse des Red Sox ramenée bas sur son front ne parvenait pas à dissimuler la tristesse de son regard.

Les mains sur les hanches, Cliff Renfro apparut sur le seuil et jeta un coup d'œil vers Natalie et Bev avant d'apostropher l'homme.

— Ce qui ne va pas, Charlie, c'est qu'il faut vous arrêter de boire. Vous devriez vous adresser à un refuge Pine Street Inn. Vous pourriez y prendre une douche et ils auront sûrement aussi des vêtements pour vous.

— Docteur, s'il vous plaît, c'est grave ! J'ai des lumières qui tremblotent dans cet œil et la douleur est atroce. Tout devient noir, sans arrêt.

Manifestement exaspéré, Renfro ignora l'homme et se dirigea vers les deux femmes d'un pas rapide.

— Il faudrait vous dépêcher un peu, docteur Reyes, dit-il avant de faire une longue pause. Bon, veuillez vous occuper de la salle 4. Je vais me laver, marmonna-t-il, et peut-être me faire désinfecter par fumigation.

Natalie aperçut un bref éclat de colère et de frustration dans les yeux du patient avant qu'il ne parte, emmené par l'aide-soignant dans la salle d'attente puis dans la rue.

— Je parie que Renfro ne l'a même pas examiné, chuchota Natalie.

— Peut-être, mais d'habitude il...

— Il y a quelque chose qui ne va pas chez cet homme. Je le sais, c'est tout. Une douleur atroce, des lueurs tremblotantes. Je viens de terminer un stage de six semaines en neurologie. Des troubles de la vision. Ce type a une tumeur, ou peut-être un anévrisme fissuré, ou même un abcès cérébral. Ces gens-là supportent la douleur et l'inconfort au quotidien. Si ses symptômes sont assez graves pour l'avoir fait se traîner jusqu'ici, il y a un problème. Est-ce que le docteur Renfro a prévu des examens ?

— Je ne crois pas, mais je ne pense pas...

— Ecoute, Bev, je veux examiner cet homme et lui faire passer un scanner. Tu pourrais t'en occuper ?

— Je peux, mais je ne crois pas que ce soit une bonne...

— Et des examens sanguins. Une NFS et un bilan hépatique et rénal. Il faut que je le rattrape avant qu'il s'en aille. Crois-moi, si c'était un homme d'affaires en costume qui venait en consultation privée à White Memorial, il serait déjà en train de passer un scanner.

— Peut-être, mais...

Avant que Bev ait pu terminer sa phrase, Natalie était partie.

Elle regarda dans la salle d'attente, puis sortit en courant sur Washington Avenue. L'homme était à une dizaine de mètres et s'en retournait d'un pas lourd vers le centre-ville.

— Charlie, attendez !

Le clochard se retourna. Il avait les yeux injectés de sang mais il tenait la tête droite et soutint son regard, avec même un soupçon de méfiance.

— Qu'est-ce qu'il y a ? grogna-t-il.

— Je suis... le Dr Reyes. Je voudrais vous ausculter et éventuellement vous faire passer quelques tests.

— Alors vous me croyez ?

Natalie le prit par le bras et le reconduisit doucement vers les urgences.

— Je vous crois, dit-elle.

Bev Richardson attendait juste derrière la porte avec un fauteuil roulant.

— La salle 6 est vide, dit-elle avec une voix de conspiratrice. Dépêche-toi. Je ne sais pas du tout où est Renfro. L'équipe du labo arrive. Espérons qu'on pourra lui faire une prise de sang et l'envoyer au scanner sans que personne s'en aperçoive.

Natalie aida l'homme à enlever ses vêtements et à enfiler une chemise bleue. Renfro avait raison sur un point, songea-t-elle, Charlie sentait vraiment mauvais. Elle fit un petit examen neurologique, qui révéla plusieurs anomalies au niveau de la force, des mouvements oculaires, de la coordination main-œil et de la démarche, anomalies pouvant être dues soit à une tumeur ou un abcès cérébral, soit à une hémorragie cérébrale.

Un laborantin venait de lui faire une prise de sang lorsque Bev rentra à reculons dans la pièce en tirant une civière.

— J'ai fait jouer mes relations, dit-elle. On l'attend au scanner.

— J'ai pu déceler des anomalies neurologiques très nettes. Je vais l'emmener là-bas, et ensuite je me mettrai au boulot en salle 4.

— Je vais nettoyer ici.

Natalie poussa le brancard dans le couloir.

— Merci Bev. Je reviens tout de...

— Mais qu'est-ce qui se passe, là-dedans ?

Cliff Renfro, furieux, fonçait sur elle comme une tornade.

— Je suis persuadée que cet homme a un problème grave, dit Natalie. Peut-être une tumeur ou un anévrisme fissuré.

— Donc vous êtes allée le chercher alors que je l'avais renvoyé ?

Renfro avait haussé le ton, si bien que tous les membres du personnel et les patients s'étaient arrêtés pour regarder la scène. Plusieurs personnes sortirent des salles de consultation et du bureau des infirmières.

Natalie tint bon.

— Je voulais l'ausculter comme il faut. Il a des anomalies neurologiques.

— Eh bien ce n'est pas comme ça qu'on procède correctement. Les anomalies, comme tout le reste chez lui, sont le résultat de l'alcoolisme. J'avais entendu dire par un certain nombre de gens que vous étiez trop arrogante et entêtée pour faire un bon médecin. Ce n'est pas parce que vous avez eu votre quart d'heure de gloire que vous pouvez débarquer ici et faire comme si vous dirigiez ce service !

— Et ce n'est pas parce que vous n'aimez pas salir votre blouse que vous pouvez vous débarrasser des patients comme lui ! rétorqua Natalie.

Bev Richardson s'interposa.

— C'est ma faute, Cliff. Je me suis inquiétée pour cet homme, et j'ai pensé que ce serait une bonne expérience d'apprentissage pour...

— N'importe quoi, et tu le sais bien. Ne la protège pas.

Il fit un pas vers la gauche pour regarder Natalie bien en face.

— Il n'y a pas de place en médecine pour une égocentrique et vaniteuse de votre acabit, Reyes !

Natalie serra les dents. Elle était furieuse de se faire réprimander devant témoins et elle aurait voulu que tous puissent constater que Renfro n'avait pas examiné correctement cet homme, à cause de ses préjugés.

— Moi au moins, je me préoccupe assez des gens comme Charlie pour prendre le temps de lui faire un examen poussé.

— Cinq ans d'expérience en médecine m'ont rendu parfaitement capable de décider ce qu'est un examen poussé. J'ai bien l'intention de faire en sorte que toute la fac de médecine soit au courant de ce qui vient de se passer.

— Eh bien avant de faire ça, vous devriez jeter un œil au scanner de cet homme.

Le regard furieux de Renfro aurait pu faire fondre un bloc de glace. Il parut sur le point de répliquer, mais se ravisa et s'éloigna, indigné, en direction de la radiologie. Deux minutes plus tard, un technicien du scanner vint chercher Charlie.

Natalie poussa un soupir de soulagement.

— Ouf. J'étais sûre qu'il allait annuler le test par dépit, dit-elle alors qu'elle retournait avec Bev vers le bureau des infirmières.

L'infirmière la regarda en secouant la tête.

— Je suis désolée de ne pas avoir réussi à le calmer. On aurait sûrement pu régler ça autrement.

— Renfro aurait pu admettre qu'il avait tort, dit Natalie. Le fait qu'il ait autorisé le scanner est éloquent. Lorsqu'ils trouveront une tumeur derrière l'œil du pauvre Charlie, il sera bien content que je lui aie sauvé la mise.

Tumeur, abcès, anévrisme fissuré. Dans son esprit, Natalie s'imaginait déjà les réactions de Renfro et de ses collègues lorsque l'on constaterait que c'était elle qui avait fait les bons choix au sujet de ce patient. Il ne restait plus qu'à espérer que le pauvre Charlie serait opérable. Elle pensa à la façon dont son mentor, le chirurgien Doug Berenger, aurait réagi à ce coup d'éclat. Lors de ses études à Harvard, bien avant l'incident qui lui avait déchiré le tendon d'Achille, il l'avait recrutée et lui avait proposé un poste dans son labo, poste qu'elle occupait toujours. Quelque temps plus tard, il avait fait venir les meilleurs spécialistes de médecine du sport pour l'aider à se rétablir, puis il lui avait proposé de suivre une formation en médecine.

Berenger, sans doute le meilleur spécialiste en transplantation cardiaque de Boston, si ce n'est du pays, parlait déjà d'un poste de praticien-chercheur dans son service lorsqu'elle aurait achevé son internat en chirurgie. Il avait une broderie encadrée au mur derrière son fauteuil, sur laquelle on pouvait lire : CROIS EN TOI. Il aurait été fier de la façon dont elle avait cru en elle aujourd'hui et tenu tête à Renfro, surtout lorsque l'on aurait le diagnostic de Charlie.

Natalie se rendit dans la salle 4 et s'occupa des trois patients qui attendaient. Son pouls était rapide, du fait de son altercation avec

Renfro, mais aussi à cause de l'attente des résultats du scanner. Enfin, par la porte ouverte de la salle 4, elle vit passer Renfro qui poussait Charlie sur son brancard. Une enveloppe de radio en papier kraft était coincée sous le fin matelas. Quelques instants plus tard, l'interne l'appela.

— Docteur Reyes, membres du personnel ! s'écria-t-il d'une voix forte. Pourriez-vous tous venir un instant je vous prie ?

Un groupe d'une douzaine de personnes s'avança calmement dans le couloir.

Renfro s'assura qu'il n'y avait pas de retardataires, avant de poursuivre, le scanner à la main.

— Vous étiez tous là il y a quelques instants, lors de la... discussion entre Mlle Reyes et moi-même au sujet de ce patient. Eh bien, j'ai les résultats du labo et du scanner et je voudrais vous informer que je n'ai pu déceler quoi que ce soit d'anormal sur aucun d'eux. Charlie que voici avait simplement, comme je l'avais dit, une migraine causée par l'alcool. Son alcoolémie était de 1,9 g en arrivant et je ne crois pas qu'elle ait beaucoup baissé depuis, puisqu'il a réussi à descendre la pinte de Thunderbird qu'il cachait dans son sac. Bev, veuillez lancer la procédure de sortie de cet homme pour la deuxième fois. N'oubliez pas de remplir un rapport d'incident.

— Mademoiselle Reyes, rentrez chez vous. Je ne veux plus jamais vous revoir dans mon service.

Chapitre 2

Tant que les philosophes ne seront pas rois (...) il n'y aura de cesse (...) aux maux des cités, ni, ce me semble, à ceux du genre humain.

PLATON, *La République*, Livre V.

L*E DÉBUT D'APRÈS-MIDI* était apparemment l'un des meilleurs moments pour faire ses courses au supermarché biologique Whole Foods. Natalie n'aurait pas pu le savoir avant aujourd'hui. Tenant la liste de courses de sa mère dans une main et la sienne dans l'autre, elle parcourut les rayons presque déserts sans se presser. Cela faisait trois heures qu'elle avait été renvoyée des urgences du Metropolitan Hospital par Cliff Renfro, et, pour le moment du moins, elle avait plus de temps libre que de choses à faire.

Le lendemain, elle prendrait rendez-vous avec son conseiller d'orientation et peut-être Doug Berenger, et ensemble, ils trouveraient une solution. Comparé à une pince hémostatique oubliée dans un abdomen, ou une erreur de médication mortelle, ou encore l'amputation de la mauvaise jambe, ce qui venait de se passer aux urgences était une peccadille. Si vraiment elle était coupable de quelque chose, et sincèrement elle ne pensait pas l'être, c'était d'un crime sans victime. Comme l'avait dit Bev, Cliff Renfro avait beau être en passe de finir son internat, il était encore immature. Pour le moment, Natalie et lui étaient destinés à être ennemis, au moins jusqu'à ce qu'elle ait l'occasion de lui prouver quel médecin dévoué, passionné et impliqué elle était. Au pire, il faudrait qu'elle termine son stage dans un autre hôpital. Dans le meilleur des cas, après avoir attendu un jour ou deux que les choses se tassent, peut-être pourrait-elle rencontrer Renfro en tête à tête et avoir une explication avec lui, et si elle promettait de ne plus contester ses décisions, elle pourrait reprendre son stage là où elle en était restée.

Natalie achetait toujours les produits les plus frais et les plus sains. Les supermarchés Whole Foods, réputés pour leurs fruits et légumes et leurs crustacés, étaient les seuls où elle acceptait de faire ses courses. La fac de médecine lui prenait beaucoup de temps mais dans son esprit, elle était toujours une athlète. Elle s'entraînait aussi souvent que possible, souvent très tôt le matin ou très tard le soir. L'opération de son tendon d'Achille l'empêcherait à tout jamais de retrouver son niveau d'autrefois, mais en vieillissant, elle voyait venir le jour où elle serait à nouveau compétitive dans son groupe d'âge, voire parmi les meilleures. Des objectifs. Toujours des objectifs. Les fixer, se dépasser pour les réaliser, les réinventer ; c'était là, en plus du soin qu'elle prenait de son corps, le secret de sa réussite à l'université comme en sport.

Elle fit une grimace en parcourant la liste que sa mère lui avait dictée la veille au soir par téléphone. Du steak, des frites surgelées, des biscuits aux noix de pécan, des crèmes glacées, un assortiment de noix pour l'apéritif, hot dogs et petits pains, lait entier, crème fouettée, Pringles... Il y en avait une bonne moitié que Whole Foods ne devait même pas daigner vendre. Hermina Reyes était un sacré personnage, adorée par beaucoup, et pourtant qui négligeait autant son corps que Natalie en prenait soin. Toutefois, le plus grand souci de Natalie était sa nièce, Jenny. Comme Hermina s'occupait de la plupart des repas de la fillette, Natalie ajouta des brocolis, des patates douces, du fromage et de la salade à la commande de sa mère.

Au bas de la liste, Natalie avait écrit à contrecœur : une cartouche de Winston, après quoi elle avait ajouté, pour elle-même, « à voir ». Elle se mit à rire tristement. Bien souvent, dans un accès de protestation futile, elle refusait d'acheter les cigarettes de sa mère.

Cela ne servait à rien. Hermina avait une voiture, et n'hésitait pas à laisser Jenny quelques instants toute seule. Il y avait de toute façon d'autres personnes à qui elle pouvait demander de lui en acheter, qui voyaient bien qu'elle était accro. Ces personnes savaient aussi que si on peut trouver des excuses aux fumeurs, la perte d'un enfant en fait partie. Hermina serait mariée à ses Winston jusqu'au jour où elles causeraient sa mort.

Natalie passa une demi-heure à choisir ses fruits et légumes. Avec le vaste choix des produits de l'été, elle s'estimait chanceuse de pouvoir s'attarder à ce genre de choses, spécialement aujourd'hui grâce à ce temps libre inattendu. Il fallait vraiment qu'elle apprenne à se montrer plus tolérante envers les gens comme Renfro, songeait-elle en tâtant un melon Honeydew pour en évaluer la maturité. Dès le lendemain matin, elle ferait le nécessaire pour arranger les choses avec Renfro.

L'éthique de Whole Foods ne leur permettait pas de vendre des cigarettes, contrairement aux autres supermarchés, aussi après avoir chargé les huit sacs en plastique dans le coffre de sa Subaru, Natalie traversa la rue à petites foulées pour se rendre dans un drugstore. Ce ne serait pas un problème d'arriver chez sa mère plus tôt que prévu. L'époque où Hermina connaissait les moindres détails de sa vie et de son emploi du temps était bel et bien révolue, et il n'y avait aucun risque qu'elle lui demande pourquoi elle ne se trouvait pas aux urgences. De même, il était peu probable qu'Hermina soit sortie. Comme il fallait qu'elle s'occupe de Jenny, elle ne sortait guère de la maison lorsque la fillette n'était pas à l'école.

Dorchester, une banlieue en pleine décrépitude et à la population vieillissante, juste au sud de la ville, se trouvait à quelques kilomètres seulement du joli petit appartement que Natalie occupait à Brookline, mais sociologiquement et démographiquement, les deux quartiers étaient bien distincts. Quelques petites enclaves de demeures élégantes et bien entretenues survivaient à Dorchester, mais c'étaient des îlots au milieu d'un océan de pauvreté, d'immigration, de drogue et, trop souvent, de violence. Natalie se gara le long du trottoir et ouvrit son coffre devant une maison à un étage en bardeaux gris écaillés avec une galerie en bois affaissée et une petite pelouse digne d'un paillasson. Elle avait quitté son foyer avant que sa mère ne s'installe ici, mais sa jeune sœur Elena, alors âgée de huit ans, y avait grandi et y avait vécu jusqu'à l'accident, du moins lorsqu'elle n'était pas en cure de désintoxication ou en réadaptation.

Natalie doutait qu'il se trouve une seule personne à Dorchester pour ignorer que Hermina Reyes gardait la clé de chez elle sous un pot de fleurs craquelé près de la porte.

« C'est l'avantage de n'avoir rien à voler », aimait à dire sa mère.

Lorsqu'elle entra, Natalie fut assaillie par l'odeur âcre de tabac froid et de cigarette en train de se consumer.

— Inspection sanitaire, jetez vos mégots ! cria-t-elle en traînant ses cinq sacs dans le couloir pour les apporter à la cuisine.

Comme toujours, l'appartement était propre et bien rangé, y compris le cendrier Fenway Park vieux de vingt ans que Hermina vidait et rinçait rituellement toutes les deux ou trois cigarettes.

— Maman ?

Hermina était en général installée confortablement à la table de la cuisine, avec une tasse de café à moitié pleine, un paquet de gaufres à la vanille, ses Winston, le cendrier et ses mots croisés du *New York Times*. D'ailleurs, tous ces accessoires étaient en place, mais pas Hermina elle-même. Natalie posa les courses par terre et se dirigea rapidement vers les chambres.

— Maman ? appela-t-elle.

— Elle fait la sieste ! lança Jenny.

Natalie suivit la voix de sa nièce jusqu'à sa chambre bien rangée, aux rideaux en dentelle et aux murs roses. Jenny, habillée d'un short et d'un sweatshirt distendu, était assise dans son fauteuil roulant, un livre posé sur les genoux grâce à un support spécial. Les attelles qui lui permettaient de marcher avec des béquilles étaient par terre près du lit. L'infirmité de Jenny était officiellement due à une souffrance cérébrale néo-natale, mais Elena avait pris de la drogue, bu et fumé tout au long de la grossesse et à présent que Natalie connaissait le syndrome d'alcoolisme fœtal, son diagnostic était fait.

— Salut ma puce ! dit Natalie en l'embrassant sur le front. Quoi de neuf ?

— Réunion pédagogique aujourd'hui, pas d'école.

Jenny avait le teint laiteux et le joli sourire de sa mère.

— Gram faisait ses mots croisés et puis elle est allée se coucher.

— Et toi, qu'est-ce que tu lis ?

— *Les Hauts de Hurlevent.* Tu l'as lu ?

— Il y a longtemps. J'avais bien aimé mais je crois me souvenir que j'avais eu un peu de mal à suivre. Tu ne te perds pas dans les changements d'époque ?

— Oh, non. C'est tellement romantique ! J'aimerais bien visiter ces landes, un jour, si elles existent encore.

— Oh oui, elles sont toujours là. On ira, c'est promis.

Natalie se détourna pour que sa nièce handicapée ne puisse pas lire la tristesse dans ses yeux.

— Jenny, tu rends meilleurs les gens qui t'entourent, moi y compris.

— Qu'est-ce que tu veux dire ?

— Rien d'important. Dis, tu veux venir m'aider à réveiller Gram ?

— Non merci. Je veux lire encore un peu. Heathcliff n'est pas très gentil avec les autres.

— Si je me souviens bien, quand il était jeune, les autres n'étaient pas non plus très gentils avec lui.

— C'est comme un cercle vicieux.

— Exactement. Tu es sûre que tu as dix ans ?

— Presque onze !

Hermina, vêtue d'une robe d'intérieur en tissu imprimé, s'était assoupie sur le lit. Une cigarette, consumée jusqu'au filtre, fumait encore dans la soucoupe posée sur la table de chevet. La cuisine restait sa pièce préférée, mais de plus en plus souvent, Natalie trouvait sa mère endormie sur son lit ou sur le canapé du salon. Les cigarettes commençaient à avoir des conséquences sur le taux d'oxygène de son sang et son endurance physique. Avant longtemps, une bouteille d'oxygène l'accompagnerait partout dans ses déplacements.

— Maman ! fit Natalie en la secouant doucement pour la réveiller.

Hermina se frotta les yeux et se redressa sur un coude.

— Je t'attendais plus tard, dit-elle encore un peu endormie.

Natalie fut troublée par la profondeur anormale de son sommeil alors qu'elle avait pourtant été assez alerte, quelques instants plus tôt, pour allumer la cigarette qui brûlait encore. A cinquante-quatre ans, cette femme, autrefois énergique et ravissante, vieillissait rapidement et avait la peau de plus en plus tannée à chaque mégot. Son teint cacao était bien plus foncé que celui de Natalie – logique puisque le père de Natalie, quel qu'il soit, était blanc – mais contrairement à sa peau qui se fanait, les grands yeux noisette d'Hermina étaient espiègles et séduisants, presque identiques à ceux de Natalie.

— Ma, il faut que tu arrêtes de fumer dans cette pièce, dit Natalie en l'aidant à se relever pour aller dans la cuisine.

— Je ne le fais presque plus.

— Oui, je vois ça.

— L'ironie ne te rend pas très belle.

Hermina était cap-verdienne. Arrivée aux Etats-Unis avec ses parents lorsqu'elle avait à peu près l'âge de Jenny, elle avait conservé quelques traces d'accent portugais. A dix-neuf ans, elle avait eu son bac et un diplôme d'aide-soignante avec le projet de faire une école d'infirmière. C'est là que pour la première fois elle était tombée enceinte.

— Jenny a l'air en forme.

— Elle va bien.

— Tant mieux.

Il y eut un bref silence gêné. Pour Hermina, Jenny *était* Elena, et malgré le nombre de cures qu'avait faites sa fille cadette, malgré la vitesse à laquelle elle roulait, selon la police, lorsqu'elle avait percuté la glissière de sécurité, Hermina la considérait toujours comme une victime.

Sa fille aînée, en revanche, qui s'était enfuie de chez elle à quinze ans, c'était une autre histoire. Si Hermina Reyes avait un trait de caractère particulier, c'était d'être rancunière, et dans cette famille, Elena était et serait toujours la préférée. Les courses, les chèques tous les mois, les médailles, le diplôme d'Harvard et bientôt celui de l'Ecole de médecine, tout cela ne contrebalançait pas la peine que Natalie avait infligée à sa mère.

— Allez, aide-moi, dit Hermina en prenant son crayon pour se tourner ostensiblement vers sa grille de mots croisés. Un mot de sept lettres pour inquiétude ?

— Aucune idée, je ne suis jamais inquiète. Maman, c'est génial que tu t'occupes si bien de Jenny, mais il faut que tu essaies de ne pas fumer quand elle est à la maison. Le tabagisme passif est aussi grave que le tabagisme actif quand il s'agit de...

— Et toi, comment ça va ? Tu as l'air un peu tendue.

Beaucoup de gens, y compris Natalie et sa sœur décédée, trouvaient que la clairvoyance d'Hermina s'apparentait à de la sorcellerie.

— Ça va, dit-elle en rangeant les courses dans les placards. Juste un peu fatiguée, c'est tout.

— Ce médecin avec qui tu sortais, ça n'a pas marché ?

— Rick et moi sommes restés en bons termes.

— Laisse-moi deviner. Il voulait une relation sérieuse mais toi tu ne l'aimais pas.

De la sorcellerie.

— Les exigences du poste d'interne en chirurgie que je m'apprête à prendre m'empêchent de me sentir disponible pour quelqu'un.

— Et ce Terry que tu avais amené à dîner ? Il est si gentil et tellement beau.

— Il est aussi tout ce qu'il y a de plus gay. Il ne veut rien d'autre que mon amitié et ma compagnie. Avec lui, je n'ai pas besoin de parler d'engagement et du sérieux de notre relation. Maman, crois-moi, presque toutes mes amies mariées ou vivant en couple sont malheureuses. Rien que le fait d'essayer de faire marcher leur relation absorbe quatre-vingt-dix pour cent de leur énergie. A notre époque, l'amour est temporaire et le mariage contre-nature, c'est une invention des publicitaires de Madison Avenue et des producteurs de télévision.

— Ma chérie, je sais bien que tu ne m'écoutes plus depuis des années, mais il va falloir que tu laisses l'amour percer ta carapace, sinon tu vas être très malheureuse.

L'amour. Natalie se retint de répondre trop vite, ou pire, d'éclater de rire. Avec deux enfants nés de deux amants différents qui ne s'étaient pas attardés, Hermina Reyes n'était pas franchement la meilleure publicité pour le grand amour. Dans son cas, du moins du point de vue de Natalie, la beauté physique s'était avérée un ennemi mortel. Pourtant, son romantisme échevelé, sa confiance dans les hommes et son enthousiasme inlassable pour la vie étaient aussi immuables que son incapacité à se passer de ses Winston.

— En ce moment, je n'ai pas le temps d'être malheureuse.

— Tu es sûre que tu vas bien ?

— Mais oui. Pourquoi cette question ?

— Comme ça. Parfois, quand je venais te voir courir, tu te comportais d'une manière bizarre avant la course, comme si tu étais mal à l'aise, que quelque chose te gênait. Et presque toujours, tu courais mal et tu perdais. Or c'est un peu ce qui se passe en ce moment.

— Pourtant, il n'y a rien, Ma, crois-moi.

A ce moment, le téléphone portable de Natalie se mit à sonner. Le numéro qui s'afficha ne disait rien à Natalie.

— Allô ?

— Natalie Reyes ?

— Oui.

— Ici le doyen Goldenberg.

Natalie se crispa, puis elle passa dans le couloir, où sa mère ne l'entendrait pas.

— Oui ?

— Natalie, je me demandais si vous seriez disponible pour venir à mon bureau afin de discuter de l'incident de ce matin au Metropolitan Hospital.

— Je peux être là dans vingt ou vingt-cinq minutes.

— Très bien. Veuillez appeler ma secrétaire dix minutes avant d'arriver.

— D'a-d'accord.

Goldenberg attendit que Natalie ait un stylo, puis il lui donna le numéro de téléphone de la fac de médecine et son poste. Au cours de cette brève conversation, elle avait essayé en vain de deviner son humeur au son de sa voix et elle se retenait à présent pour ne pas demander les raisons de cette convocation. Au fil des ans, le

Dr Sam Goldenberg avait exprimé un certain nombre de fois son admiration pour ses performances d'athlète, et ses résultats en médecine. Le problème actuel, ils pourraient le régler. Elle en était certaine.

— Des problèmes ? demanda Hermina lorsqu'elle regagna la cuisine.

— Rien de grave. Juste un souci au sujet de mon emploi du temps. Mais je dois filer. Désolée.

— Ça ne fait rien.

— Je reviendrai te voir bientôt.

— Ce serait merveilleux. Prends soin de toi.

— Toi aussi, Maman. Jenny, on se voit bientôt !

— Je t'aime, Tatie Nat.

— Je t'aime aussi ma puce.

— Panique, fit Hermina.

— Quoi ?

— Ce mot de sept lettres pour inquiétude. C'est panique.

L'adolescence de Natalie avait fait l'objet d'articles dans un certain nombre de magazines. Ses mois de galère dans les rues de Boston s'étaient terminés lorsque les travailleurs sociaux de l'association Bridge Over Troubled Waters avaient réussi à les convaincre, elle et l'école pour filles Edith Newhouse de Cambridge, qu'elles pouvaient s'entendre. Il avait alors fallu plusieurs mois pour parvenir à une sorte de trêve avec les professeurs et le personnel administratif, qui lui avaient permis de découvrir ses dons aussi bien en course à pied que sur le plan scolaire. Trois ans et demi plus tard, elle entrait à Harvard.

Après son diplôme universitaire, en plus de l'entraînement et de la compétition, Natalie avait travaillé dans le laboratoire de Doug Berenger, depuis toujours fervent supporter de Natalie et de l'équipe d'athlétisme d'Harvard. A l'époque de sa blessure lors des qualifications pour les jeux Olympiques, elle avait déjà signé une dizaine d'articles de recherche en collaboration avec le chirurgien cardiaque et son équipe. Elle avait suivi tous les cours de rattrapage nécessaires pour faire médecine. Tôt ou tard, elle se serait présentée, mais la femme qui courait derrière elle et qui avait accidentellement marché sur son tendon d'Achille accéléra le processus.

Le Dr Sam Goldenberg était le doyen de la fac de médecine depuis que Natalie y était entrée. Endocrinologue de métier, il avait autant de qualités humaines que professionnelles, et partait du principe qu'il devait être bien plus difficile et stressant d'entrer dans son établissement que d'y rester.

Comme l'avait exigé Goldenberg, Natalie avait appelé son bureau dix minutes avant d'arriver. Elle se trouvait à présent dans la salle d'attente, à chercher une explication qui laisserait entendre que les tests qu'elle avait demandés n'avaient fait aucune victime, mais qu'elle comprenait qu'elle aurait pu gérer la situation d'une bien meilleure manière. Tout ce qu'elle voulait désormais, c'était aplanir son différend avec Cliff Renfro et se remettre au travail.

Elle patientait depuis quelques minutes lorsque Goldenberg sortit, lui serra la main avec un manque de chaleur inhabituel, la remercia d'avoir fait si vite et la fit entrer dans son bureau. Debout à côté de leurs chaises autour de la table de conférence, l'air sévère et troublé, se tenaient ses plus proches alliés parmi les enseignants, Doug Berenger et Terry Millwood, ainsi que son amie, Veronica Kelly, au visage d'ange, incroyablement brillante et qui parfois avait encore plus de mal que Natalie à tolérer l'arrogance des professeurs.

Le frisson qui parcourut l'échine de Natalie n'avait rien à voir avec la température de la pièce. Les deux chirurgiens lui serrèrent la main poliment. Veronica, avec qui elle avait fait des voyages à Hawaï et un autre en Europe, lui sourit d'un air tendu et hocha la tête. Elles profitaient de Boston autant qu'il était possible à deux étudiantes surchargées. Le petit ami de Veronica, agent de change, arrangeait régulièrement des rencontres pour Natalie chaque fois que son niveau de résistance passait au-dessous du : « Je suis très bien comme ça, vraiment. » Goldenberg fit signe à tout le monde de s'asseoir et prit place à la table. Natalie, qui espérait charmer le doyen et présenter ses excuses, vit ses espoirs s'évanouir.

— Mademoiselle Reyes, commença Goldenberg. Je veux que vous lisiez les déclarations signées qui m'ont été transmises, à ma demande, par le Dr Cliff Renfro et Mme Beverly Richardson, l'infirmière présente au moment des faits. Ensuite je vous demanderai si votre version diffère sensiblement de la leur.

Encore stupéfaite de la tournure officielle que prenaient les événements, Natalie parcourut les déclarations. A part un mot ici ou là, les deux versions coïncidaient. Bev Richardson avait fait de son mieux pour expliquer ce qu'elle pensait être l'état d'esprit de Natalie à ce moment-là. Toutefois, elle rapportait également, presque au mot près, l'altercation avec Renfro. Sur le papier, les phrases étaient froides et accablantes. Natalie sentit la peur l'étreindre.

— Ces deux déclarations sont en substance exactes, parvint-elle à articuler, mais je ne crois pas qu'elles fassent état de mes motivations.

— Nat, dit Berenger, je t'assure que nous sommes tout à fait conscients que tu ne pensais pas à mal.

Assis à côté de Berenger, Millwood hocha la tête en signe d'approbation.

— Je serai plus qu'heureuse de reconnaître mes torts et de présenter mes excuses au Dr Renfro.

— Je crains que ce ne soit pas si simple, mademoiselle Reyes, dit Goldenberg. Le Dr Schmidt, qui comme vous le savez est le supérieur du Dr Renfro, a déclaré que vous n'étiez pas apte à devenir médecin et exige que vous soyez expulsée de la faculté de médecine.

Les mots transpercèrent la poitrine de Natalie comme un coup de poignard.

— Je n'arrive pas à le croire. J'ai toujours eu des notes excellentes et pour autant que je sache, mon travail en clinique a été irréprochable.

— Certes, déclara Goldenberg, nous n'avons jamais eu d'échos négatifs sur votre travail avec les patients, certes, mais j'ai reçu plusieurs plaintes suggérant un manque de respect de l'autorité, une intolérance à l'égard de certains de vos collègues. L'un des membres de la faculté voit d'ailleurs en votre arrogance une source de problèmes graves pour les années à venir.

— Si je peux me permettre, le seul incident dont j'ai souvenir est d'avoir refusé de faire équipe avec l'un de mes camarades de promotion parce qu'il jetait des morceaux de cadavre à travers le laboratoire d'anatomie.

— Excusez-moi, monsieur le doyen, pour cette interruption, dit Veronica, mais je crois que je me dois d'intervenir. Lorsque le Dr Millwood m'a prévenue de ce qui se passait, je lui ai demandé de voir si je pouvais venir. Je vous remercie de m'y avoir autorisée. L'étudiant dont parle Natalie avait un comportement totalement inapproprié et méritait sa réaction. Natalie et moi sommes des amies de longue date. Je voulais que vous sachiez à quel point elle est appréciée et respectée de tous les étudiants, et aussi combien le Dr Renfro peut parfois être difficile. Lui et moi nous sommes heurtés plus d'une fois lors de mon stage en chirurgie.

— Et cependant, je n'ai jamais reçu de plainte à votre sujet.

— Non, répondit Veronica, clairement décontenancée. Non, en effet.

— Merci, mademoiselle Kelly.

— Nat, intervint Millwood, n'as-tu pas pensé un instant aux problèmes auxquels tu allais t'exposer en ramenant un patient qu'un interne avait déjà fait sortir, et ce sans même le consulter ?

Natalie secoua la tête.

— Je me rends compte maintenant que j'ai eu tort, mais j'étais contrariée par la réaction du Dr Renfro et je ne pensais qu'au patient. J'ai eu le sentiment que ce pauvre ivrogne avait été renvoyé de l'hôpital sans que l'on prête réellement attention à ses problèmes.

Millwood se tourna vers Goldenberg, comme Berenger. Natalie regardait son avenir se décider dans cette conversation muette à trois, et refrénait son envie de s'écrier tout simplement : « Et puis merde ! Je démissionne ! »

Veronica, qui l'avait sans doute senti, leva discrètement la main en signe d'apaisement.

Finalement, Goldenberg hocha la tête pour indiquer qu'il avait pris sa décision, et se tourna vers Natalie.

— Mademoiselle Reyes. Un certain nombre de membres de la faculté, dont vos deux plus gros soutiens ici présents, ont rédigé des appréciations flatteuses à votre sujet, et pensent que vous pouvez devenir un très bon médecin. Je prends aussi en considération l'effort qu'a fait votre amie Mlle Kelly pour être là, ainsi que ce qu'elle a dit. Je sais de source sûre que votre candidature était sérieusement envisagée pour notre société médicale honorifique Alpha Omega Alpha. Je peux vous assurer dès à présent que ce ne sera pas le cas. Vous avez beaucoup de qualités, mais il y a chez vous une obstination – dureté ou arrogance, peu importe – qui ne vous aidera guère dans vos études. J'ai décidé que l'expulsion était une sanction trop sévère, mais pas de beaucoup. A partir d'aujourd'hui, vous êtes suspendue pendant quatre mois. Si après cela il n'y a pas d'autres incidents, vous recevrez votre diplôme avec la promotion suivante. A part une contestation en justice, vous n'avez aucun recours pour faire appel de cette décision. Avez-vous des questions ?

— Et pour mon futur poste d'interne ?

— Nat, nous verrons plus tard quelles possibilités s'offrent à toi, dit Berenger. Je peux d'ores et déjà te dire que ta place au CHU White Memorial sera prise par quelqu'un d'autre.

— Mon Dieu. Et mon travail dans votre labo ?

Berenger attendit l'accord tacite de Goldenberg avant de répondre.

— Tu peux continuer à travailler pour moi et même assister à autant de colloques et de conférences que tu le souhaites.

— Cette décision ne fait plaisir à aucun de nous, déclara Goldenberg.

— Cela me semble trop sévère, dit froidement Natalie, bien plus proche de la colère que des larmes.

— Peut-être, peut-être. Mais vous vous êtes mise toute seule dans cette situation.

— Dites-moi une chose, monsieur le doyen. Est-ce que nous serions assis ici en ce moment si le scanner que j'ai demandé pour ce pauvre homme avait montré un gros hématome appuyant sur son cerveau ?

En face d'elle, Terry leva les yeux au ciel et soupira. Veronica secoua la tête.

Sam Goldenberg semblait presque avoir prévu la question. Il observa quelques papiers devant lui, puis regarda Natalie dans les yeux.

— Puisqu'une partie du problème qui nous occupe est votre mise en doute du jugement clinique du Dr Renfro, je me dois de vous rappeler qu'il n'y avait pas un tel hématome. Le scanner sur lequel vous avez joué votre formation médicale était normal, mademoiselle Reyes. Absolument normal.

*

Une fois la sonate pour piano et violon en fa majeur de Beethoven finie, un profond silence régna dans Elizabeth Hall.

Puis, le public se leva comme un seul homme et un tonnerre d'applaudissements et de cris éclata, noyant l'écho tremblotant de la dernière note.

— Bravo !

— Hourra !

— Wunderbar !

La beauté de dix-sept ans, serrant son Stradivarius vieux de deux cent quatre-vingt-dix ans comme s'il s'agissait d'un nouveau-né, rayonnait en regardant la foule. Elle semblait trop petite pour la scène, mais tous les amateurs de musique avaient conscience de son génie. Le pianiste qui l'accompagnait salua et regagna les coulisses afin qu'elle puisse profiter pleinement de ce retour à la scène, un moment que beaucoup avaient craint de ne jamais voir venir.

Debout au centre du dixième rang, un Indien, resplendissant dans son smoking, continua d'applaudir tout en se tournant vers son compagnon de grande taille.

— Alors ?

— Je suis très fier d'elle et très fier de nous, répondit l'autre homme, élégant, à la mâchoire carrée. La cicatrice de sa poitrine est à peine guérie et la voilà.

— Magnifique ! Tout simplement magnifique ! Je crois que je n'avais jamais entendu la Sonate du Printemps jouée avec autant d'émotion et de brio technique.

Comme le voulait la politique des Gardiens, les hommes ne s'appelaient jamais par leurs noms en public, et même lors de leurs rares conversations téléphoniques, ils se servaient de pseudonymes grecs, que tous les membres se devaient de mémoriser.

Le tumulte d'applaudissements se poursuivait et la jeune virtuose, qui ensorcellerait le monde entier pendant des décennies, enchaînait les rappels.

— Ces roses qu'elle porte, c'est nous qui les lui avons offertes.

— Joli.

— Je suis d'accord, merci. C'est tout de même incroyable ce qu'on peut obtenir en greffant tout simplement un nouveau cœur et de nouveaux poumons dans le bon corps.

Chapitre 3

Une vie sans examen ne vaut pas d'être vécue.
PLATON, *Apologie de Socrate.*

— PIÉGÉ.

Ben Callahan posa la pile de photographies sur son bureau, puis il jeta deux cachets de Zantac contre les brûlures d'estomac dans le fond de sa gorge, et les avala avec sa troisième tasse de café de la matinée. *Le début merdique d'une nouvelle journée merdique*. Peut-être était-ce le moment de rendre une petite visite à la gentille conseillère de réorientation professionnelle de son quartier... Dehors, sur une toile de fond grise, une pluie glaciale fouettait la fenêtre de son bureau. La veille, il avait fait trente-huit degrés avec une humidité du genre mille pour cent. Aujourd'hui, treize degrés et une pluie battante. L'été à Chicago. Tout simplement imbattable.

Ben étala les photos sur son bureau en deux rangées. Dieu qu'il détestait parfois devoir gagner sa vie de cette façon ! Il aurait détesté cela même si les gains avaient été substantiels, ce qui n'était même pas le cas. Au moins, Lady Katherine de Souci serait contente. Elle avait demandé à Ben de « piéger ce salopard » et maintenant Robert de Souci avait bien été piégé mais pas tout à fait de la manière dont Katherine s'y attendait.

Peu importait pour elle que Robert fasse partie d'une bonne dizaine de conseils d'administration de fondations caritatives. Peu lui importait qu'il soit, d'après ce qu'avait pu voir Ben, un excellent père et un chef d'entreprise éclairé. Katherine, que Ben voyait désormais comme un amalgame entre la tueuse à la hache Lizzie Borden et son ex-femme, avait des raisons de soupçonner son infidélité, et maintenant grâce à l'as des détectives – ou plutôt le voyeur professionnel – Benjamin Michael Callahan, elle tenait sa preuve. Et bientôt, elle aurait ses milliards de compensation, avec en prime la tête de son beau mari sur un plateau.

Il y avait seulement deux problèmes.

Contrairement à ce que Katherine s'était imaginé, Robert n'avait pas une maîtresse mais un amant, et l'homme en question était bien connu de Ben. Caleb Johnson, un pilier de la communauté noire, était sans nul doute le plus fin, le plus équitable, le plus intelligent des juges d'assises de la région. Il était possible que le juge puisse survivre au scandale qui s'annonçait, mais non sans perdre une bonne partie de l'influence qu'il exerçait dans son tribunal et dans le pays. Or, cette influence, il l'avait gagnée et la méritait.

Ben feuilleta la petite pile de factures pas encore ouvertes. Le chèque de Katherine de Souci les ferait toutes disparaître tel David Copperfield, lui laissant même un peu d'argent pour s'acheter quelque chose comptant.

Il rangea les photos dans l'enveloppe en papier Kraft et s'apprêta à appeler Katherine. Qui était-il pour s'inquiéter des conséquences ? On lui avait donné un boulot, il l'avait accepté, avait dépensé l'avance et presque toutes les indemnités journalières, il avait fait son travail. Affaire classée.

Certes, il avait fait une erreur de jugement en embrassant cette carrière, mais lorsqu'il l'avait choisie, il était sincèrement enthousiaste à l'idée de devenir un détective à l'aune de ses héros de fiction, des chevaliers errants comme Mike Hammer, Travis McGee et Jim Rockford. Il savait que les débuts seraient durs et qu'il lui faudrait accepter toutes les affaires qui se présentaient. Malheureusement, ces affaires – retrouver des gens en liberté sous caution, des conjoints volages et des épaves en tout genre – étaient restées sa source principale de revenus et à part quelques exceptions, n'avaient jamais rien eu de noble. Pas une seule dame en détresse, mystérieuse et séduisante dans le tas !

Et voilà qu'il s'apprêtait à accepter un paquet de fric de la part de quelqu'un qu'il n'aimait pas, pour faire tomber deux hommes qu'il respectait.

De Souci et Johnson auraient dû être plus réservés, se répétait-il pour se convaincre. Des associations caritatives en mal de financement et des gamins afro-américains à la recherche de modèles comptaient sur eux. Ils auraient dû réfléchir un peu plus, veiller à être plus discrets, mais il ne savait pour quelle raison, peut-être l'aveuglement de l'amour, ils avaient choisi de ne pas le faire...

Et maintenant ces photos !

Ben prit le téléphone, composa le numéro de Katherine et comme d'habitude passa par sa secrétaire pour pouvoir lui parler.

— Vous avez quelque chose pour moi ? demanda la voix snob de Katherine qui ne daigna même pas dire bonjour.

Sa voix grinçait dans le téléphone. Ben eut une brève vision de son visage parfaitement maquillé, si fier, si coincé, si hautain. Dans une vie pleine jusqu'à l'écœurement de possessions, de privilèges et de victoires, il avait déniché la preuve qui allait la faire sauter de joie. *Katherine de Souci, veuillez avancer. Vous avez gagné et vous allez maintenant concourir pour le Juste Prix !*

Pendant quelques instants, ni l'un ni l'autre ne dirent mot.

— Eh bien ? insista-t-elle.

— Hum, en fait je n'ai rien, madame de Souci. Rien. Je pense que votre mari n'a rien à se reprocher.

— Mais...

— Et à la vérité, je ne crois pas que je puisse accepter encore de l'argent de votre part. Si vous souhaitez poursuivre vos recherches, je vous recommande de trouver quelqu'un d'autre.

— Mais...

— Au revoir, madame de Souci.

S'il vous plaît, montrez-vous plus prudents. La femme de Robert est vindicative, nota-t-il sur une feuille de papier vierge. Puis il signa *Un Ami*, glissa les photos dans l'enveloppe et écrivit l'adresse du juge sans nom d'expéditeur, en ajoutant la mention PERSONNEL ET CONFIDENTIEL, puis il la mit de côté jusqu'à la pause qui ferait office de déjeuner. Au cas où, se dit-il, il l'enverrait en recommandé. Dehors, des trombes d'eau continuaient à tomber sur la ville. En quelques minutes, le relatif bien-être qu'il avait éprouvé pour avoir si brillamment déçu Katherine de Souci s'était dissipé pour faire place à l'engourdissement et l'ennui. Il était difficile de croire qu'une vie autrefois caractérisée par l'enthousiasme et l'esprit d'aventure s'était transformée à ce point. Il était encore plus difficile d'admettre que cela lui était égal.

Le téléphone sonna cinq ou six fois avant qu'il s'en rende compte et décroche.

— Allô ?

— Monsieur Ben Callahan ? demanda une voix de femme.

— Oui.

— Le détective privé ?

— Oui. Qui est à l'appareil ?

— Ici le bureau du professeur Alice Gustafson.

— Très bien.

— Département d'Anthropologie de l'Université de Chicago.

— D'accord.

— Monsieur Callahan, vous aviez rendez-vous avec le professeur Gustafson il y a quinze minutes.

— J'avais quoi ?

Ben fouilla dans les papiers de son bureau afin de mettre la main sur son agenda, qu'il avait choisi, optimiste, avec une pleine page par jour. Le nom Alice Gustafson, une adresse, un numéro de bureau et l'heure passée de quinze minutes étaient bien inscrits sur la page du jour, avec les deux mots Organ Guard. Ce n'est qu'à ce moment-là qu'il se rappela avoir reçu cet appel une semaine plus tôt, d'une secrétaire qui n'avait pas été des plus loquaces quant à la nature de ce que l'on attendait de lui.

Il avait accepté le rendez-vous sans poser de question. Et voilà qu'il l'avait raté. Après quatre ou cinq années d'université et une période d'enseignement en lycée en tant que professeur de sciences sociales, il avait décidé de tenter sa chance comme détective privé. A présent, il était sans doute temps de passer à autre chose. Peut-être découvrirait-il qu'une carrière de vendeur de hot dogs ambulant lui conviendrait mieux ou que sa vraie vocation était éleveur de chiens.

— Je... je suis désolé, dit-il. J'ai eu un imprévu et j'ai été retardé.

— J'imagine, répondit la femme. Bon, le professeur Gustafson me charge de vous dire que si vous le souhaitez, elle peut vous voir à treize heures.

Ben gratta son menton mal rasé sur lequel apparaissaient déjà quelques poils de barbe châtain roux et regarda les mots inscrits dans son agenda. Organ Guard. Cela ne lui disait toujours rien. Il fallait vraiment qu'il apprenne à être plus attentif.

— A propos de ce rendez-vous, dit-il, pourriez-vous me rafraîchir la mémoire ?

Même au téléphone, il entendit la femme soupirer.

— Vous avez répondu à une annonce que nous avions fait passer dans les journaux il y a environ un an. A l'époque, nous vous avions informé, comme les autres candidats, que nous mettions en place une base de données d'enquêteurs pour des missions futures. Vous nous aviez encouragés à vous y faire figurer.

Qu'est-ce que c'est que ces conneries ? songea Ben. Il ne se rappelait pas avoir jamais encouragé quiconque à faire quoi que ce soit.

— Alors à quel sujet, cet entretien ?

De nouveau un soupir.

— Monsieur Callahan, je pense que le professeur Gustafson a du travail pour vous.

— Et de l'argent pour me payer ?

— Je crois, oui. Alors, nous vous verrons à treize heures ?

Ben tira son clavier vers lui et s'apprêta à faire une recherche en ligne sur Organ Guard mais il s'aperçut qu'une fois de plus son accès internet avait été coupé. En tout cas, on ne l'appelait pas pour filer un conjoint infidèle. Après Lady Katherine de Souci, il ne savait pas s'il avait la force de poursuivre dans cette voie.

— Treize heures, s'entendit-il répondre. J'y serai.

Ben était sûr de posséder un parapluie quelque part, même s'il ne s'en servait jamais. Après avoir retourné le petit placard de sa salle d'attente déserte, il abandonna. Il avait la possibilité de prendre un taxi mais c'était une dépense, et il possédait un trench-coat correct, vestige de ses années d'enseignant. Tête baissée, vêtu de l'imperméable avec ceinture et d'une casquette des Cubs, il parcourut douze pâtés de maisons sous une pluie pénétrante, en s'abritant sous les porches toutes les deux minutes. Hasket Hall, sur la 59e Rue, était un bâtiment en pierre vaste et imposant, avec des ouvertures à embrasure profonde donnant sur une cour arborée.

PROFESSEUR ALICE T. GUSTAFSON
ANTHROPOLOGIE MÉDICALE

Etait gravé sur une petite plaque en cuivre près de la porte de son bureau au troisième étage. En dessous, sur une plaque plus petite, on pouvait lire, inscrit en lettres blanches sur plastique noir : ORGAN GUARD INTERNATIONAL. La porte était verrouillée. Ben frappa doucement, puis un peu plus fort.

Tant mieux, songea-t-il. Ce dont il avait vraiment besoin, c'était de se recroqueviller dans son appartement avec son chat Pincus, et de réfléchir à ce qu'il voulait faire de sa vie, si vraiment il voulait en faire quelque chose. Pourquoi pas la vente ? Tout le monde avait besoin d'une Mazda ou d'un aspirateur. Il s'apprêta à frapper de nouveau, mais pensa *et puis merde* et tourna les talons. Une femme, les bras croisés, se tenait à trois ou quatre mètres de lui et le jaugeait. Sa chemise à carreaux était rentrée dans un pantalon en toile et une large ceinture en cuir à grosse boucle en argent entourait sa taille étroite. Elle avait une soixantaine d'années, des lunettes à monture dorée, un visage fin et intelligent de professeur et des cheveux foncés grisonnants, attachés en une courte queue-de-cheval. Ben eut une première impression favorable, surtout après trois semaines de Lady Katherine de Souci.

— Monsieur Callahan, je suis le professeur Alice Gustafson, dit-elle. Désolée si je vous ai surpris.

— Juste un peu. Je crois que je viens de rater la partie « sens en éveil » de mon évaluation professionnelle.

Ben serra la main étroite aux articulations gonflées, caractéristique de l'arthrite chronique.

— Des années à marcher dans des lieux où je ne voulais pas déranger les populations ni effrayer la faune m'ont donné une démarche très silencieuse, déclara-t-elle, en ouvrant sa porte non sans difficulté.

Le bureau était étonnamment vaste mais encombré et douillet. L'un des murs comptait deux immenses fenêtres et celui d'en face était meublé sur toute sa hauteur de rayonnages qui débordaient de publications universitaires, de journaux reliés ou non et même de quelques ouvrages de fiction. Dans un coin, une armoire vitrée renfermait des dizaines d'artefacts sans étiquette ni classement visible. Sur le mur de derrière se trouvait un grand nombre de photos, surtout des portraits d'hommes à la peau noire ou brune. La plupart arboraient des cicatrices sur le côté et aucun ne semblait très heureux.

— Du café ? demanda Gustafson qui esquissa un geste en direction de la machine dans le coin, en s'asseyant derrière un vieux bureau en chêne, encombré et massif, sous un large planisphère criblé d'épingles.

Ben secoua la tête négativement et prit place face à elle. Il y avait un mélange étrange et séduisant de passion et de sérénité dans le visage de cette femme.

— Je... je suis confus mais je ne me souviens pas vraiment d'avoir répondu à votre annonce, dit-il.

— Oui, c'est ce que m'a dit Libby, la secrétaire de notre département. Ça ne fait rien puisque vous êtes là.

Ben regarda autour de lui.

— Je suis là.

— Mais vous ignorez qui nous sommes. C'est bien ça ?

— J'imagine qu'on peut dire ça.

Le professeur l'observa un moment et Ben eut le sentiment qu'elle allait le remercier d'être venu et le renvoyer au fond de sa caverne. Il ne l'aurait pas blâmée du tout, et d'ailleurs le plus triste c'est que cela ne lui aurait rien fait. Etait-il en dépression ? Crise de la quarantaine ? Sans doute les deux. Mais cela n'avait pas d'importance. Peut-être qu'au lieu de la gentille conseillère d'orientation, il devrait rendre visite au gentil psychopharmacologue du quartier ?

— Vous devez savoir, dit enfin Gustafson, que vous n'êtes pas le premier enquêteur que je vois pour ce travail. Vous êtes le troisième.

— Pourquoi avez-vous éliminé les deux premiers ?

— Je ne les ai pas éliminés. Aucun d'eux ne voulait le faire.

— Pas assez payé ? demanda Ben qui savait, connaissant ses confrères, que c'était le plus probable.

— Il y a environ un an, nous devions recevoir une subvention pour étendre la partie investigation-répression de notre activité. C'est pourquoi j'ai fait paraître cette annonce, afin de trouver les personnes adéquates pour cette mission. Puis finalement, notre mécène a décidé de dépenser son argent ailleurs. Maintenant, une autre fondation nous a effectivement donné de l'argent. Ce n'est pas énorme, mais c'est déjà ça.

— Félicitations.

— Voulez-vous que je vous explique de quoi il s'agit ?

Pas la peine. Quoi que ce soit, je ne suis pas partant, songea Ben.

— Allez-y, s'entendit-il répondre.

Gustafson prit une petite pile de brochures dans son tiroir et lui en tendit une. Elle était intitulée : « Trafic clandestin d'organes : un problème à l'échelle mondiale. »

— Le trafic d'organes humains est illégal dans la plupart des pays du monde, commença-t-elle tandis que Ben parcourait le document, et pourtant il continue de prospérer à une vitesse alarmante. Les donneurs de ces organes illicitement prélevés peuvent être morts, dans la zone trouble de l'entre-deux, ou tout à fait bien-portants. Mais ce qu'ils ont presque tous en commun c'est leur pauvreté. Des acheteurs, des vendeurs, des intermédiaires, des hôpitaux, des cliniques et des chirurgiens sont impliqués. Et croyez-moi, monsieur Callahan, les sommes d'argent en jeu dans cet univers secret et hors la loi sont considérables, des millions et des millions de dollars.

Ben posa la plaquette.

— Dites-moi, professeur. Si une personne pauvre a désespérément besoin d'argent, et une personne aisée désespérément besoin d'un rein ou d'un foie ou je ne sais quoi...

— Oui ?

— Si c'est un crime que quelqu'un se charge d'orchestrer l'échange entre l'organe et l'argent, quelle est la victime de ce crime ? Et, autre question importante, qui s'en préoccupe ?

— Je répondrai d'abord à votre deuxième question, monsieur Callahan. Nous, on s'en préoccupe. Il est rare que ces donneurs reçoivent ce qui leur avait été promis. Comme d'habitude, les déshérités sont abusés par les plus riches. S'il vous faut une analogie, pensez à une jeune femme pauvre encouragée par un maquereau à se prostituer. Organ Guard est l'une des deux seules agences à surveiller ce trafic, mais le nombre de nos adhérents ne cesse d'augmenter. Des pays du monde entier commencent à mettre en œuvre les moyens nécessaires pour lutter contre ce fléau. Et comme vous le verrez même ici aux Etats-Unis, des situations de ce type se produisent.

— Vous dites que les gouvernements consacrent une part de leur budget à ce problème, dit Ben, mais j'ai comme l'impression qu'il y a une légère exagération dans cette affirmation.

De nouveau, Gustafson le dévisagea.

— Nous progressons lentement, reconnut-elle à contrecœur. Je vous l'accorde. Mais les choses évoluent. Les autorités de certains pays procèdent maintenant à des arrestations lorsque nous parvenons à leur fournir des preuves.

— Félicitations ! lança de nouveau Ben, qui ne savait que répondre d'autre, en espérant ne sembler ni cynique ni hypocrite.

Dans un monde en proie à la maladie, au terrorisme, à la dictature, la drogue, la prostitution, la corruption politique et aux détournements d'argent, la cause d'Alice Gustafson semblait dérisoire. C'était une Don Quichotte, une idéaliste guerroyant contre l'injustice d'un crime sans victime, et qui à part pour un éventuel article de fond dans le *Times*, présentait peu d'intérêt.

— Si je peux me permettre, monsieur Callahan, qu'est-ce qui vous a poussé à devenir détective privé ?

— Je crois que je ne sais plus très bien. J'étais enseignant dans un lycée, mais le principal trouvait que mes cours n'étaient pas assez structurés et que je ne faisais pas assez preuve de discipline. Les gamins m'aimaient et moi aussi, mais il a dit que ça n'avait vraiment aucune importance.

— Sympa.

— Je n'ai jamais lu sa lettre de recommandation, mais les résultats de mes recherches d'emploi suggéraient qu'elle ne devait pas être flatteuse. Lire des romans et BD de détectives a toujours été ma passion et donc j'ai voulu tenter le coup. Je me voyais un peu comme un condensé idéal du meilleur de chacun de ces personnages.

— Ça ferait un sacré personnage. John D. MacDonald est mon auteur préféré. Je crois que j'ai lu presque tout ce qu'il a écrit.

— Son personnage de Travis McGee, c'est pour moi le modèle absolu.

Gustafson eut un rire naturel et sans inhibition.

— Evidemment, qui n'aurait pas envie de vivre sur une péniche en Floride et de secourir de belles femmes en détresse ?

Ben pensa soudain à Katherine de Souci.

— Le problème, c'est que j'ai oublié que mes modèles et leurs belles éplorées étaient tous fictifs.

— Vivre dans le monde réel est souvent un défi pour nous tous.

Le professeur se cala dans son fauteuil et pianota sur son bureau. Elle essayait manifestement de décider si cela valait la peine de continuer ou si elle devait passer au détective numéro quatre.

— Bon, dit-elle enfin, comme nous parlions de la Floride, est-ce que vous voulez des informations sur ce travail ? Parce que c'est là-bas qu'on vous enverrait.

— Professeur, je vous mentirais en vous disant que j'éprouve un véritable intérêt pour votre cause.

— J'admire votre franchise, monsieur Callahan. C'est quelque chose que j'apprécie.

— La démarcation est floue entre la franchise et le simple manque d'intérêt, professeur.

— Je vois. Eh bien, regardez ces photos. Elles m'ont été envoyées par un coroner de Fort Pierce en Floride, Stanley Woyczek, qui a étudié l'anthropologie médicale avec moi. Il connaît Organ Guard. Vous avez peut-être raison de dire que le trafic d'organes est un crime sans victime mais parfois...

Au fil des ans, Ben avait vu un certain nombre de photos médico-légales, en noir et blanc ou comme celles-ci, en couleur. Pourtant, ces images le firent suffoquer. Le cadavre, un homme d'une vingtaine d'années, avait été réduit en bouillie.

— Il marchait sur une autoroute presque déserte à trois heures du matin quand il a été percuté par un semi-remorque, expliqua Gustafson. D'après Stanley, la mort a été instantanée.

— J'imagine.

— Quand vous vous sentirez prêt, regardez les trois photos du bas.

— Ses fesses ?

— En fait, la zone juste au-dessus de ses fesses. Stanley écrit qu'il est absolument sûr qu'on lui a prélevé de la moelle osseuse un jour environ avant sa mort.

— Et alors ?

— Alors il a appelé tous les hôpitaux, cliniques et hématologues du coin et à sa connaissance, cet homme ne fait pas partie de leurs patients.

— Son identité ?

— Inconnue.

— Des empreintes digitales ?

— Ça n'a rien donné.

— Mon Dieu ! Et il n'y a aucun doute dans l'esprit du coroner sur le fait qu'il ait été donneur de moelle osseuse ?

— Pour le moment, vous pouvez même dire donneur malgré lui.

— Je parie qu'il y a une explication simple et logique.

— Peut-être. Mais jetez un œil là-dessus.

Gustafson lui passa un dossier portant un seul nom, RAMIREZ, écrit à la main sur l'étiquette. Il contenait un enregistrement audio, des retranscriptions, plusieurs photographies et deux articles de journaux, l'un soigneusement découpé dans le *Hallowell Reporter*, publication du Maine, et l'autre du *National Enquirer*. Les deux articles dataient de quatorze mois auparavant. Ben choisit de commencer par le plus spectaculaire :

DES VAMPIRES M'ONT SUCÉ JUSQU'À LA MOELLE

Les vampires des temps modernes utilisent des camping-cars
pour embarquer leur victime et des aiguilles pour sucer le sang.

Le bref article, complété par des photos, rapportait le récit de Juanita Ramirez, femme de chambre dans un motel, âgée de cinquante ans. Elle avait été droguée, enlevée et retenue prisonnière, les yeux bandés, à l'arrière d'un camping-car, puis des vampires qui se prétendaient médecins avaient fait des expériences sur elle. Un spécialiste qui avait examiné Ramirez après le prétendu enlèvement, avait découvert qu'on avait aspiré sa moelle osseuse grâce à de grosses aiguilles enfoncées dans l'os de sa hanche. Une photo du journal, censée représenter la peau juste au-dessus des fesses, ressemblait de façon frappante à celle envoyée par l'ancien étudiant de Gustafson.

— Stanley n'avait pas entendu parler de cette affaire quand il m'a envoyé les photos.

— Mais vous, comment diable vous avez entendu parler de ça ?

Elle eut un sourire énigmatique.

— Certaines personnes lisent les journaux lorsqu'elles ne travaillent pas, d'autres regardent la télévision et d'autres s'amusent sur eBay. Moi je fais des recherches sur Google. Des tas de recherches. Ça me relaxe. L'autre article, le plus petit, donne le nom du médecin ostéopathe des forêts du nord du Maine qui a établi qu'il y avait eu prélèvement de moelle osseuse. J'y suis allée et j'ai interrogé à la fois Juanita et le médecin. Elle a décrit un gros camping-car gris avec des motifs plus foncés sur le côté. Même avant cet envoi de Stanley, j'étais persuadée que quelqu'un avait bien kidnappé cette femme, aspiré sa moelle osseuse et l'avait relâchée après l'opération, les yeux bandés.

— Mais pourquoi ?

— Ça, monsieur Callahan, pour y répondre nous avons besoin d'un détective. Je le ferais bien moi-même, mais j'ai mes cours. Et en plus mon arthrite me joue de sales tours. Me glisser incognito dans des hôpitaux en Turquie, en Moldavie ou en Afrique du Sud afin de démasquer des trafiquants d'organes, c'est du passé pour moi.

— J'espère sincèrement que non, professeur.

— Eh bien, merci.

— Alors, pourquoi la Floride ? Je croyais que vous vous intéressiez surtout aux pays du tiers-monde.

— Parce que tout se déroule là-bas en ce moment. Si nous parvenons à prouver qu'il existe dans notre pays un trafic organisé, je pense que je n'aurai plus à m'inquiéter autant pour le financement de notre travail. Et même si la ponction de moelle osseuse peut ne pas être aussi pénalisante que la perte d'un rein, d'un foie ou d'un cœur, ce n'en est pas moins illégal.

L'histoire de la femme de chambre et les minces preuves n'avaient pas davantage déchaîné l'enthousiasme de Ben pour Organ Guard et sa mission, et il ne croyait pas non plus que la mort du jeune homme en Floride ait été causée par autre chose que la calandre du semi-remorque. Mais il était subjugué par Alice Gustafson, et même un peu jaloux de la flamme qui l'animait.

— Je crains que la subvention que nous avons obtenue ne soit pas très importante, monsieur Callahan.

— Voilà qui ne présage rien de bon.

— Est-ce que vous accepteriez de partir en Floride pour essayer de déterminer l'identité du jeune homme sur cette photo et peut-être reconstituer ce qui lui est arrivé ?

— Ma licence n'est pas valide en Floride.

— Cela ne devrait pas vous poser problème. Je suis sûre qu'il vous est déjà arrivé de suivre des gens hors de l'Illinois.

— En effet.

— De plus, mon ancien étudiant, Stanley, connaît la police de cette région. Il a promis de me mettre en relation avec eux. Je crois qu'il n'aura pas de mal à faire de même pour vous.

— Est-ce que la police n'a pas travaillé sur cette affaire ?

— Techniquement, aucun crime n'a été commis, donc je ne crois pas qu'ils consacrent beaucoup d'énergie à essayer d'identifier la victime. De plus, ils ont plein d'autres affaires sur les bras. Vous, vous en aurez juste une. Vous êtes intéressé ?

Ben s'apprêtait à prétendre qu'il était très occupé en ce moment mais il eut l'impression que cette femme ne serait pas dupe de ses mensonges.

— Combien de temps aurai-je ? demanda-t-il.

— Nous pouvons payer votre billet d'avion, classe éco, et huit jours à cent cinquante dollars par jour plus les frais. Je précise, des frais raisonnables.

Ben essaya de garder son humour noir au placard. Katherine de Souci le payait cent cinquante dollars *de l'heure*.

— Je comprends que vous ayez du mal à trouver quelqu'un.

J'imagine qu'une personne prête à travailler pour si peu n'est pas quelqu'un qui vous inspire confiance.

— Vous, vous êtes quelqu'un qui m'inspire confiance, dit Gustafson. Vous avez l'honnêteté de me dire que vous n'êtes pas partie prenante de notre cause, et vous possédez l'intelligence qui vous a permis de réussir, en tout cas selon mes critères, en tant qu'enseignant.

— Et s'il me faut plus de temps ?

— Je doute que le comité de répression d'Organ Guard autorise une dépense supplémentaire pour vous.

— Et qui est le comité de répression d'Organ Guard ? demanda Ben.

Alice Gustafson sourit modestement.

— Eh bien, c'est moi.

Chapitre 4

Il est évident que les vieillards devront commander et les jeunes obéir.

PLATON, *La République,* Livre III.

LA PISTE D'ATHLÉTISME DU LYCÉE Saint-Clement, un ovale de liège de quatre cents mètres, était celle que Natalie préférait de toute la ville. Comme elle ne se trouvait ni près de chez elle ni près de la fac de médecine, elle n'y courait pas aussi souvent qu'elle l'aurait souhaité. Aujourd'hui pourtant, en retrouvant le plaisir de courir sur une surface quasi parfaite, elle s'était promis que cela allait changer.

Du plus loin qu'elle se souvienne, elle avait su très tôt qu'elle était capable de courir vite, et cette capacité lui avait parfois sauvé la vie, notamment lors de son année de fugue, avant son entrée à l'école Newhouse. Un prof de sport du lycée l'avait chronométrée sur plusieurs distances et rapidement recommandée à l'un de ses amis qui se trouvait être entraîneur d'athlétisme à Harvard. Lorsque par la suite elle y fut admise, elle avait déjà battu plusieurs records de catégorie Lycée et était devenue une star de la course de demi-fond.

Lors de sa première année, après la publication d'un article sur elle dans le *Globe*, Doug Berenger était venu la voir s'entraîner. Il avait été bon coureur à Harvard, bien que loin de battre des records. Après avoir déjeuné avec elle la semaine suivante, il lui avait proposé de travailler dans son labo, sous réserve que cela n'interfère pas avec son entraînement. Depuis, tous deux avaient toujours fait équipe.

A onze heures du matin, l'air était plus chaud que ce qu'elle aurait souhaité, mais la piste semblait absorber et contenir la chaleur. Après dix minutes de jogging à un rythme tranquille, elle appréciait déjà la différence par rapport à la course sur route, plus fatigante pour son tendon d'Achille. Vêtue d'un survêtement bordeaux, d'un maillot à bretelle et d'un bandeau blanc autour du front pour retenir ses cheveux d'ébène, elle prit un virage sans effort, cherchant Terry Millwood des yeux.

Cela faisait déjà près de trois semaines qu'elle avait été suspendue de l'école – sanction non méritée à ses yeux, qui lui faisait perdre une année par rapport à la promotion avec laquelle elle avait commencé et la privait de sa résidence à White Memorial. Pas un jour ne passait sans qu'elle éprouve des accès de colère contre Cliff Renfro, le chef du service de chirurgie de White Memorial ou le doyen Goldenberg. A trente-cinq ans, elle n'avait guère de temps à perdre pour atteindre ses objectifs professionnels. Maintenant, à cause de trois hommes, elle n'avait d'autre choix que de se dépêcher d'attendre.

Devant elle, Millwood, qui venait de franchir la barrière pour descendre sur la piste, lui fit un signe de la main. Il mesurait un mètre quatre-vingt-trois, dix centimètres de plus que Natalie mais, tandis qu'elle avait un physique élancé – certains disaient même sec –, lui était massif et presque trop musclé. Millwood était un joueur de tennis plus qu'honnête et bon sportif en général. Mais son domaine d'excellence, c'était la chirurgie. Sur l'incitation de Doug Berenger, Natalie avait commencé à passer du temps aux urgences avant même d'être reçue en médecine. Son mentor était poli et gardait son calme presque en toutes circonstances. Spécialiste des transplantations cardiaques, il était connu et respecté. Mais pendant les moments particulièrement difficiles aux urgences, il devenait fou, et pouvait se montrer très dur avec son équipe.

Millwood, le protégé de Berenger dans l'équipe de transplantation, était tout le contraire, calme et positif même au cœur des crises les plus critiques, propres à vous retourner les tripes. Natalie l'avait observé pour la première fois au cours d'une intervention de douze heures sur un anévrisme fissuré avec remplacement d'une valve aortique. Il fredonnait doucement des airs d'opéra pendant cette éprouvante procédure – qui avait réussi – sans jamais élever la voix ni perdre son sang-froid. Dans son cœur, Natalie savait qu'elle voulait ressembler à Millwood quand – quoique cela fût désormais devenu hypothétique – viendrait son tour de diriger une opération, mais dans sa tête, elle supposait qu'elle serait plutôt semblable au flamboyant et imprévisible Berenger.

— Alors, comment ça va ? demanda Millwood en la rattrapant au milieu de l'une des lignes droites.

— Tu as déjà eu des crises de colère au volant ?

— Peut-être une fois.

— Eh bien moi c'est en permanence, que je sois en voiture ou pas, et dirigée contre pratiquement tout le monde. C'est un miracle que je n'aie pas encore usé mes dents jusqu'aux gencives à force de les serrer.

— Est-ce que tu as vu quelqu'un ?

— Tu veux parler d'un dentiste ?

— Au moins, tu n'as pas perdu le sens de l'humour.

— Ça fait plaisir à entendre. On dirait que tu es le seul à apprécier mon humour. Si tu veux parler d'un psy, j'ai des mini-rendez-vous avec le Dr Fierstein presque tous les jours. Dix ou quinze minutes. C'est toujours la même chose. Je lui dis que j'ai envie de tuer quelqu'un et elle me réplique que ça ne ferait sans doute qu'aggraver les choses. Le plus triste, c'est que je n'en suis même pas sûre.

— Quand le moment sera venu, Doug et moi on se battra pour te trouver un autre internat en chirurgie. Je te le promets.

— Mais d'abord il faut que j'arrive à admettre que j'ai fait une erreur à la fac et aux urgences du Metro.

Elle releva les deux mains comme pour l'empêcher de souligner qu'en effet, si elle n'avait pas commis d'erreur, elle serait toujours à la fac.

— Je sais, je sais, déclara-t-elle.

— Mmouais, pas très convaincante...

— Je sais.

— A gauche ! lança une voix par-derrière.

Deux garçons, portant du violet et du blanc, les couleurs du lycée Saint-Clement réputé pour son équipe d'athlétisme, les doublèrent par l'intérieur, les forçant à se pousser sur la droite. Puis, en même temps, les deux jeunes lancèrent un regard méprisant en arrière, condamnation silencieuse du règlement de leur lycée qui laissait vraiment n'importe qui s'entraîner sur leur stade.

— Du calme, murmura Millwood. On met les gens en prison quand ils font ce à quoi tu penses. De toute façon tu n'as pas d'arme sur toi.

— N'en sois pas si sûr.

— Alors comme ça, Doug me dit que tu passes beaucoup de temps au labo ?

— Qu'est-ce que j'ai de mieux à faire ? Les autres chercheurs ont envie de me tuer parce que je les complexe en arrivant la première et en partant la dernière, mais ils ne se rendent pas compte que c'est ma seule occupation. Ils ignorent aussi que moi j'ai encore plus envie de les tuer, juste par principe.

— A quelle heure est ton rendez-vous aujourd'hui ?

— Tu penses que je suis trop en colère ?

— Je ne serais pas un très bon copain si je te disais tout le temps que tu as raison. Tu sais que je t'adore, Nat, mais je dois me ranger à l'avis de Goldenberg à propos de ton entêtement qui va finir par te poser des problèmes.

— Je suis qui je suis. Toi en particulier, tu devrais le comprendre !

— Tu veux dire parce que je suis gay ? Ça c'est ce *que* je suis. Je ne voudrais rien changer même si je le pouvais, et de toute façon, je ne peux pas. *Qui* je suis, c'est une autre histoire, et aussi merveilleuse que tu sois, tu as tellement les boules que ça t'empêche de...

— Attention à gauche !

De nouveau, les coureurs de Saint-Clement les poussèrent avec brusquerie sur la droite.

— Hé les gars ! s'écria Natalie.

— Je crois que je ne veux pas voir ça, murmura Millwood.

Devant eux, les garçons s'arrêtèrent et se retournèrent. Ils étaient plus vieux qu'elle l'avait cru au début – sans doute des premières ou terminales. L'un d'eux, aux cheveux blonds et bouclés, avec des vestiges d'acné, continua à courir sur place sans effort, tandis que l'autre, le teint cuivré et l'air parfaitement sûr de lui, fit un pas vers eux, les mains sur les hanches, la tête penchée. Natalie était persuadée que ce n'était pas la première fois que les jeunes rudoyaient de cette façon les coureurs amateurs. Elle sentit la supplication muette de Millwood d'oublier tout ça, mais il n'y avait aucune chance. Certes, elle n'avait pas de flingue pour leur tirer dessus ni de couteau pour les égorger, mais elle avait ses jambes.

— Pourquoi ne pas nous avoir esquivés ? demanda-t-elle.

— Parce que vous êtes des coureurs du dimanche, alors que nous on s'entraîne sérieusement ; vous pourriez faire votre jogging n'importe où !

Mauvaise réponse. Natalie vit Millwood faire un pas en arrière, bras croisés.

— Ah bon ? fit-elle. Je vais vous dire, coureurs sérieux, si l'un de vous deux arrive à battre cette vieille joggeuse délabrée sur un tour de stade, moi et mon ami nous partirons et nous irons trottiner ailleurs. Mais si vous ne pouvez pas me battre sur quatre cents mètres, nous garderons notre place ici et vous n'aurez qu'à déguerpir, ou encore mieux, aller vous asseoir dans l'herbe et nous regarder jusqu'à ce qu'on ait terminé.

Les garçons échangèrent un regard entendu et un sourire. Ils étaient tous les deux doués, supposa Natalie, peut-être très doués. Mais il fallait espérer qu'ils ne l'étaient pas suffisamment. Elle était une coureuse de fond et quatre cents mètres, c'était un sprint, mais à ce moment-là, ce dont elle avait le plus besoin au monde, c'était de les battre. Rectification, de les *écrabouiller*.

Natalie enleva le survêtement qui recouvrait son short et Millwood s'écarta.

— Je vais donner le départ, dit-il, puisqu'il ne pouvait pas changer le cours des choses.

Tandis qu'elle s'alignait avec les deux adolescents, Natalie ressentit le frisson familier de la compétition la parcourir. Tu ne vas pas me battre... Tu ne vas pas me battre... Tu ne renverras pas cet homme des urgences sans un scanner...

— A vos marques... prêt... partez !

Les jeunes étaient rapides et ravis dans leur arrogance de relever ce défi, surtout contre une femme plus vieille qu'eux qui faisait son jogging avec un homme d'âge mûr. Pourtant, dès les vingt premiers mètres, Natalie sut qu'à moins qu'ils aient tous les deux des fusées attachées aux pieds, ils allaient avoir une sacrée surprise. Ils semblaient du même niveau, et couraient côte à côte. Pendant un moment, Natalie resta derrière, collant à leur ombre double. Mais quatre cents mètres, ce n'est pas si long et elle n'avait pas l'intention de les surprendre d'une longueur sur la ligne d'arrivée. Ils avaient tous les deux besoin d'être sérieusement recadrés. Rien de moins. Le blond était Cliff Renfro et le brun Sam Goldenberg.

— Hé, les gars, s'écria-t-elle, attention sur la gauche !

Les deux regardèrent en arrière, manifestement surpris de voir qu'elle était tout près. Il ne lui fallut qu'un instant pour passer en trombe entre les deux et s'éloigner en accélérant. S'ils avaient su qu'elle était si rapide, peut-être auraient-ils pu aller plus vite mais cela n'aurait rien changé : sur cent courses, elle les aurait battus cent fois, même si ce n'était pas d'une manière aussi éclatante que cette fois-ci.

Millwood avait donné le départ de la course au milieu de l'une des lignes droites. A présent il regardait, amusé, Natalie parcourir le dernier virage et arriver en sprint, sans ralentir avant de l'avoir dépassé. Les lycéens en étaient seulement au dernier virage. Sans un regard en arrière et luttant pour ne pas montrer qu'elle était hors d'haleine, Natalie prit son ami par le bras et le guida vers la piste à un pas de course rapide.

— Alors, tu es contente maintenant ? demanda Millwood.

— Je suis moins malheureuse.

En début d'après-midi, après avoir déposé les courses chez sa mère puis chez elle, Natalie arriva au labo. Jenny, toujours aussi boute-en-train, avait fini les *Hauts de Hurlevent* et attaqué *Oliver Twist*. Aux yeux de Nathalie, à moins que sa nièce ne se mette soudain à sauter de son fauteuil roulant pour aller jouer avec les autres enfants, Dieu avait pas mal de choses à se faire pardonner.

Même avec le labo de Berenger, le temps libre lui pesait lourdement. Sa dernière relation que l'on pouvait qualifier d'amoureuse s'était terminée très calmement trois mois auparavant, et cela ne lui avait pas manqué – jusqu'à maintenant. Berenger et Millwood lui avaient promis de l'aider à trouver un autre poste d'interne, mais jusque-là, ses recherches n'avaient rien donné. Elle avait augmenté ses heures de bénévolat au foyer pour femmes où elle travaillait depuis l'université, et s'était même inscrite à un cours de tricot auprès de la municipalité de Boston. Malgré tout, sa vie lui semblait constamment tourner au ralenti.

En complément des pistes d'athlétisme et des routes, le labo était un don du ciel, un endroit où elle restait productive. Elle faisait partie d'une équipe de trois personnes, à laquelle Berenger avait confié un projet visant à définir les effets secondaires d'un nouvel immunosuppresseur qui en était encore à la phase de tests sur les animaux. Si les évaluations étaient encourageantes, à moyen terme, le produit pourrait remplacer ou améliorer l'un des médicaments toxiques actuellement utilisés pour réduire la fréquence et la gravité des rejets de greffe.

Natalie enfila une légère tenue stérile bleue et une blouse de labo avant de prendre l'ascenseur pour atteindre le vaste laboratoire de Berenger au neuvième étage du Nichols Building. Les deux autres membres de l'équipe, Spencer Green et Tonya Levitskaya, la saluèrent avec leur froideur habituelle. Etant donné l'intellect de Berenger, son charisme, la variété de ses intérêts et ses incroyables talents chirurgicaux, Natalie s'étonnait qu'aucun d'eux n'ait encore été renvoyé.

Green, un thésard cadavérique et austère qui n'avait jamais obtenu une seule bourse, travaillait depuis dix ans avec Berenger et Levitskaya, une interne du service de transplantation qui avait fait ses études en Russie, avant d'obtenir un poste de praticien-chercheur pour six mois ; elle semblait avoir une opinion bien arrêtée et généralement négative sur presque tous les sujets. Mariée, proche de la quarantaine, Levitskaya avait certainement un faible pour leur mentor et traitait donc Natalie comme une rivale. Berenger lui-même semblait ne pas remarquer l'acrimonie perpétuelle au sein de l'équipe.

Dès son entrée dans le labo, Natalie vérifia que la petite pièce réservée aux tests sur les animaux était libre, puis elle alla dans la réserve et revint avec une cage de douze souris blanches élevées spécialement pour la recherche.

— Je me sers de l'animalerie, dit Levitskaya, avec un fort accent style Dracula vintage.

— Pas déjà, soupira Natalie.

Le peu d'allégresse qui lui restait après l'épisode des lycéens remis à leur place s'évanouit.

— Je viens d'y passer, Tonya, fit-elle avec un enjouement forcé. La pièce est vide !

— Eh bien, je m'apprête à m'en servir.

— Tonya, j'aurai fini dans vingt minutes !

— Tu le feras plus tard, c'est tout.

— Tonya, arrête s'il te plaît ! C'est dur pour moi en ce moment et...

— Encore mieux, fais-le ce soir quand tu resteras à travailler jusqu'à minuit pour faire passer les autres pour des paresseux.

Plus de tact, se remémora Natalie. C'est là-dessus que le doyen et Terry lui avaient dit de travailler. La diplomatie.

— Tonya, lança-t-elle en souriant gentiment, si tu ne te calmes pas et que tu n'arrêtes pas de m'emmerder, je vais t'aplatir le nez.

Voilà, ça va comme ça le tact ?

Levitskaya avança d'un pas. C'était une femme robuste, un peu plus grande que Natalie et qui devait peser au bas mot quinze kilos de plus. Son sourire aux dents de travers laissait supposer qu'elle avait déjà fait face à des défis de ce genre et qu'elle n'imaginait même pas de se dérober.

Merde, songea Natalie. Bon, quel est le pire qui puisse m'arriver ?

La dernière fois qu'elle s'était battue à coups de poing, c'était en classe de première à Newhouse. Elle s'en était sortie avec des fractures du nez et de la main, tout en s'attribuant la victoire sur l'autre fille, pratiquement indemne. Est-ce qu'elle apprendrait un jour à choisir des adversaires contre lesquels elle avait une chance ?

— Si on allait dans le couloir pour ne rien casser ? dit-elle, résignée à se faire démolir.

— Mesdames, appela Spencer Green de l'autre côté du labo en feignant d'ignorer le conflit, c'était Doug au téléphone. Vous êtes toutes les deux attendues immédiatement au dispensaire pour les consultations post-op.

Les yeux de Levitskaya se rétrécirent comme si elle se livrait à un calcul pour savoir si elle aurait le temps de démolir Natalie tout en se rendant sans délai à la clinique. Finalement, avec un haussement d'épaules qui remettait la chose à plus tard, elle se dirigea vers la sortie. Natalie envisagea de rester avec ses souris, puis finalement les abandonna et la suivit. Berenger la considérait clairement comme faisant partie de son service, indépendamment de son renvoi de l'école de médecine, et elle devait s'en montrer digne.

Le dispensaire, utilisé par différents services selon les jours, consistait en quatre salles d'examen, un bureau de consultation et une petite salle d'attente au sixième étage du Hobbs Building. Cet après-midi était consacré aux cinq ou six patients de Berenger ayant reçu une greffe. Il s'occupait en moyenne de deux greffes toutes les trois semaines, mais en aurait fait bien plus s'il y avait eu plus de donneurs. En l'état actuel des choses, le nombre de gens qui mouraient faute d'un donneur de cœur excédait de loin le nombre de gens sauvés par une transplantation.

Au moment où Natalie arriva au dispensaire, Levitskaya était déjà dans le bureau à faire de la lèche à Berenger. Natalie fut surprise de noter que la jeune femme respirait sans effort, sachant qu'elle avait dû courir pour arriver si vite du labo.

Assis derrière son bureau, Berenger était l'incarnation du professeur de médecine : le spécialiste en chirurgie cardiaque à la mâchoire carrée, au regard d'acier, et aux doigts incroyablement longs. Respecté par ses patients, ses étudiants tout comme par ses confrères, c'était un enseignant et chercheur de renommée mondiale et pourtant la plupart du temps aussi humble qu'on pouvait l'être. Natalie avait rencontré sa femme et leurs deux filles adolescentes à plusieurs reprises et en savait assez pour penser que si Berenger avait parfois des faiblesses, c'était envers elles.

— Alors comme ça, lança-t-il, il y a eu un malentendu au labo ?

Green.

— C'est réglé, dit rapidement Levitskaya en souriant malgré ses dents serrées.

— Nous sommes prêtes, ajouta Natalie avec un enthousiasme forcé. J'apprécie que vous me fassiez participer.

— Vous connaissez toutes les deux l'importance du travail d'équipe.

— Oui, répondirent les deux femmes à l'unisson.

— Bien. M. Culver est dans la salle adjacente. Il a été opéré il y a trois mois. Tonya, tu le connais, donc explique à Natalie et amène-la avec toi pour assister à ton examen. Natalie, nous pourrons discuter ensuite.

L'interne en chirurgie cardiaque conduisit Nathalie dans le couloir où elle lui résuma en trente secondes et sans enthousiasme le cas de ce chauffeur de camion de quarante-sept ans atteint de cardio-myopathie, un gonflement du cœur dont les causes étaient inconnues, et qui avait eu la vie sauve grâce à une transplantation, après deux années d'insuffisances cardiaques progressives. Médicalement, il s'en sortait très bien depuis l'opération.

Culver, Carl de son prénom, était un homme costaud et basané, aux sourcils épais, qui avait une face de lune et des yeux étonnamment petits. Mais il y avait quelque chose de plus déplaisant encore que son apparence physique. Il empestait la cigarette. Dans sa présentation, Levitskaya avait bien précisé qu'il avait été un gros fumeur mais qu'il avait arrêté en constatant la détérioration de sa respiration et en prenant conscience que sa dépendance risquerait de l'éliminer de la liste d'attente pour la transplantation. A l'évidence, il avait fait une rechute.

Sans même un mot ni une poignée de main, la Russe explosa :

— Bon Dieu, Carl ! dit-elle en criant presque, vous empestez la cigarette !

— Eh bien, j'ai été viré de mon travail et ma fille est tombée malade, alors...

— Pas d'excuses ! Est-ce que vous savez combien d'heures et combien d'argent ont été investis afin de mettre ce nouveau cœur dans votre poitrine, sans parler du pauvre homme qui vous l'a donné, et des innombrables personnes qui n'ont pas eu cette chance ? Et vous, vous fumez comme un pompier, vous faites de votre mieux pour le détruire !

— Mais...

— Il n'y a pas de mais ! Je vais voir si le Dr Berenger veut bien avoir affaire à vous. Sinon, j'exige que vous sortiez et que vous ne reveniez que lorsque vous aurez arrêté de fumer. Quel gâchis quand on pense que ce cœur pourrait maintenir en vie un non-fumeur pendant des années !

Elle bouscula Natalie pour sortir en trombe et laissa Carl Culver ébahi, frustré et en colère.

— Je suis désolée pour votre travail, monsieur Culver, dit Natalie.

— Merci. Je regrette pour les cigarettes, docteur, vraiment. Mais c'est dur, surtout quand les choses vont mal.

— Est-ce que votre fille est très malade ?

— Elle a eu des convulsions. Ils ont cru qu'elle avait une tumeur au cerveau, mais c'était seulement des migraines. Honnêtement, docteur, je vais sincèrement essayer d'arrêter.

— Il faut persévérer, dit Natalie en s'avançant pour lui poser la main sur l'épaule. Votre fille a plus besoin de vous que vous ne pouvez l'imaginer. Je sais que c'est dur mais il faut s'accrocher.

A ce moment-là, la porte s'ouvrit et Berenger entra, suivi d'une Levitskaya au visage cramoisi. Au cours des dix minutes qui suivirent, le mentor de Natalie leur fit un véritable cours sur la manière d'être médecin en dispensaire, multipliant les contacts visuels sincères avec le patient, argumentant sans stigmatiser, lui posant des questions sur sa famille et sa situation, le calmant, le touchant sur le bras pour le rassurer, sans cesser de l'avertir du danger qui le guettait s'il ne cessait de fumer. Calme, sérieux, impliqué, compatissant, compréhensif, ferme.

— J'entends un sifflement, Carl, dit-il après l'avoir examiné. C'est mauvais – c'est très mauvais. L'heure est venue pour vous de vous attaquer à ce problème. Je vais vous mettre en contact avec notre centre de sevrage. Mais les médecins et les travailleurs sociaux ne peuvent pas faire tout le travail à votre place. Il faudra vous investir.

— Je vous promets que je le ferai, docteur Berenger.

— Il faut faire plus de sport. Avez-vous un centre sportif près de chez vous ?

— Je... je crois.

— Je veux que vous passiez à la rééducation cardiaque en sortant de l'hôpital. Je vais les appeler pour leur demander de vous préparer un programme d'exercices. S'il y a un centre sportif, ils appelleront les gens là-bas pour vous y inscrire. Si les frais d'inscription posent problème, vous pourrez obtenir une aide financière. Bon, j'ai fait du beau travail sur vous, alors arrêtez de le gâcher !

— Merci, docteur. Je vais me reprendre. C'est promis.

— Votre famille a besoin de vous.

Les deux hommes se serrèrent la main chaleureusement, puis Berenger laissa Culver dans la salle tandis qu'il passait des coups de téléphone et faisait les recommandations nécessaires. Finalement, il renvoya Levitskaya avec les papiers en lui donnant l'ordre de passer au patient suivant lorsqu'elle aurait terminé.

— Tonya est un très bon chirurgien, dit-il à Natalie lorsqu'ils furent seuls.

— Je vous crois.

— As-tu réellement menacé de lui aplatir le nez ?

— Je tentais de faire preuve de tact. Désolée. Ce n'est pas le moment de faire la maligne. C'était ma faute. Je me sentais en colère contre le monde entier, je m'apitoyais sur moi-même et j'ai cherché la bagarre avec Tonya.

— Je vois. Eh bien vous êtes toutes les deux trop précieuses pour mon travail pour vous permettre de vous écharper. Je vous paie pour combattre les mystères de la science, pas pour que vous vous tapiez dessus. Je ne veux plus d'incidents.

— Plus d'incidents, répéta Natalie en écho.

— En plus, je soupçonne que Tonya serait plutôt du genre coriace.

Natalie eut un sourire.

— Je me disais la même chose.

— Bon, est-ce que ça te plairait de partir d'ici un petit peu ?

— Comment ?

— Partir.

— Partir, mais sans être virée ?

— Il va falloir faire bien pire que menacer Tonya pour que je te vire. Tu parles portugais ?

— J'ai quelques notions. Je suis à moitié cap-verdienne, mais j'avais la manie de ne rien faire qui puisse plaire à ma mère, or elle voulait désespérément que j'apprenne cette langue.

— Tu n'en auras sans doute pas besoin, de toute façon. Il y a un colloque international sur les transplantations la semaine prochaine au Brésil, à Rio pour être exact. Tu y es déjà allée ?

— J'ai participé aux Jeux de l'université de São Paulo, mais je ne suis jamais allée à Rio.

— Eh bien, je comptais m'y rendre et faire un exposé sur la réaction greffon contre hôte, mais mon disque me donne du fil à retordre et mon neurochirurgien m'a déconseillé les longs trajets. Je me suis dit que tu avais peut-être besoin de te changer un peu les idées, et ce avant même le petit incident de tout à l'heure.

— Vous voulez que j'aille à Rio ?

— En classe affaires !

— Vous ne faites pas ça juste pour m'empêcher de tuer Tonya ?

— Ça me reviendrait moins cher de te virer.

Natalie ressentit une joie intense. Les trois dernières semaines avaient été encore pires que celles qui avaient suivi sa blessure. Son altercation superflue avec les lycéens de Saint-Clement et sa colère contre Levitskaya étaient des symptômes de son délabrement psychique. Elle était comme une cocotte-minute sur le point d'exploser. Il n'y avait rien d'autre à envisager qu'un changement de décor.

— Quand vous faut-il ma réponse ? demanda-t-elle.

— Quand pourras-tu me la donner ?

— Eh bien, pourquoi pas tout de suite ?

Chapitre 5

Le médecin, en tant que médecin, gouverne le corps et n'est pas un mercenaire.

PLATON, *La République*, Livre I.

L'ENFANT S'AFFAIBLISSAIT. Elle s'appelait Marielle et malgré les antibiotiques et la perfusion, l'oxygène et la minuscule sonde gastrique, la fillette de six ans déclinait. La malnutrition attisait l'infection de son abdomen, qui s'était également étendue à son système nerveux. Le Dr Joe Anson éloigna quelques mouches des lèvres desséchées et craquelées de l'enfant et lança un regard impuissant à l'infirmière. Depuis qu'il travaillait dans l'hôpital de cette région déshéritée, à cinquante kilomètres au nord de Yaoundé, la capitale du Cameroun, Anson avait vu mourir trop d'enfants. Chaque décès lui faisait plus de peine que le précédent et le grand nombre de victoires ne parvenait jamais à compenser les défaites.

Pourtant, à quatre heures du matin, la fillette fragile et dénutrie n'était pas l'unique préoccupation de Anson. Au cours de l'heure qui venait de s'écouler, il avait senti sa dyspnée augmenter régulièrement. Il avait appris à vivre avec cette sensation de soif d'air, une horrible impression d'étranglement et une claustrophobie au plus fort de la crise. Au bout de presque sept ans, sa fibrose pulmonaire, une inflammation et sclérose progressive des poumons, approchait de son terme. Il s'agissait d'une fibrose idiopathique, cause inconnue, détérioration inéluctable, traitement efficace : aucun. C'était une maladie terrible, qui affaiblissait l'organisme, et tôt ou tard, Anson le savait, une greffe serait son seul espoir.

— Claudine, demanda-t-il en français, est-ce que vous pouvez me passer un réservoir d'oxygène et un masque ?

L'infirmière fronça les sourcils.

— Peut-être que je devrais prévenir le Dr Saint-Pierre.

— Non, laissez Elizabeth dormir... ça va aller avec l'oxygène.

Il devait faire une pause entre les phrases pour reprendre son souffle.

— Je suis inquiète, dit l'infirmière.

— Je sais, Claudine. Moi aussi.

Anson attacha le masque en polystyrène sur son visage et se pencha en avant, de manière à ce que la gravité favorise l'expansion de sa poitrine. Il ferma les yeux et se força à se calmer en attendant que l'oxygène fasse son effet. Cinq minutes interminables s'écoulèrent sans aucune amélioration, puis à nouveau cinq autres. La situation ne pouvait guère qu'empirer. Les épisodes de dyspnée étaient de plus en plus fréquents et difficiles à calmer.

A un moment donné, sans doute bientôt, l'oxygène ne suffirait plus. Dès lors, à moins qu'il n'accepte une greffe de poumons et bien sûr que l'on trouve un donneur compatible, son cœur ne parviendrait plus à irriguer les tissus fibrosés. Les médicaments feraient effet quelque temps, mais ensuite son cœur s'affaiblirait encore plus et il commencerait littéralement à se noyer dans ses propres fluides. Arrivé à ce stade, même si on trouvait un donneur compatible, la greffe serait certainement peine perdue.

Inspire... lentement... ne t'arrête pas... penche-toi en avant... laisse la gravité t'aider... Voilà... Voilà...

Bien qu'athée autoproclamé, Anson s'était mis à prier pour demander un peu de répit. Il lui restait encore du travail à accomplir ici – une œuvre immense, importante. La phase de tests cliniques du Sarah-9 était bien avancée, avec des résultats étonnants. Le médicament qu'il avait créé à partir d'une levure découverte dans le sol de cette région était encore au stade expérimental, mais il était clairement à l'avant-garde dans le domaine de la néovascularisation physiologique, la formation rapide de nouveaux vaisseaux sanguins salvateurs. Cette nouvelle circulation avait déjà montré des résultats probants sur des pathologies aussi variées que des blessures de guerre, des infections, des maladies du cœur et des cancers. Mais, par une ironie du sort, elle n'avait aucun pouvoir sur la fibrose pulmonaire.

Cela prit plus de quinze minutes, mais Anson réussit enfin à inspirer plus d'air. Cependant, quelques instants plus tard, alors qu'il sentait que l'attaque était passée, il sentit un chatouillement dans sa poitrine qui se transforma soudain en une toux douloureuse qui le mit au supplice. Merde ! Au cours de la minute qu'il lui faudrait pour vaincre sa toux, la soif d'air l'aurait de nouveau assailli. Dire qu'autrefois il était capable de jouer des heures au rugby sans ralentir d'une foulée ! Il était difficile de croire qu'un dé à coudre de mucus visqueux dans une bronche suffisait à l'abattre complètement.

A côté de lui, sur son lit étroit, Marielle avait une respiration sonore. Anson lui caressa le front. Leur combat était douloureusement similaire. L'un d'eux serait-il victorieux ? Il pencha la tête et savoura quelques gorgées d'air bienvenues. Exténué par sa veille, il n'envisageait même pas de dormir. Ses patients passaient en premier, le sommeil, comme toujours, était secondaire.

Né en Afrique du Sud où il avait passé sa jeunesse, Anson avait autrefois été assez beau garçon pour sortir avec quelques-unes des plus belles femmes du monde, et assez frivole pour ne s'intéresser à son métier de médecin que de la façon la plus superficielle. Mais il y avait longtemps de cela.

Au bout de quinze minutes d'oxygène, Anson sentit que l'étau qui comprimait sa poitrine commençait à se desserrer. Claudine, incapable de rester impuissante à le regarder souffrir, faisait le tour de la vingtaine de patients, dont beaucoup – adultes et enfants – souffraient de complications du sida. Grâce à la Fondation Whitestone, basée à Londres, et à leur administratrice, le Dr Elizabeth Saint-Pierre, le petit hôpital était bien entretenu et équipé de presque tout ce qu'ils pouvaient souhaiter.

Anson, qui craignait une autre crise, garda l'oxygène à portée de main. Les efforts qu'il avait fournis pour respirer lui avaient donné le vertige et la nausée. Cela ne lui ressemblait pas. En presque quinze ans, il n'avait jamais cessé de travailler, et il n'en avait jamais ressenti le désir.

Un beau jour, après un de ces week-ends de débauche qui ne lui procuraient plus aucun plaisir, Anson avait mis un terme à sa vie de dilettante et de play-boy. Il avait utilisé son héritage et tout ce qu'il pouvait emprunter pour partir dans la jungle avec sa femme et leur fille : il s'était donné comme mission de sauver les gens de son continent.

A présent, à cinquante-cinq ans, il n'était plus que l'ombre de lui-même, et vivait dans la peur constante qu'on lui enlève son travail avant que tout soit au point. Pourtant, même avec un faible taux d'oxygène, son esprit continuait à analyser l'information et à résoudre les problèmes à un rythme effréné. Il n'était pas question qu'il baisse les bras maintenant, pas tant qu'il y aurait du travail à faire. Il ne s'en remettrait certainement pas aux aléas d'une greffe pulmonaire et du traitement antirejet qui suivrait.

Se promettant de lever le pied dès l'achèvement du Sarah-9, Anson mit en place son stéthoscope et fit un nouvel examen attentif de sa patiente. La fillette pourrait tenir un jour ou deux, mais sans un miracle, trois jours paraissaient improbables. *Un miracle.* Voilà ce dont il avait besoin. Anson ne reconnaissait pas le pouvoir de Dieu mais il vénérait le pouvoir du Sarah-9, à qui il avait donné le nom de sa fille unique dans l'espoir qu'un jour elle comprendrait ses choix. Même si Marielle n'entrait pas dans l'un des protocoles cliniques du moment, elle pourrait bien bénéficier d'un traitement par ce merveilleux médicament.

Il y avait toutefois un gros obstacle.

Elizabeth Saint-Pierre, qui contrôlait les cordons de la bourse du Centre Whitestone pour la Santé en Afrique, était aussi chargée des tests cliniques du médicament. Elle avait formellement interdit un usage aléatoire du Sarah-9 avant que les chercheurs de la fondation aient terminé leur évaluation. Cette restriction pouvait sembler déraisonnable en apparence mais Anson savait qu'il en était la cause.

Tant qu'il garderait le contrôle total de sa fabrication, le Sarah-9 serait produit en quantité très limitée.

Anson sentit son pouls s'accélérer à l'idée de voler son propre médicament. Il faisait tout ce qu'il pouvait pour cette petite fille mais sa maladie en était à un stade trop avancé. Il fallait qu'il augmente la circulation dans la région de l'infection afin de pouvoir administrer plus d'oxygène et d'antibiotiques. Le Sarah-9 était justement ce qu'il fallait. Peut-être pourrait-il marchander avec Elizabeth, songea-t-il, ses carnets secrets et ses cultures en échange d'une dose suffisante de Sarah-9 pour traiter sa patiente.

Non, décida-t-il. Ils pouvaient bien le trouver déraisonnable ou même paranoïaque, mais il n'était tout simplement pas prêt à livrer le fruit de ses recherches à Whitestone. Si on en arrivait là, mieux valait devoir présenter ses excuses plutôt que demander la permission.

Le centre de recherche construit en bambou et parpaings, une série de laboratoires et de petits logements de fonction à cinquante mètres au nord de l'hôpital, était très bien équipé, avec des incubateurs dernier cri, deux spectromètres de masse et même un microscope électronique. Pour protéger les chambres froides et les cultures de levures et de tissus, une armée d'énormes groupes électrogènes prendraient automatiquement le relais en cas de coupure des lignes électriques qui couraient depuis Yaoundé à travers les immenses arbres, le long des rives de la Sanaga.

Faisant de son mieux pour dissimuler la faiblesse et le manque d'assurance de sa démarche, Anson rattrapa Claudine qui administrait des médicaments aux patients avec l'autre infirmière de nuit. En plus d'Anson et d'Elizabeth Saint-Pierre, deux médecins de Yaoundé et plusieurs résidents travaillaient à l'hôpital. Ils se succédaient pour les gardes de nuit mais en réalité, Claudine et les autres infirmières étaient assez expérimentées et compétentes pour gérer la plupart des problèmes.

— Alors, comment vont nos ouailles, Claudine ? demanda-t-il en appuyant discrètement le genou contre un mur.

L'infirmière le dévisagea.

— Vous vous sentez mieux ?

— Beaucoup mieux, merci. Je vais faire un saut à ma chambre pour me laver et me changer. Je reviendrai ensuite.

— Vous devriez vous reposer.

— Plus tard, dans la matinée, quand les autres seront arrivés. Croyez-le ou non, je suis bien éveillé pour le moment.

— Nous nous faisons du souci pour vous.

— Je m'en rends bien compte, Claudine, et j'apprécie votre sollicitude. Si vous voulez bien veiller au grain en mon absence, je serai bientôt de retour.

Anson fit un détour auprès de sa petite patiente pour s'assurer que son état était stationnaire, puis il quitta l'hôpital. Un garde en uniforme attendait derrière la porte.

— Bonsoir, Jacques.

— Bonsoir, docteur. La soirée a été longue.

— Un enfant malade. Ecoutez, vous pouvez rester là si vous voulez. Je vais seulement à mon appartement pour me laver.

— Monsieur...

— Je sais, je sais...

Il était interdit de se promener la nuit sans être accompagné. Pauvreté et criminalité allaient de pair. Les agents de sécurité – d'anciens militaires tous armés – étaient là principalement pour déjouer les enlèvements et toute forme d'espionnage industriel. Le potentiel commercial de la formule et des carnets contenus dans l'immense coffre-fort d'Anson était littéralement infini.

Le sentier de terre et de pierre entre l'hôpital et le laboratoire était faiblement éclairé par des lumières au ras du sol. Il serpentait à travers une végétation luxuriante et se terminait par un vestibule en bambou, qui desservait cinq ailes, trois laboratoires et deux petits logements. Posté près de la porte du vestibule se trouvait un autre garde, qui mesurait près d'un mètre quatre-vingt-dix, large d'épaules et très imposant dans son uniforme en toile amidonnée.

— Bonjour, docteur, déclara-t-il sur un ton formel. Bonjour Jacques.

— Francis, répondit l'autre garde avec un simple hochement de tête, le docteur souhaite se laver puis retourner à l'hôpital.

— Eh bien soit. Merci Jacques. Je peux prendre le relais à partir de là.

Le garde hésita, essayant manifestement de se souvenir s'il y avait une règle au sujet du transfert d'un membre du personnel hospitalier d'un garde à un autre. Finalement, il haussa les épaules, adressa un signe de tête aux deux hommes, et rebroussa chemin. Avant qu'Anson ait pu parler, Francis Ngale montra discrètement la caméra de surveillance, montée dans un abri étanche sur le tronc d'un palmier en face de la porte. Ce rappel était inutile. Anson était bien conscient de la surveillance électronique qui couvrait tout le complexe. Le système avait été mis en place par Whitestone après avoir étudié avec lui les détails du contrat.

Ngale à ses côtés, Anson descendit le couloir jusqu'à son appartement de deux pièces. A mi-chemin, ils s'arrêtèrent, à distance des caméras.

— Pardonnez-moi cette remarque, docteur, mais vous semblez peiner à respirer ce soir.

— Tout à l'heure, oui, mais maintenant ça va mieux. Je me battais pour maintenir en vie une petite fille.

— Vous vous battez mieux que personne sur ce terrain.

— Merci, Francis. Je suis soulagé de vous trouver de garde ce soir. J'ai besoin d'accéder au médicament.

— Pour la petite fille ?

— Oui. Vous connaissez les règles qui l'interdisent ?

— Bien sûr.

— Et vous êtes néanmoins prêt à m'aider ?

— La question ne se pose pas.

Comme presque tout au Centre Whitestone pour la Santé en Afrique, l'embauche et la supervision des gardes étaient assurées par Elizabeth Saint-Pierre. Maintenant, alors même qu'Anson et elle étaient plus proches que jamais, elle devait parfois lui rappeler qu'en raison du pacte qu'il avait passé, c'était la Fondation Whitestone qui payait les factures et cette même fondation qui édictait les règles.

Le Dr Saint-Pierre avait embauché Francis Ngale mais elle ignorait qu'Anson avait autrefois sauvé la vie de son père après une méningite qui aurait pu lui être fatale. De tous les gardes, Ngale était le seul à qui Anson puisse se fier sans réserve.

Après un bref arrêt à son appartement pour prendre une douche et revêtir une blouse propre, Anson retrouva Ngale dans le couloir. Le premier rougeoiement de l'aurore commençait à dissiper la nuit profonde. Côte à côte, les deux hommes traversèrent le vestibule et se dirigèrent vers la salle en parpaings qui contenait deux chambres fortes, toutes deux enfouies dans un mètre vingt de béton.

Le moment n'était pas mal choisi. L'homme préposé à la surveillance vidéo devait être à moitié endormi et serait facilement distrait. Anson regarda sa montre.

— Cinq heures deux, dit-il.

— Cinq heures deux, répéta Ngale.

— Il me faudra trois minutes. Pas plus. Commencez à cinq heures sept.

— Trois minutes. Je les obtiendrai. Mon ami Joseph Djemba est de garde. Il n'aime rien tant que parler des Lions Indomptables du Cameroun.

— Cette équipe est revenue à son meilleur niveau ?

— Ils doivent concrétiser leur potentiel, docteur.

— Tout comme nous, Francis, chuchota Anson en indiquant sa montre et faisant signe à Ngale de se diriger vers le poste de sécurité. Tout comme nous.

On accédait à la salle des chambres fortes grâce à un code électronique. La combinaison du coffre de droite, contenant les carnets d'Anson et d'autres documents, était seulement connue de lui et d'un notaire de Yaoundé. Dans l'éventualité de son décès soudain, le contenu de la chambre forte serait transmis au Dr Saint-Pierre, avec les informations nécessaires pour déchiffrer le code dans lequel les carnets étaient rédigés.

L'autre chambre forte, celle de gauche, était réfrigérée et contenait des flacons de Sarah-9, tous soigneusement étiquetés, numérotés et répertoriés dans un catalogue. Il semblait bizarre de devoir voler un médicament qu'il avait lui-même développé mais le procédé de synthèse, obtenu à partir de particules virales et de levures, était complexe et extrêmement lent et tant qu'il n'aurait pas donné l'autorisation à Whitestone de lancer la production en masse, les réserves resteraient extrêmement limitées.

Anson resta en retrait sur le seuil jusqu'à exactement cinq heures zéro sept, puis il s'approcha de la chambre forte. A seulement dix mètres, dans le poste de sécurité, se trouvait un mur de vingt-quatre moniteurs, sur trois rangées de huit. Il fallait espérer qu'en ce moment, Francis s'assurait que Joseph Djemba regarde autre chose que les écrans.

Anson prit un bout de papier plié dans sa poche, s'agenouilla près de la chambre forte et chuchota la combinaison tout en la composant. Il poussa un soupir audible lorsque les cylindres cliquetèrent et que la lourde porte s'ouvrit. Il sentit un courant d'air froid et dénombra huit flacons de médicament, fruit de deux ou trois jours de travail en laboratoire. Chacun d'eux, scellé par une capsule rouge, contenait assez de Sarah-9 pour une semaine de traitement par intraveineuse. Toutefois, dans bien des cas, des résultats positifs étaient apparents dès deux ou trois jours. Avec un peu de chance, il parviendrait à garder en vie sa patiente jusque-là.

Tout en glissant l'un des tubes glacés dans sa poche de chemise, Anson se demanda si Elizabeth surveillait véritablement le compte de flacons. Connaissant cette femme, il doutait qu'un flacon manquant passerait inaperçu. Tout nier en bloc. Voilà la stratégie qu'il devrait adopter. S'il était assez ferme, Elizabeth serait au moins obligée d'envisager la possibilité qu'elle s'était trompée dans ses comptes. Avec une minute d'avance, il referma en silence la porte de la chambre forte et regagna le couloir. Quelques secondes plus tard, Francis quittait le poste de sécurité et le rejoignait.

— Vous êtes tiré d'affaire, docteur.

— Au moins pour le moment.

— La vidéo de sécurité passe en boucle et s'efface toutes les vingt-quatre heures. Si le Dr Saint-Pierre ne se doute de rien pendant ce laps de temps, la preuve que vous avez pénétré dans la chambre forte aura disparu.

Anson regagna l'hôpital, respirant bien plus librement qu'à l'aller. Au gré des changements de la circulation sanguine dans ses poumons endommagés, des bouchons de mucus et des spasmes bronchiques, son état variait vraiment du tout au tout d'une heure ou parfois même d'une minute à l'autre. Ces périodes – de plus en plus rares – au cours desquelles les symptômes se faisaient plus discrets, lui servaient à se convaincre qu'il lui restait encore du temps, beaucoup de temps avant de devoir envisager des mesures radicales.

Marielle était comme Anson l'avait laissée, bien que sa température ait baissé et soit redevenue proche de la normale. Elle réagissait si on lui parlait d'une voix forte ou si on la déplaçait dans son lit, mais sinon elle restait presque immobile. Sa mère, habitante d'un petit village au bord du fleuve au nord de l'hôpital, avait déjà perdu deux enfants, morts de malnutrition. Des assistantes sociales de l'hôpital avaient fait leur possible pour la préparer au retour de Marielle mais la seule fois où Anson l'avait vue, il s'était bien rendu compte qu'elle s'était résignée au pire.

Il était cinq heures trente lorsque Anson sortit discrètement le flacon de sa poche et préleva l'une des dix doses qu'il administrerait sur une semaine. Si la fillette parvenait à survivre, il devrait trouver le moyen de se procurer un autre flacon. Les essais cliniques progressaient si bien que la dose optimale et la posologie de plusieurs maladies avaient été déterminées. Il pinça la perfusion de l'enfant, glissa l'aiguille dans l'un des orifices en caoutchouc et injecta la dose de Sarah-9. Le médicament venait de passer dans le fluide de la perfusion lorsqu'il sentit une autre présence dans la salle de quatre lits. Cette alerte instantanée lui évita un gros choc.

— Comment va-t-elle ? demanda Elizabeth Saint-Pierre.

Elle se trouvait derrière Anson, sur sa droite. Il ne pouvait savoir avec certitude depuis combien de temps elle était là, mais d'après l'angle selon lequel il avait tenu l'ampoule de Sarah-9, il était possible qu'elle l'ait vue.

— Elle n'est pas bien.

— Je me suis réveillée d'un coup et j'ai décidé de prendre ma voiture et de venir voir comment ça se passait. Tu veux que je te relaie pour que tu puisses te reposer ?

Elizabeth Saint-Pierre, native de Yaoundé, était rentrée dans son pays après avoir obtenu son diplôme de médecine et pratiqué à Londres. Elle avait travaillé avec Anson et son équipe pendant deux ans à l'hôpital et au laboratoire, puis elle avait négocié l'accord avec Whitestone pour échanger les droits du Sarah-9 contre un soutien illimité au Centre pour la Santé en Afrique.

Dans la pénombre, Elizabeth étudia Anson avec une inquiétude non dissimulée. Cette femme d'une quarantaine d'années à la silhouette généreuse avait des traits aquilins et une peau d'ébène lisse. Ses lunettes à monture en écaille semblaient toujours trop grandes pour son visage mais parvenaient on ne sait comment à souligner l'intelligence de son regard. Elle parlait couramment cinq ou six langues ainsi que plusieurs dialectes tribaux de son pays.

— J'ai une journée bien remplie qui m'attend au dispensaire, dit-il en cherchant à deviner si elle se doutait de quelque chose, mais j'ai peut-être le temps de dormir deux heures avant.

Alors qu'ils avaient pourtant des liens professionnels de longue date, Anson savait très peu de chose de la vie privée de cette femme, hormis le fait qu'elle avait brièvement été mariée à un homme d'affaires de Yaoundé et possédait encore une maison sur une colline qui surplombait la ville. Il savait aussi qu'elle était un médecin dévoué, incroyablement érudite, spécialisée dans les maladies rénales et experte reconnue dans la transplantation rénale.

— Joseph, est-ce que tu comptes me dire ce qui se passe ? demanda-t-elle en passant soudain du français à l'anglais.

Anson se figea sur place.

— Pardon ?

— Ce matin, Claudine me dit que tu as eu un moment difficile à passer.

Les mâchoires d'Anson se desserrèrent. Il passa la main sur la poche de sa blouse pour s'assurer que le flacon n'était pas trop visible.

— J'ai un peu de bronchite, déclara-t-il.

— Arrête de dire n'importe quoi, Joseph. C'est la progression naturelle de la fibrose pulmonaire et tu le sais aussi bien que moi.

Anson sentit une nouvelle tension dans sa poitrine, juste au moment où il ne fallait pas. Il s'agrippa à son siège et se força à respirer doucement. Elizabeth avait l'œil. Il ne lui faudrait pas longtemps pour détecter qu'il était encore une fois en détresse respiratoire.

— Je ne suis pas encore prêt à une transplantation, déclara-t-il avec détermination.

— Joseph, tu seras comme neuf après une opération.

— Ça va très bien le plus souvent.

— Est-ce qu'il n'y a rien que je puisse dire pour te convaincre ?

— Pas pour le moment. Ecoute, Elizabeth, j'ai vraiment besoin de dormir un peu... avant les consultations de la matinée. Tu pourrais me remplacer ici ? Marielle a eu tous ses médicaments.

— Bien sûr.

Combattant encore le début de dyspnée, Anson se remit sur

pieds, remercia sa consœur et se dirigea vers son appartement avec une démarche d'une dignité exagérée.

— Joseph ! appela Elizabeth Saint-Pierre alors qu'il était sur le seuil.

Il fit rapidement volte-face.

— Oui ?

— Prends un peu d'oxygène. Tu es passé à vingt-quatre respirations par minute, l'air ne passe plus et tu t'arrêtes entre chaque phrase.

— Je... vais le faire. Merci.

*

Elizabeth Saint-Pierre fit une rapide tournée des patients hospitalisés, puis elle regagna son bureau pour passer un appel à Londres.

— Ici Laërte, répondit une voix d'homme, grave et cultivée.

— Laërte, ici Aspasie. Pouvons-nous parler librement ?

— Allez-y, Aspasie. J'espère que vous allez bien.

— La santé de A. se détériore, dit-elle. J'ignore combien de temps il va pouvoir encore tenir comme ça. Même si nous disposions de ses carnets et d'un moyen de les déchiffrer, le projet serait terriblement retardé s'il venait à mourir. Je crois qu'il faut trouver un moyen de vaincre sa peur et de procéder à la transplantation.

— Le conseil est d'accord.

— Dans ce cas je ferai le nécessaire pour le convaincre.

— Excellent. Nous savons que nous pouvons vous faire confiance.

— Rappelez-vous seulement, Laërte, il faut que la compatibilité du tissu soit proche de la perfection, au pire onze sur douze. Je ne veux rien tenter avec quelque chose de moins bien.

— Il paraît qu'il y a un donneur répondant à ces critères.

— Dans ce cas je vais passer à l'action.

— Très bien. Nous vous informerons sous peu des détails.

— Veuillez transmettre mes plus chaleureuses salutations au reste du conseil.

Chapitre 6

La Cité nous a paru juste quand chacune de ses trois parties s'occupait de ses propres tâches.

PLATON, *La République*, Livre IV.

— MADAME SATTERFIELD, comment ça, Pincus a disparu ?

Maintenant le combiné entre son oreille et son épaule, Ben roula en boule sous sa tête le maigre oreiller.

— Il voulait sortir, mon petit, alors je l'ai laissé sortir, et il n'est pas revenu.

Ben poussa un grognement et leva les yeux vers le plafond de la chambre 219, dans le Motel 6 de l'Okeechobee. Il était tout juste huit heures du matin et la journée s'annonçait chaude et sans nuage. Le motel, à cinquante-deux dollars la nuit pour une chambre simple, se trouvait juste à côté de l'autoroute, à dix-huit kilomètres de l'endroit où Glenn avait été percuté de plein fouet par un semi-remorque en excès de vitesse. Bien que Ben ignore toujours l'identité de l'homme dont Alice Gustafson lui avait présenté le dossier, il trouvait plus motivant de lui donner un prénom que de l'appeler Homme-Blanc-Non-identifié ou Monsieur Dupont.

Il avait choisi Glenn à cause d'une plaque d'immatriculation aperçue sur une Jaguar décapotable qui avait doublé sa Saturn de location lorsqu'il était sorti de l'aéroport international de Melbourne sur la côte atlantique de la Floride. Peut-être ce Glenn avait-il remporté la Jaguar à une tombola, ou bien gagné au loto. En tout cas, cet homme avait dû avoir un coup de chance et Ben en avait lui aussi besoin. Jusque-là, sur cinq jours passés dans le comté d'Okeechobee et plusieurs incursions dans les comtés environnants, la chance lui avait cruellement fait défaut. Sans plus d'enthousiasme que d'habitude, il avait néanmoins accompli de longues journées de travail. Pourtant, il n'avait absolument rien découvert qui puisse apporter une lumière sur l'identité de Glenn ou bien sur ce qui lui était arrivé.

La désagréable conclusion qui s'imposait à son esprit était que malgré quelques succès modestes dans des affaires de filatures, en tant que détective privé, il laissait beaucoup à désirer.

Et voilà que maintenant son chat avait disparu.

— Madame Satterfield, rappelez-vous ce que j'ai dit au sujet de Pincus : c'est un chat d'intérieur, il n'a pas de griffes et ne peut pas grimper aux arbres pour échapper aux chiens et autres.

— Mais il voulait désespérément sortir, mon petit. Il pleurait !

Ben soupira. Althea Satterfield, sa voisine de palier, avait le cœur sur la main, mais elle était aussi sur la pente nord des quatre-vingts ans et un peu distraite.

— Ce n'est pas grave, madame Satterfield, dit-il. Pincus court vraiment très vite. En plus c'est ma faute, je n'aurais pas dû lui faire enlever les griffes.

Et en effet, pensa-t-il soudain avec nostalgie, c'était bien sa faute. Diane et lui étaient encore à quelques années du divorce lorsqu'elle avait découvert l'animal de compagnie de Ben se faire les griffes sur la jaquette d'un de ses livres. « Très bien Ben, soit tu fais dégriffer ce chat, soit je me tire. » Comme toujours, le souvenir de ses paroles lui amena un sourire d'amertume.

— Alors, où en est votre dernière enquête, monsieur Callahan ?

Ma seule enquête.

— Je n'ai pas encore résolu le mystère, madame Satterfield.

— Vous allez y arriver.

Je n'y arriverai pas.

L'ancien étudiant d'Alice Gustafson, le coroner Stanley Woyczek, l'avait aidé autant que possible mais les membres de la police de Port Sainte-Lucie et de Fort Pierce, tout comme le personnel du bureau du shérif et la police d'Etat, nourrissaient un sérieux ressentiment contre le détective privé, comme si sa présence suggérait qu'ils n'étaient pas capables de faire leur travail. Il ne pouvait pas poser une seule question sans paraître condescendant. Après cinq jours de visites répétées aux divers commissariats, d'amorces de conversation sur les Marlins, Devil Rays, Buccaneers, Jaguars, Dolphins et autres équipes, et après avoir ingurgité plusieurs dizaines de beignets, il n'avait même pas réussi à dénicher un informateur fiable. Finalement, il avait été forcé de conclure qu'à la place de ces policiers, il aurait sans doute réagi tout comme eux.

— Madame Satterfield, ne vous inquiétez pas pour Pincus, je suis sûr qu'il reviendra.

— J'aimerais être aussi optimiste que vous, mon petit. Même votre plante est triste.

— Ma plante ?

— Il n'y en a qu'une dans votre appartement.

— Je le sais, madame Satterfield.

— Elle avait une grosse fleur rose très jolie.

— Elle avait ?

— Oui. Malheureusement, elle s'est détachée.

La plante, une aechmea, lui avait été offerte par une violoniste de l'orchestre philarmonique, Jennifer Chin, avec qui il avait entretenu une relation pendant dix semaines avant qu'elle se mette avec un joueur de cor à piston, car, disait-elle, peut-être à raison, Ben n'avait aucun but dans la vie. Cette petite amie n'avait jamais été remplacée.

— Madame Satterfield, cette plante doit être arrosée tous les j... - il s'arrêta au milieu de sa phrase, en imaginant Jennifer Chin étendue nue sur des draps de satin rouge avec le musicien et son cor. Vous savez quoi, madame Satterfield ?

— Quoi mon petit ?

— Vous n'avez qu'à donner la nourriture du chat à la plante et tout ira bien.

— Comme vous voudrez mon petit. Et ne vous inquiétez pas pour votre affaire. Vous allez la résoudre.

— J'en suis sûr.

— Partez de ce que vous savez.

— Hein ?

— Comment ?

— Ça ne fait rien, madame Satterfield. Vous vous en sortez très bien. Je serai de retour dans quelques jours.

— Alors à bientôt, mon petit.

Partez de ce que vous savez.

Tandis que les paroles étrangement pertinentes d'Althea Satterfield résonnaient encore dans sa tête, Ben se gara devant une maison modeste en stuc beige, dans une rue tranquille d'Indrio, au nord de Sainte-Lucie. Une petite enseigne en néon rouge sur une fenêtre annonçait simplement : VOYANCE. La porte fut ouverte par une grande femme élancée d'une quarantaine d'années, à la peau mate et aux cheveux noirs de jais qui lui tombaient jusqu'au bas du dos. Un tatouage artistique et coloré des signes du zodiaque s'étendait sur son front en demi-lune, depuis le haut de ses sourcils jusqu'à la racine de ses cheveux.

— Madame Sonja.

— Ah, monsieur Callahan, dit-elle d'une voix langoureuse, entrez, entrez. Je ne me rappelais plus si vous deviez revenir ce matin ou demain.

— Vous n'aviez qu'à lire l'avenir, dit Ben en prenant garde de ne pas regarder son signe, la Balance, tatoué juste au-dessus du sourcil gauche.

Il fallut quelques secondes à Madame Sonja pour déchiffrer son expression et elle sourit.

— Très drôle.

— Je suis soulagé que vous pensiez ça. Parfois, la plupart du temps en fait, je fais des blagues que je suis seul à trouver drôles.

— Ah, une vraie malédiction !

Elle le fit passer par un salon tendu de lourdes tentures contenant une table de jeu, des cartes de tarot, des tasses à thé, et presque autant d'objets ésotériques que le bureau d'Alice Gustafson, pour pénétrer dans une pièce encombrée d'étagères bourrées à craquer de plusieurs ordinateurs, scanners, consoles électroniques et d'un chevalet d'artiste professionnel. Le mobilier était réduit : un meuble à ordinateur et une petite chaise de bureau, mais dans un coin se trouvait un tour de potier, usé et éclaboussé de terre séchée.

— Alors, vous avez trouvé quelque chose ? demanda-t-il.

— Peut-être. Je suis assez contente de ce que j'ai pour vous.

— Comme je vous l'ai dit, le Dr Woyczek s'est montré très élogieux au sujet de votre travail.

— Il sait que j'apprécie ses recommandations. Je regrette seulement que son respect pour moi ne soit pas partagé par ses amis, les enquêteurs de la police. Je crains qu'ils me prennent pour un charlatan. Ils ont leurs propres portraitistes et même avec la preuve que mon travail est souvent plus exact que le leur, ils refusent de me faire travailler.

Woyczek avait été en dessous de la vérité en décrivant Madame Sonja comme une excentrique qui se servait des dernières technologies en matière de logiciels de graphisme pour créer ou recréer des visages, mais modifiait souvent les portraits obtenus à l'aide de ce qu'elle voyait dans son esprit. Trois jours plus tôt, Ben lui avait apporté la photo hideuse du visage presque écrabouillé de Glenn. Pendant un moment, elle était restée assise à la table face à lui, dans le salon de voyance, à étudier le portrait, parfois avec les yeux totalement fermés, parfois tout juste entrouverts. Il avait attendu patiemment, tout en considérant ce comportement comme de pures simagrées. Malgré les compliments dithyrambiques de Woyczek sur cette femme, Ben avait avoué son préjugé cynique contre la voyance, la télépathie, télékinésie, les prédictions et le surnaturel.

— J'ai fait une série en couleurs et une en noir et blanc, dit Madame Sonja. Comme vous le verrez, ils sont légèrement différents l'un de l'autre. Je ne peux pas l'expliquer.

Elle s'assit à son ordinateur, tandis que Ben regardait l'écran par-dessus son épaule.

— Voici votre homme.

La première image, un gros plan du visage en couleurs, s'afficha à l'écran en trois dimensions. Elle avait été créée par un excellent logiciel et dessinée par quelqu'un de doué. L'homme avait un visage rond et juvénile, des joues rebondies et rouges, des yeux assez petits et très espacés et des oreilles assez basses. Le visage n'avait pas grand-chose d'intéressant mais il en émanait une sorte d'aura enfantine. Madame Sonja fit pivoter le buste électronique à trois cent soixante degrés.

Elle laissa Ben observer son œuvre pendant deux minutes, puis elle afficha le portrait en noir et blanc. Il était difficile d'y voir la même personne. Le visage était plus étroit et plus intelligent, les yeux plus ronds.

— Comment expliquez-vous les différences ? demanda Ben.

— Je n'essaie pas d'expliquer quoi que ce soit. Je dessine ce que je vois – sur les photos et ici, dit-elle en posant un ongle long et écarlate sur le signe des Gémeaux. Je me demande si cet homme a, enfin avait, des facultés mentales diminuées. Peut-être que je l'ai dessiné tel qu'il était au moment de sa mort, et puis tel qu'il aurait pu être sans un accident quelconque à la naissance.

Encore un coup d'épée dans l'eau, songea Ben. Woyczek avait peut-être raison au sujet de cette femme, mais pour lui, sa singularité s'arrêtait au tatouage sur son front. Il se demanda combien de clients avaient payé – et quel tarif – pour sa prétendue « sagesse ».

— J'ai des sauvegardes des deux portraits différents dans chacune de ces deux enveloppes. Cela coûterait habituellement mille dollars par jeu, mais comme c'est le Dr Woyczek qui vous a envoyé, je vous fais les deux pour cinq cents dollars.

Choqué, Ben hésita, sur le point de refuser.

— Comme vous le pensez, vous êtes libre de refuser de payer et les laisser ici. Mais je peux vous assurer, monsieur Callahan, que ces portraits sont ce que vous cherchez.

Les yeux de Ben se rétrécirent. N'importe qui aurait pu deviner ce qu'il pensait, se dit-il finalement. C'était logique et évident, une simple déduction à partir de son hésitation et sans doute son expression. N'importe qui aurait su. A contrecœur, il sortit son carnet de chèques.

— Je suis désolée mais je n'accepte que la Visa et la MasterCard, annonça-t-elle sans la moindre gêne. Et bien sûr, les espèces.

Une capitaliste avec un tatouage sur le front. Qu'était-il arrivé aux stéréotypes simples et insouciants de sa jeunesse qui rejetaient le système ? Un peu d'herbe, un peu de bière et un peu de rock'n roll. Ben regarda ses possessions et tendit la somme en espèces. Il était extrêmement douteux qu'Alice Gustafson et Organ Guard puissent le rembourser totalement pour cette dépense mais au point où il en était !

Puis, dans un mouvement qui le prit totalement au dépourvu, Madame Sonja lui prit la main.

— Monsieur Callahan, je regrette que vous soyez si mal à l'aise avec moi. Vous avez un visage incroyablement bon et je vois que vous êtes un homme bien. Si vous êtes d'accord, je vous invite à prendre une tasse de thé.

Ben ne voulait rien tant que filer d'ici. Il avait visité tous les hôpitaux dans un rayon de quarante kilomètres autour du site de l'accident, ainsi que tous les postes de police. Maintenant, étant donné qu'il avait mis la main à la poche pour ces photos de Glenn, autant mettre à profit le peu de temps qui lui restait avant de rentrer à Chicago pour les montrer à quelques personnes, à commencer par les hématologues. Mais il y avait quelque chose de persuasif dans le geste de cette femme. A contrecœur, il la suivit dans le salon et s'assit. Une minute plus tard, elle versait du thé aromatique couleur rouille dans deux tasses orientales, portant chacune un symbole asiatique différent sur le côté.

— S'il vous plaît, buvez. Je vous assure que ce n'est rien d'autre que du thé. Quand vous aurez fini, passez-moi votre tasse.

Ben s'exécuta. Madame Sonja scruta attentivement la tasse pendant quelques secondes, puis elle l'enveloppa de ses mains et le regarda intensément. Finalement, elle ferma les yeux.

— Je n'en tire pas grand-chose, dit-elle.

Depuis quand cinq cents dollars n'étaient pas grand-chose ?

— Je suis désolé, répondit-il.

— Mais j'entends toujours les mêmes paroles se répéter.

Il faut que je me tire d'ici.

— Quels mots ?

— « Partez de ce que vous savez. »

Ben la regarda, abasourdi. Les paroles exactes d'Althea Satterfield.

— Une... une amie de Chicago vient juste de me dire la même chose il n'y a même pas une heure.

— Effectivement, j'ai entendu ça très clairement.

— Je n'y crois pas. Rien d'autre ?

Madame Sonja haussa les épaules et secoua la tête.

— Non. J'y arrive plus ou moins bien selon les jours. Aujourd'hui ce n'est pas terrible.

— Vous croyez que c'était juste... le hasard ? Une coïncidence ?

— Et vous ?

Elle reconduisit Ben à la porte.

— Eh bien, merci pour vos portraits et votre aide, déclara-t-il en lui serrant la main et se dirigeant vers l'allée.

— J'espère que vous trouverez votre homme ! lança-t-elle.

— Moi aussi.

— Et j'espère que vous retrouverez votre chat aussi !

Sans aucune idée de là où il se dirigeait ni de ce qu'il allait faire, Ben se retrouva sur une petite route qui se terminait en cul-de-sac sur une zone herbeuse qui surplombait ce que sa carte appelait « le Canal intérieur ». La référence de Madame Sonja à la disparition de Pincus l'avait ébranlé, tout comme sa réitération de l'étrange suggestion d'Althea.

Partez de ce que vous savez.

Cette phrase n'était pas du tout inhabituelle, songea-t-il, et peut-être n'étaient-ce pas exactement les mêmes mots que sa voisine avait utilisés. Quant à Pincus, il était concentré sur l'échec de son enquête et sur les cinq cents dollars à payer de sa poche, mais en plus de cela, la disparition de l'être vivant qui lui était le plus proche était très présente à son esprit. Il avait dû laisser échapper une phrase à propos du chat. C'était forcément cela. En toute probabilité, il avait dit quelque chose en passant même s'il ne s'en souvenait plus.

Il n'y avait pas d'autre explication. Etait-il possible qu'une femme avec les signes du zodiaque tatoués sur le front, vivant dans une petite maison d'une rue banale en Floride, ait pu pénétrer dans ses pensées ? S'il y avait des gens qui possédaient vraiment cette capacité, pourquoi est-ce que tout le monde n'était pas au courant ? Combien de fois était-il passé devant des stands dans des fêtes foraines qui proposaient de lire l'avenir pour cinq dollars ?

Il se rappela une conversation avec Gilbert Forest, un ami médecin, dont les profondes convictions médicales avaient été ébranlées par un médecin traditionnel chinois, qui avait guéri le cancer inopérable de l'un de ses patients en se servant uniquement d'acuponcture et de ce qu'il appelait des « vitamines ». Ben, lui, à ce stade de sa vie, n'avait aucune croyance à perdre et donc le plus grand danger qu'il courait avec Alice Gustafson et Madame Sonja, était plutôt d'en acquérir de nouvelles.

Partez de ce que vous savez.

Tandis que le soleil montait toujours dans le ciel et que la chaleur humide se faisait plus intense, Ben s'installa par terre avec le dossier de l'affaire et se mit à le feuilleter page après page, en cherchant un angle d'attaque qu'il aurait raté. Peut-être que les portraits de Glenn raviveraient les souvenirs de l'un des hématologues. Peu probable, se dit-il très vite.

Bon, bon, Callahan. A part le fait que tu n'es pas franchement un très bon détective, qu'est-ce que tu sais d'autre exactement ?

Ben regardait dans le vague l'eau scintillante. Lorsqu'il posa de nouveau les yeux sur le dossier, son regard tomba sur un article concernant Juanita Ramirez. Les trois photographies accompagnant le texte, comme toujours dans les journaux à sensation, étaient de mauvaise qualité. Il y en avait une de la femme, une des points de ponction au-dessus de ses fesses, et une d'un schéma du camping-car dans lequel elle avait été kidnappée, retenue prisonnière et opérée. Le camping-car...

Ben sortit la retranscription de l'entretien de Gustafson avec la femme. Les parties qu'il considérait comme importantes étaient surlignées en jaune. Celle qui l'intéressait en ce moment ne l'était pas.

AG : Pouvez-vous décrire le camping-car où vous étiez retenue prisonnière ?

JR : Je n'ai vu l'extérieur qu'une fois, lorsqu'ils se sont arrêtés pour me demander leur chemin, et qu'ils m'ont tirée à l'intérieur. Il était gros. Vraiment très gros. Il était gris ou argenté, avec un dessin bordeaux ou violet sur le côté, une sorte de tourbillon ou de vague.

Certes, la description n'était pas très complète, mais c'était déjà quelque chose. Il avait parcouru les postes de police, les hôpitaux, les cabinets des hématologues et les centres chirurgicaux, toujours pour chercher l'homme qu'il appelait Glenn. Son plan, à présent qu'il avait les portraits de Madame Sonja, était de refaire ce circuit, espérant contre tout espoir que quelqu'un puisse reconnaître le visage. *La folie, c'est de refaire encore et encore la même chose en espérant un résultat différent.* Qui lui avait dit cela ?

— Très bien, Callahan, murmura-t-il, tu te fais passer pour un détective. Alors détecte !

Deux heures et quatre concessionnaires de camping-cars plus tard, il perdait courage. Beaver, Alpine, Great West, Dynamax, Road Trek, Winnebago, River, Kodiak, Newmar Cypress, Thor Colorado. Presque chacune de ces marques avait au moins un modèle avec un motif sur le côté qui aurait pu coller avec la description de Juanita Ramirez.

Au milieu de l'après-midi, ses pieds et son dos le faisaient souffrir et le super-méga Burrito acheté chez Taco Bell, un élément de base de son régime alimentaire, n'en finissait plus de faire ses adieux, comme les Rolling Stones. A cent cinquante dollars par jour, c'est-à-dire environ dix dollars de l'heure vu tout le temps qu'il y avait passé, il en avait assez fait. Alice Gustafson aurait dû trouver un autre moyen de dépenser l'argent d'Organ Guard. Sans prendre fait et cause pour cette minuscule organisation et sa mission secrète, il avait vraiment travaillé de son mieux. Maintenant il était temps d'abandonner et de rentrer chez lui.

Trois heures plus tard, dans les ombres étirées de la fin d'après-midi, il faisait faire demi-tour à sa Saturn sur la petite allée de la Schyler Gaines Gas and Mart, la quinzième station-service où il s'arrêtait depuis qu'il avait décidé de laisser tomber l'affaire et de rentrer à Chicago. Il avait réussi à rajouter un mal de tête lancinant aux douleurs incessantes de ses pieds et son dos. Le Syndrome Callahan, décida-t-il de l'appeler – SC pour faire plus court dans l'optique de la collecte de fonds.

La tempête crânienne qui l'avait fait rester assez longtemps sur la route pour développer ce syndrome, avait pour origine un cercle qu'il avait tracé sur sa carte, à quinze kilomètres à vol d'oiseau autour de l'endroit où Glenn avait été tué. Armé de catalogues des concessionnaires de camping-cars et des portraits-robots de Glenn, il avait décidé de ne pas s'avouer vaincu, et de passer en revue toutes les stations-service à l'intérieur de ce cercle. Etant donné la consommation monstrueuse de ces gros camping-cars, celui qu'il cherchait devait passer autant de temps à la pompe que dans les caravanings. Peut-être, songea-t-il, que l'entêtement devrait être ajouté aux symptômes du SC.

La station-service Schyler Gaines, à cinq kilomètres de l'autoroute, à Curtisville, aurait aussi bien pu se trouver de l'autre côté d'un portail temporel. C'était un bâtiment en planches rouges avec un toit en bardeaux. L'enseigne peinte à la main au-dessus de la porte était décolorée et la peinture s'écaillait. Devant le bâtiment se trouvait une seule pompe à essence qui, bien que plus récente que l'ancienne pompe Esso à globe de verre qui se trouvait sur le côté du tarmac, avait tout de même l'air datée.

C'était une bonne chose que la pompe en état de marche soit située à une distance raisonnable du porche, parce que l'homme qui devait se nommer Schyler Gaines était assis dans un fauteuil à bascule et fumait sa pipe. Avec sa salopette, sa chemise à carreaux, sa casquette Caterpillar tachée de graisse et sa barbe grise, il sortait tout droit du village de Dogpatch dans la BD *L'il Abner* [1]. Ben arrêta la Saturn pas trop loin du coin du porche et s'approcha de l'homme, qui le dévisagea avec intérêt, mais sans rien dire. La fumée de la pipe de Gaines sentait la cerise et n'avait rien de déplaisant.

— Bonsoir, fit Ben avec un signe de la main, en montant la première marche du porche et s'appuyant sur une balustrade qui avait selon lui cinquante pour cent de chances de ne pas supporter son poids.

Gaines sortit sa montre à gousset en or et regarda l'heure.

— Mmouais, si on veut, répondit-il, exactement sur le ton que Ben s'était imaginé.

— Je m'appelle Callahan, Ben Callahan. Je suis détective privé, je viens de Chicago et je cherche des informations sur un homme qui a été écrasé et tué sur la Route 70, au sud d'ici.

— Vu qu'il a été tué, comment ça se fait que vous le recherchez ?

---

1. BD humoristique du dessinateur Al Capp qui dépeignait la vie du village pauvre de Dogpatch au fin fond du Kentucky *(NdT)*.

— Je recommence. En fait, j'essaie de recueillir des informations sur lui. On ne connaît même pas son nom, et encore moins ce qu'il faisait tout seul sur la Route 70 à trois heures du matin.

— Un gros Peterbilt 3-8-7 l'a heurté de plein fouet – grande cabine couchette noire, à toit surbaissé.

— Vous connaissez le camion ?

— Y s'arrête de temps en temps ici prendre du carburant. J'ai une pompe diesel à l'arrière. Je fais payer dix cents de moins que les stations sur l'autoroute, et quand vous prenez trois cents litres, ça fait une différence. Le chauffeur, y s'appelle Eddie.

— Eddie Coombs. Je lui ai parlé. Il est encore bien secoué par ce qui s'est passé.

— C'est sûr. C'est un sacré camion qu'il a. Un moteur Cummings de six cents chevaux. Le type qui s'est fait rentrer dedans, il a pas eu le temps de savoir c'qui lui arrivait.

— Je veux bien le croire, dit Ben. Bref, voilà à quoi le type aurait pu ressembler.

Il lui passa les portraits, se sentant soudain étrangement idiot et impuissant. Que faisait-il là ? Que pouvait-il espérer apprendre de ce vieil homme laconique ? Et pourquoi avait-il dit oui à Alice Gustafson ? Tout en se balançant et en crapotant, Gaines étudia la photo, puis la lui rendit en secouant la tête.

— Ça me dit rien du tout.

— C'est ce que je pensais, dit Ben. Vous avez du Coca au frais ?

— Oui. Même qu'il est pratiquement glacé à l'intérieur, si vous voyez ce que je veux dire.

— Oui, je vois très bien.

Ben se servit du revers de sa main pour essuyer la sueur qui perlait à son front.

— Les canettes sont dans le frigo. Laissez un dollar sur le comptoir, ça ira. Je suis trop bien pour me lever.

Le Coca, glacé comme promis, soulagea un peu Ben de son cuisant sentiment d'échec. Il laissa un billet de cinq près de la vieille caisse-enregistreuse, prit les dessins de Madame Sonja et revint vers sa voiture. Est-ce qu'Alice Gustafson se contenterait d'un « J'ai fait ce que j'ai pu » ? Il était plus probable qu'elle exige d'être remboursée.

Partez de ce que vous savez.

Ben ouvrit la portière côté conducteur, puis il s'arrêta et revint vers le porche avec les brochures et sa liste interminable de camping-cars.

— Monsieur Gaines, je cherche aussi un mobile home, dit-il.

— Quoi ?

— Un mobile home. Vous savez, un très gros camping-car. Est-ce qu'il y en aurait un qui serait passé, à peu près au moment où le gars a été tué ? Peut-être qu'il venait du nord, un véhicule vraiment très gros, peut-être gris avec des motifs gris foncé ou bordeaux. Voilà les brochures des candidats possibles.

— Peut-être bien un Winnebago Adventurer de douze mètres, dit Gaines avec nonchalance, sans même jeter un œil aux brochures. 04 ou 05, je dirais. Immatriculé dans l'Ohio. Je lui ai fait le plein. Il a fallu presque deux cent soixante-dix litres.

Ben sentit son cœur s'arrêter de battre.

— Dites-m'en plus.

— Oh, y a pas grand-chose à dire. Le couple, ils étaient pas du genre camping-car.

— Comment ça ?

— Oh, vous savez. Trop jeunes, pas assez campagne, ils se déplaçaient plus vite que la plupart des propriétaires de camping-car. Ils ont acheté trois sandwichs et trois paquets de chips alors qu'ils étaient que deux.

— Pouvez-vous les décrire ?

— J'ai la mémoire des voitures et des camions. Pas des gens. Elle était assez jolie, y me semble. Ça je m'en rappelle. Un joli derrière. Pardonnez-moi de le dire, je suis peut-être vieux, mais je suis pas encore mort.

— Aucun problème, monsieur Gaines. Est-ce que vous vous souvenez d'autre chose à propos du véhicule ou des voyageurs ?

— J'ai remarqué ça que quand ils sont partis, mais je crois pas qu'il y avait de fenêtres à l'arrière. Comme vous verrez dans les brochures, c'est pas normal.

— Pas de fenêtre. Vous en êtes sûr ?

— Si je le dis, c'est que j'en suis sûr. Pourquoi ? Vous avez affaire à des gens qui disent des choses sans être sûrs ?

— Ça m'est arrivé, oui.

Ben se rendait compte qu'il sentait les battements de son cœur au bout de ses doigts. Toute cette histoire de l'Adventurer pourrait ne déboucher sur rien mais il était persuadé que cela pourrait être le camping-car décrit par Juanita Ramirez. Il se mit à élaborer rapidement des plans pour mettre à profit les quelques informations qu'il venait de recueillir. Combien de gens en Ohio achetaient un Winnebago de douze mètres ? Est-ce que le constructeur gardait des traces dans un fichier ? Jusqu'où ce monstre pouvait-il aller avec deux cent soixante-dix litres ? Ces questions n'étaient pas grand-chose, mais après presque une semaine de frustration, elles étaient aussi bienvenues que des palmiers au milieu du Sahara.

— Monsieur Gaines, dit-il, vous m'avez beaucoup aidé. Est-ce qu'il y a autre chose que vous pourriez me dire au sujet de ce camping-car ? Un petit détail ?

— Non. Sauf...

— Sauf quoi ?

— Je suppose que ça peut aider si j'vous donne le numéro d'immatriculation.

— Le quoi ?

— Ils ont payé pour le carburant et les provisions avec une carte de crédit, une Visa je crois bien. Un jour je me suis bien fait avoir par un camionneur avec une carte volée, alors maintenant j'écris toujours le numéro d'immatriculation sur le reçu de carte de crédit.

— Et vous avez encore le ticket ?

— Bien sûr, dit Gaines. Autrement je s'rais pas un homme d'affaires.

Chapitre 7

L'âme n'est-elle pas aussi d'autant moins troublée et altérée par les accidents extérieurs qu'elle est plus courageuse et plus sage ?

PLATON, *La République*, Livre II.

LE TEMPS EST UN CONCEPT flexible à Rio. A l'exception des rendez-vous d'affaires, et encore, des rendez-vous importants, avoir une demi-heure de retard, c'est être parfaitement à l'heure.

— Génial, se murmura Natalie à elle-même, souriant à cette description de la revue de bord VARIG.

Si quelqu'un avait jamais eu besoin d'une semaine de vacances dans une ville où une demi-heure de retard ne comptait pas, c'était bien elle. Depuis le moment où Doug Berenger l'avait invitée à le remplacer pour donner une conférence au Congrès International de Transplantation, elle avait été transportée dans un monde imaginaire où elle dansait la salsa toute la nuit avec un mystérieux étranger et courait sur les trottoirs spectaculaires en mosaïque noire et blanche de Copacabana. Maintenant, tout cela était sur le point de se produire.

Elle feuilleta quelques minutes la brochure publicitaire de la compagnie aérienne et fit mentalement une liste de ce qu'elle pourrait acheter pour sa mère, sa nièce et quelques amis. Pour ses amies et Hermina, il lui faudrait des bijoux faits des légendaires pierres précieuses et semi-précieuses brésiliennes ; pour Jenny et Terry, des serre-livres en agate polie ; pour Doug, peut-être une reproduction haut de gamme de la statue du Christ Rédempteur.

Elle reposa le guide et regarda par le hublot du 747, essayant d'avoir un aperçu de la ville à travers les nuages épars. La nuit était tombée. Même après quinze heures de vol, elle n'était pas particulièrement fatiguée. A l'heure d'hiver, Rio n'avait que deux heures de décalage avec Boston et grâce au confort de la classe affaires, elle avait pu dormir longuement. Son voisin, un représentant de commerce en machinerie lourde, marié, avait fait plusieurs tentatives d'approche mal déguisées mais il avait essuyé chaque fois une rebuffade polie et s'était retranché derrière un roman de John Grisham, qu'il réussirait peut-être à finir avant l'atterrissage.

En effet, à cause d'un problème de trafic trop dense, l'avion décrivait des cercles au-dessus de l'aéroport Antonio-Carlos-Jobim depuis plus d'une heure. De toutes les personnes à bord, songea Natalie, elle était certainement celle qui se souciait le moins de ce retard. Avec l'aide de deux verres de Merlot, sa personnalité de type A [1] s'était adoucie en A moins. *Antonio Carlos Jobim.* Quelle autre ville du monde avait un aéroport qui portait le nom d'un compositeur – et un compositeur de jazz en plus ?

« ... the girl from Ipanema goes walking... »

Natalie vérifia que ses papiers étaient en ordre, hésitant entre ouvrir son ordinateur ou fermer les yeux lorsque l'avion vira sur la droite, puis se redressa. Elle sentit le train d'atterrissage sortir en grinçant et se mettre en place. Quelques instants plus tard, les consignes pour l'atterrissage étaient données en anglais et en portugais. Son oreille s'était réhabituée à cette langue, après huit jours passés à étudier, écouter des enregistrements et parler portugais avec sa mère aussi souvent qu'elle pouvait le supporter. Il y avait des différences entre le portugais du Brésil et celui du Cap-Vert, mais elle avait toujours eu le don des langues et elle avait beaucoup progressé.

Huit jours à Rio. Elle avait toujours pensé que se faire plaisir

---

1. La personnalité de type A telle que l'ont définie en 1974 Meyer Friedman et Ray Rosenman caractérise les personnes hyperactives, impatientes et exigeantes vis-à-vis d'elles-mêmes et des autres *(NdT).*

était la meilleure des revanches. Peut-être qu'elle devrait envoyer des cartes postales de remerciement à Cliff Renfro et au doyen Goldenberg.

L'atterrissage se fit sans faute et le passage des douanes était bien plus organisé qu'elle ne s'y était attendue après son expérience de São Paulo. Son guide de Rio l'avait préparée à des températures hivernales et suggérait qu'elle commande un taxi et règle la course d'avance à l'intérieur de l'aéroport plutôt que de faire confiance aux compteurs. Elle enfila une veste en cuir légère en entrant dans le terminal principal et trouva facilement le comptoir des taxis. Alors qu'elle rangeait dans son sac la monnaie et le bon de prépaiement pour le taxi, elle se sentit tout à coup prise de vertige et vaseuse. La sensation était désagréable et troublante mais facile à expliquer après ce long vol et le Merlot.

A l'extérieur du terminal, l'air était frais et embaumé, malgré la circulation chaotique. L'aéroport Jobim se situait à trente kilomètres au nord de Rio. Elle avait attendu avec impatience sa première rencontre avec la ville magique mais tout ce qui lui importait à présent était de trouver un taxi et d'aller à son hôtel. Sa présentation n'était prévue que dans deux jours, elle n'était donc pas obligée de se reposer dès maintenant. De plus, selon son guide de voyage, la vie nocturne de Rio ne commençait vraiment qu'au petit matin. Après quelques heures de repos, elle serait prête à aller en faire l'expérience !

La robe rouge, décida-t-elle mentalement en choisissant parmi les trois qu'elle avait emportées. Elle n'avait pas l'intention d'être imprudente dans une ville où un tel comportement ne pardonnait pas, mais elle aimait l'aventure et adorait danser, surtout sur la musique latino. Le concierge de l'hôtel pourrait lui indiquer une boîte qui soit à la fois sympa et sans danger.

Près de la file d'attente pour le taxi, un employé en uniforme lui prit son sac, vérifia son bon et la conduisit vers un taxi jaune avec une rayure bleue. Son sentiment de détachement par rapport à la réalité s'amplifia lorsqu'elle s'installa sur la banquette arrière.

— L'hôtel Intercontinental à Rio, s'entendit-elle déclarer.

Le chauffeur, un homme au teint mat d'une trentaine d'années, se retourna et lui sourit, mais sans rien dire. Elle discernait mal ses traits, et tandis que le taxi démarrait, Natalie tenta en vain de se concentrer sur son visage. Le trajet vers la ville lui parut très flou. Plus d'une fois, elle crut qu'elle allait vomir. Le chauffeur sortit soudain de l'autoroute, plus tôt qu'elle ne s'y attendait. Peu de temps après, ils roulaient dans un bidonville faiblement éclairé. Natalie sentit un flot d'adrénaline chasser son incertitude et son état nauséeux.

— Où allons-nous ? demanda-t-elle en portugais.

— Vous avez dit l'Intercontinental. C'est un raccourci.

— Je ne veux pas de raccourci. Je veux revenir sur l'autoroute, exigea-t-elle, tout en sentant qu'elle faisait des erreurs de vocabulaire.

— Vous êtes une très belle femme, dit le chauffeur dans un anglais correct, en se retournant vers elle.

— Ramenez-moi immédiatement sur l'autoroute ! insista-t-elle.

— Très belle.

L'homme accéléra légèrement. Ils passaient dans un quartier de plus en plus délabré. Les rares réverbères avaient été brisés et la plupart des maisons et petits immeubles branlants avaient les volets fermés. Il n'y avait presque personne dehors à part une ombre parfois, qui rôdait à un coin de rue ou empruntait une ruelle.

Natalie regarda la licence du taxi. Dans la pénombre, elle ne discernait quasiment rien. Elle passa en revue le contenu de son sac. Y avait-il quelque chose qui puisse lui servir d'arme ? Grâce à la sécurité aérienne, la réponse était certainement non.

— Mais merde ! s'écria-t-elle d'une voix perçante en martelant le Plexiglas épais qui séparait le siège avant de l'arrière. Ramenez-moi sur l'autoroute !

— Les clients de la Maison de l'Amour vont t'adorer. Tu seras très heureuse là-bas... très heureuse là-bas...

Ces mots résonnèrent de façon irréelle. Son malaise, qui n'avait jamais vraiment disparu, s'accentua. Les paroles du chauffeur semblaient tantôt claires et nettes, tantôt brouillées et répétitives. Natalie scruta le bidonville repoussant. Ils allaient sans doute à cinquante ou soixante kilomètres à l'heure. Avait-elle une chance de s'échapper si elle sautait du taxi, faisait un roulé-boulé et se remettait debout pour courir ? Si elle réussissait déjà à sortir et à se mettre debout, à condition qu'elle ne se casse pas la jambe, elle pouvait distancer n'importe qui. Si l'alternative était de devenir une prostituée droguée dans un bordel, elle était prête à tenter sa chance. Elle sortit discrètement son portefeuille et son passeport de son sac et les fourra dans la poche de sa veste.

— De l'argent ! proposa-t-elle. Je vous donnerai de l'argent pour me laisser partir. Trois mille réaux ! J'ai trois mille réaux. Laissez-moi sortir !

Elle se pencha doucement vers la portière de droite et posa la main sur la poignée, essayant de visualiser la manière dont il fallait qu'elle se positionne en heurtant le sol. Autour d'elle, la scène sembla devenir floue, puis de nouveau nette, et encore floue. Elle secoua la tête pour essayer de retrouver le cours de ses pensées.

Maintenant !

A cet instant, le taxi s'arrêta en cahotant dans un crissement de pneus et la portière de Natalie fut subitement ouverte par deux hommes qui portaient des bas noirs en guise de masque. Avant qu'elle ait pu réagir, elle fut tirée à l'extérieur et couchée de force sur le ventre. Le taxi s'éloigna en trombe. On lui planta une aiguille dans le muscle à la base du cou et elle reçut le contenu d'une seringue. Une drogue, pensa-t-elle, une dose neutralisante de drogue, sans doute de l'héroïne.

Sa situation était absolument terrifiante mais elle se sentait étrangement détachée – détachée et en même temps déterminée à ne pas se laisser vaincre sans se débattre contre ses assaillants. Chacun d'eux la tenait maintenant par un bras et la traînait visage contre terre dans ce qui ressemblait à une étroite ruelle non goudronnée, et qui empestait les ordures. Elle appela à l'aide en hurlant, tout en ayant conscience que dans ce quartier, de tels cris devaient souvent retentir et passer inaperçus. Toujours au sol, elle se tordit et tira ses bras. L'homme qui lui tenait le poignet droit lâcha immédiatement prise. Natalie roula vers la droite, se mit sur les genoux, et donna un coup de poing de toutes ses forces dans l'entrejambe de l'autre homme. Celui-ci desserra son étreinte sur le poignet de Natalie et tomba à genoux. Avant qu'aucun des deux n'ait pu réagir, elle se releva, envoyant cette fois un coup de poing dans le visage de l'un de ses agresseurs.

En une seconde, elle était debout et s'éloignait des deux hommes en sprintant. Devant elle, dans la pénombre de la ruelle, elle discernait deux rangées de bâtiments sombres, d'un ou deux étages. Au loin, sur la droite, elle eut l'impression de voir une lumière clignoter.

Derrière elle, l'un des hommes cria en portugais : *Tenho uma pistola. Pare jà ou eu atiro ! J'ai un pistolet. Arrêtez-vous tout de suite ou je tire !*

Devant elle, la ruelle était complètement bloquée par une montagne de poubelles, de cartons et d'ordures, accumulée contre une sorte de clôture, et s'élevant bien plus haut que sa tête.

— Stop ! cria la voix derrière elle.

Natalie avait escaladé la montagne de détritus et atteignait le haut de la clôture lorsqu'un coup de feu résonna derrière elle. Rien. Elle attrapa le bois grossier et passa la jambe par-dessus. Un autre coup retentit, puis un troisième. Les deux fois, une douleur fulgurante explosa au niveau de son omoplate droite. Elle tomba en avant. Ses bras ne parvinrent pas à rattraper la clôture. Avec un grognement de douleur, haletante, consciente qu'elle avait reçu plus d'une balle, elle bascula en arrière et retomba sur le tas d'ordures.

Chapitre 8

Or, qui est le plus capable de faire du bien à ses amis et du mal à ses ennemis, sous le rapport de la maladie et de la santé ? Le médecin.

PLATON, *La République*, Livre I.

Y*AOUNDÉ SE TROUVAIT EXACTEMENT* au quatrième degré de latitude Nord. Joe Anson n'avait jamais supporté la chaleur et l'humidité du Cameroun aussi bien que ceux qui y étaient nés, mais ce jour-là, à l'approche de la mousson, était le pire dont il se souvienne. Les climatiseurs se démenaient dans une bataille perdue d'avance ; les odeurs de maladie s'intensifiaient dans tout le bâtiment ; les mouches étaient omniprésentes ; l'air trop lourd pour qu'il puisse respirer.

S'il y avait un point positif dans cette journée, c'était la fillette, Marielle, qui avait remarquablement bien réagi au traitement clandestin de Sarah-9, et qui était maintenant assise dans un fauteuil près de son lit, pour boire et se nourrir. Ce médicament était un vrai miracle, comme il s'en doutait depuis le début. Plus qu'un seul jour, peut-être, et la camionnette du Centre Whitestone pour la Santé en Afrique ramènerait la fillette à sa mère, avec assez de riz et de produits de première nécessité pour les fortifier et améliorer les conditions de vie au village jusqu'à l'arrivée des pluies de mousson. Ensuite, le cycle de la malnutrition et de la maladie recommencerait.

— Très bien ma puce, dit Anson en posant son stéthoscope sur le dos de la fillette, inspire, expire... Tu te débrouilles très bien. Très très bien. Peut-être que demain tu pourras rentrer chez toi.

L'enfant se tourna et passa les bras autour du cou du Dr Anson.

— Je t'aime, docteur Joe, dit-elle. Très, très, très, très fort.

— Et moi aussi je t'aime, ma petite crevette.

Ces quelques paroles avaient bien plus épuisé Anson qu'il n'eût voulu l'admettre. Il tendit à Marielle un livre d'images et s'écarta de son chevet pour regagner le bureau qu'il partageait avec les autres médecins de garde. Qu'allait-il lui arriver? Que devait-il faire? Au bout de trente secondes, alors que la sensation de suffocation ne cessait d'augmenter, il appela à l'aide avec la radio d'urgence qu'il portait toujours sur lui.

— Ici Claudine, Dr Anson, dit l'infirmière. Où êtes-vous ?

— Au bureau des médecins... à l'hôpital.

— Vous avez besoin d'oxygène ?

— Oui.

— J'arrive dans une minute.

Trente secondes à peine s'étaient écoulées lorsque Claudine arriva en courant, poussant un réservoir vert de six cent cinquante litres du précieux gaz, posé sur un cadre à roulettes. C'était une grande femme qui approchait de la cinquantaine, avec un port de tête royal, un regard attentif et un teint lisse d'une belle couleur sombre. Elle travaillait à l'hôpital presque depuis sa création.

— Vous êtes dans l'équipe de jour? réussit à demander Anson tandis qu'elle lui installait son masque et réglait le débit d'oxygène au maximum.

— Contentez-vous de respirer, dit-elle. Je... euh... une des infirmières était malade. Je travaille à sa place.

Anson ne put voir son expression profondément troublée. Il sortit un inhalateur de cortisone dans le tiroir du haut et prit deux profondes bouffées, suivies de deux inspirations d'un bronchodilatateur.

— Ça fait plaisir de vous voir, dit-il.

— Vous vous sentez mieux ?

— C'est l'humidité qui me gêne le plus.

— L'humidité ne va faire qu'empirer jusqu'à l'arrivée des pluies.

— Alors mon état va se détériorer. Cent pour cent d'humidité. Je ne sais pas comment je vais le supporter.

De nouveau, une ombre se peignit sur le visage de l'infirmière.

— Vous allez vous en sortir, dit-elle avec une détermination farouche.

— Bien sûr, Claudine.

— Vous avez rendez-vous avec le Dr Saint-Pierre pour votre déjeuner du mercredi. Est-ce que je dois annuler ?

— Non, non, je n'annule jamais rien. Vous le savez.

Anson, autrefois aussi changeant que le vent, était devenu un homme à la discipline absolue et aux habitudes inflexibles. Chaque mercredi, à midi, il retrouvait le Dr Saint-Pierre dans la petite salle à manger de l'hôpital, où il prenait une soupe de conque et une salade verte et buvait une bouteille de Guinness Cameroun, brassée à Yaoundé, terminant son déjeuner par une coupe de glace au chocolat. C'était là qu'ils discutaient de façon informelle des affaires de l'hôpital, du dispensaire et du laboratoire, tout comme des travaux de recherche sur le Sarah-9 et, depuis quelques années, de sa santé.

— Excusez-moi de vous dire ça, docteur, fit Claudine, mais votre respiration est plus saccadée que jamais.

— Elle est... imprévisible.

— Et il n'y a aucun autre traitement que je pourrais aller vous chercher ?

— Je... prends... déjà... tellement... de médocs que je... suis... tout le temps... sur les nerfs...

— S'il vous plaît, essayez de vous détendre et de respirer. Je devrais peut-être aller chercher le Dr Saint-Pierre, ou le matériel d'assistance respiratoire.

Anson lui fit signe de rester calme et d'attendre. L'infirmière battit en retraite sur un côté de la pièce mais ses yeux noirs humides, inquiets et préoccupés, ne le quittèrent jamais. Sans être vue d'Anson, elle mit la main dans la poche de sa blouse et tripota nerveusement le tube de liquide transparent qui s'y trouvait.

Exactement 1,4 cm^3 – ni plus ni moins.

C'étaient les instructions.

Exactement 1,4...

Le déjeuner était prévu à midi pile mais il était midi et quart lorsque Anson eut suffisamment retrouvé son souffle pour pouvoir se passer de l'oxygène et se diriger vers la salle à manger. La pièce était vide à l'exception d'Elizabeth, assise à l'une des trois petites tables et qui mangeait un sandwich au thon, accompagné d'un grand thé glacé, tout en parcourant des documents comptables. Elle portait un bermuda en toile et un haut blanc qui soulignait sa généreuse poitrine. Pendant quelques instants, Anson en oublia même ses difficultés respiratoires. Au fil des années, il avait souvent senti que leur relation était sur le point de dépasser le cadre de l'amitié étroite, mais cela ne s'était pas encore produit. Il s'installa à table et quelques instants plus tard, la cuisinière lui apportait respectueusement son repas, signe que décidément il n'existait personne à l'hôpital ou au laboratoire dont la vie n'ait pas été touchée de quelque façon par cet homme.

— Je ne comprendrai jamais, dit-il en anglais, en s'interrompant une seule fois pour respirer, comment tu fais pour avoir l'air aussi fraîche avec cette humidité.

— Je suppose que toi aussi tu aurais l'air plus frais si tu respirais à cent pour cent.

— J'ai réussi à faire toute une journée de travail.

— J'ai peur que cela ne dure plus très longtemps.

— Qui peut le dire ? Les poumons s'adaptent.

— Non, pas avec la fibrose pulmonaire, Joseph, et tu le sais aussi bien que moi.

Anson piocha dans sa salade, et comme il en avait l'habitude, prit une longue gorgée de Guinness Cameroun à la bouteille. Elizabeth avait raison, songea-t-il. Elle avait toujours raison au sujet de sa santé. Pourtant...

— Ce n'est pas seulement que la transplantation va me prendre du temps. La mousson arrive. Notre travail au labo se passe tellement bien. J'ai tout simplement trop de choses à faire.

— Tu risques tous les jours un arrêt cardiaque fatal, ou même une attaque.

Elle tendit la main pour la poser sur celle de Joseph. Son expression montrait sans ambiguïté que son inquiétude pour lui était tout autant personnelle que professionnelle.

— Tu as accompli tant de choses pour les autres, Joseph. Je ne veux pas qu'il t'arrive quoi que ce soit. Ta respiration se détériore et cela ne va pas aller en s'arrangeant. Si la situation s'aggravait encore, une opération deviendrait bien plus risquée.

— Peut-être.

— La convalescence après une opération ne sera pas aussi longue que tu le crois. Les médecins avec qui j'ai travaillé font partie des plus grands chirurgiens au monde. Ils feront en sorte que tu reçoives les meilleurs soins possibles.

Anson finit sa bouteille, espérant gagner un peu de force d'âme pour convaincre Elizabeth que les indications médicales pour une transplantation n'étaient pas si flagrantes et que le moment était mal choisi.

— J'ai passé plusieurs bonnes journées d'affilée, tenta-t-il.

— Je t'en prie, sois honnête avec toi-même. Ce n'est pas parce que tu n'as pas eu à t'interrompre au milieu de la journée pour respirer à l'aide d'un insufflateur que tu es en bonne santé. Regarde-toi ! Tu es un intellectuel, un savant, et tu ne peux même pas dire la moitié de ce que tu penses parce que tu n'as pas assez de souffle pour faire sortir les mots.

De nouveau, elle lui prit la main.

— Joseph, écoute-moi s'il te plaît. Les médecins de Whitestone ont entendu parler d'un donneur, avec une parfaite compatibilité des tissus, douze sur douze ! C'est ce que nous avons recherché dans le monde entier. Tu n'auras pratiquement pas de traitement antirejet. Cela veut dire pas d'affaiblissement ni d'effets secondaires. Tu seras de retour au travail avant d'avoir eu le temps de dire ouf !

Anson la regarda. C'était la première fois qu'on trouvait vraiment un donneur, surtout un qui avait une compatibilité optimale. Elizabeth et ceux qu'elle avait consultés mettaient toutes les chances de leur côté dans cette partie à gros enjeu.

— Depuis combien de temps as-tu demandé à des confrères de chercher un donneur ?

— Depuis le moment où nous avons effectué ton typage HLA et que nous nous sommes rendu compte que tu avais un profil inhabituel et rare.

Anson se voûta dans sa chaise et secoua la tête.

— Où est-il, ce donneur compatible ?

— A Amritsar, en Inde. Dans l'Etat du Penjab, au nord-ouest de Delhi. Il est en état de mort encéphalique après une massive hémorragie cérébrale et on le maintient en vie artificiellement. Son hôpital veut procéder à la collecte de ses organes mais nous les avons suppliés d'attendre.

Anson se leva et traversa la pièce. La courte distance suffit à l'essouffler, mais il se rassura en se disant que c'était dû au taux élevé d'humidité.

— Je ne peux pas, dit-il enfin. Je ne peux tout simplement pas. Il y a du travail à faire ici et il faut prévenir Sarah et... et...

— S'il te plaît, Joseph, lança fermement Elizabeth, s'il te plaît, arrête ! Si tu n'es pas prêt à le faire pour le moment, c'est comme ça. Si tu rentrais te reposer une petite heure avant les consultations de l'après-midi ? Je te remplacerai ici.

— D'a-d'accord, dit Anson sur un ton presque enfantin. Je suis content que tu ne sois pas fâchée contre moi.

— Je suis inquiète pour toi, Joseph, et pour notre projet Sarah-9, mais je ne suis pas du tout fâchée. Laisse-moi demander à un garde de t'accompagner à ta chambre. Est-ce que tu veux un fauteuil roulant ?

— Non ! s'exclama Anson.

Alors qu'il tournait les talons, une vague soudaine de faiblesse et de profonde fatigue s'abattit sur lui.

— A la réflexion, peut-être que ce serait plus raisonnable, capitula-t-il faiblement.

Le temps qu'un garde arrive dans la salle à manger et aide Anson à s'installer dans le fauteuil roulant, sa fatigue s'était accrue et il parvenait à peine à inspirer un peu d'air. Il essayait de respirer, mais c'était comme si son esprit avait décidé qu'il n'en était plus capable. Il essaya de parler, d'appeler à l'aide, mais aucun mot ne sortit.

La pièce se mit à tourbillonner lorsque le garde fit sortir le fauteuil et emprunta le sentier en direction des appartements de fonction. A peine avait-il parcouru un ou deux mètres qu'Anson se rendit compte que sa respiration s'était arrêtée complètement. La scène autour de lui s'obscurcit, puis tout devint noir. Impuissant, se sentant perdre connaissance, il bascula du fauteuil la tête la première et tomba le visage dans le gravier.

Le garde, un homme trapu aux bras énormes, ramassa Anson comme s'il était une poupée de chiffon et courut vers l'hôpital en appelant à l'aide. Quelques secondes plus tard, la silhouette flasque du praticien était allongée sur un brancard dans la salle de soins intensifs et Claudine avait préparé le chariot de réanimation cardio-respiratoire. Le Dr Saint-Pierre, qui gardait la tête froide même dans les situations critiques, ordonna un monitoring cardiaque, la pose d'un cathéter urinaire, une perfusion intraveineuse, puis elle plaça la tête d'Anson le menton vers le haut et commença à gonfler ses poumons avec un ballon et un masque. L'un des internes, originaire de Yaoundé, proposa de la remplacer, mais Elizabeth refusa.

— Je sais que tu en es capable, Daniel, dit-elle, mais dans une telle situation, je ne me fie qu'à moi-même. Sans cet homme, nous sommes tous perdus. Prenez son pouls sur l'artère fémorale. Claudine, préparez-moi le nécessaire pour l'intubation. Une sonde endotrachéale de calibre 7,5. Vérifiez bien le ballon avant de me le donner.

Il y eut une étincelle silencieuse entre les deux femmes.

— Il a toujours un pouls, annonça l'interne. Filant à cent vingt.

— Mets en marche le monitoring et essaie de voir s'il y a une pression artérielle.

Saint-Pierre continua à ventiler Anson dont le teint s'était très légèrement amélioré. Claudine fit gonfler le ballon utilisé pour sceller la sonde à l'intérieur de la trachée et constata qu'il n'y avait pas de fuite. Puis, toujours aussi maîtresse d'elle-même que si elle était en train de choisir des fruits au marché, Saint-Pierre se courba à la tête du brancard, demanda à l'interne de maintenir la tête d'Anson le menton toujours relevé, appliqua la spatule lumineuse d'un laryngoscope sur la langue de son collègue et en quelques secondes, glissa la sonde entre les délicates demi-lunes de ses cordes vocales. L'air contenu dans une seringue gonfla le ballon et mit la sonde en place.

Elle replaça ensuite le masque sur le ballon avec un adaptateur qui s'accrochait à la sonde, et ventila Anson jusqu'à ce que le tube puisse être fixé et raccordé à un insufflateur manuel. Avec six personnes qui travaillaient intensément dans une grande proximité, la chaleur et l'humidité de la pièce avaient atteint des sommets. Seule Elizabeth ne semblait pas en souffrir particulièrement – une seule fois elle retira ses lunettes et les essuya sur le bas de son tee-shirt.

Pendant quinze minutes, régna un silence tendu. Il n'y avait aucun changement dans l'apparence d'Anson mais ses constantes vitales s'amélioraient régulièrement. Puis, au prix d'un effort manifeste, Joe Anson ouvrit les yeux.

Elizabeth Saint-Pierre remercia un à un ses assistants et les infirmières et leur demanda de quitter la pièce. Puis elle se pencha au-dessus du brancard et se mit à parler à Anson à quelques centimètres de son visage.

— Vas-y tout doucement, Joseph, dit-elle quand ils furent enfin seuls. La chaleur et l'humidité ont eu raison de toi. Tu viens de faire un arrêt respiratoire. Tu comprends ? Pas la peine de bouger la tête. Contente-toi de me serrer la main. Parfait. Je sais que ce tube est très inconfortable. Je te donnerai un sédatif dans quelques minutes. Du moment que le tube est en place, le danger est nettement réduit. Joseph, s'il te plaît, je t'en prie écoute-moi ! Si cela t'avait pris dans ton appartement, nous n'aurions jamais pu intervenir à temps. Nous avons besoin de toi. Moi j'ai besoin de toi ! Le Sarah-9 a besoin de toi. Le monde a besoin de toi. Nous ne pouvons pas permettre que cela se reproduise. S'il te plaît, accepte cette transplantation.

Il lui serra la main, d'abord doucement puis de plus en plus fort.

— Oh, Joseph ! s'exclama-t-elle en lui embrassant le front puis la joue, merci, merci ! Nous allons agir vite. Tu comprends ? Whitestone dispose d'un avion privé prêt à t'emmener en Inde. Il attend à Capetown en ce moment même. Je ne te quitterai pas du voyage. Nous te maintiendrons sous sédatifs et sous respirateur pendant tout le vol. Tu comprends ? Bien. Je t'en prie, n'aie pas peur. Nous n'avons plus le choix. Bientôt, tous tes problèmes seront terminés, tu seras de retour ici et tu pourras reprendre ton travail pour améliorer le sort de l'humanité. Je te demande une dernière fois, est-ce que tu me comprends ? Très bien, Joseph, je vais prendre les dispositions nécessaires. Nous allons bientôt partir pour l'aéroport de Yaoundé.

Elle mobilisa l'équipe qui s'occuperait d'Anson pendant qu'elle organiserait le trajet en ambulance jusqu'à l'aéroport de Yaoundé, puis le vol jusqu'à Amritsar International. Lorsque Claudine arriva pour prendre le relais, Saint-Pierre secoua la tête et lui fit signe de sortir.

— Vous avez failli le tuer ! lança-t-elle d'un ton cassant avant que Claudine ait pu prononcer un mot.

Les yeux de l'infirmière se ternirent à cette réprimande. Elizabeth Saint-Pierre, native comme elle de Yaoundé, était quelqu'un qu'elle respectait depuis des années. Si elle n'avait pas eu une si haute opinion d'elle, jamais elle n'aurait accepté d'ajouter le mélange de tranquillisants et de dépresseurs respiratoires dans la bière du Dr Anson.

— Je n'ai rien fait de travers, dit-elle. Vous m'avez dit d'ajouter 1,4 cm^3 à la bière et c'est précisément ce que j'ai fait.

Elizabeth s'enflamma tout en restant de glace.

— N'importe quoi ! s'exclama-t-elle. Tout ce que je voulais, c'était qu'il ait un peu plus de difficultés à respirer, pour qu'il accepte de tenter la transplantation avant qu'il soit trop tard, pendant que nous avions le donneur idéal. J'ai élaboré cette préparation en tenant compte de la masse corporelle et des niveaux d'oxygène. Si vous aviez administré la dose correcte, il ne se serait jamais arrêté de respirer !

— Mais il fait extrêmement chaud et humide aujourd'hui et...

— Imaginez seulement que ce soit arrivé cinq minutes plus tard, dans son appartement. S'il avait été incapable d'appeler à l'aide, il serait mort à présent, et nous aurions perdu l'un des plus grands hommes qui aient jamais vécu ! Manifestement, vous vous êtes trompée dans la dose. Admettez-le.

— Docteur Saint-Pierre, je ne peux pas admettre quelque chose que je n'ai pas...

— Dans ce cas, je veux que vous fassiez vos bagages et que vous soyez partie d'ici à quatorze heures. L'un des gardes vous raccompagnera à Yaoundé. Si vous souhaitez que je vous donne de bonnes recommandations, ne mentionnez pas ce qui s'est passé ici aujourd'hui.

Sans attendre une réponse, Elizabeth fit volte-face et se précipita vers son bureau pour y passer un appel international. De nouveau, l'homme qui se faisait appeler Laërte répondit.

— Très bien, dit-elle en anglais. Vous pouvez mettre l'équipe en place. Si la compatibilité est aussi bonne que vous le dites, Anson devrait être vite comme neuf et capable de travailler pour nous aussi longtemps qu'il sera nécessaire. Nous avons tellement accompli.

— Je suis d'accord.

— Est-ce que le donneur est vraiment en état de mort cérébrale ?

— Est-ce que cela vous importe, Aspasie ?

— Non, répondit Elizabeth sans aucune hésitation. Non, pas du tout.

Chapitre 9

Et de sa position de gardien des lois, il s'est transformé en briseur de loi.

PLATON, *La République*, Livre VII.

— BON, POUR RÉSUMER, MONSIEUR CALLAHAN. Votre source d'information au sujet de ce camping-car, c'est un vieillard dans une station-service perdue au milieu de nulle part, que vous avez découverte après qu'une voyante vous a encouragé à ne pas abandonner votre enquête.

— Hum... c'est une façon de voir les choses.

— Vous croyez ce vieil homme ?

— Oui. Je crois que le camping-car qu'il a décrit est celui que nous recherchons.

— Et la voyante avec le zodiaque tatoué sur le front ?

— Elle savait que mon chat avait disparu, or je ne me souviens pas le lui avoir dit.

— Mais elle ne vous a pas dit où le retrouver.

— Non, en effet.

— Et alors, vous l'avez retrouvé ?

— Il était dans les buissons juste devant mon immeuble. Je crois qu'il a attrapé assez de rats et de souris à cet endroit sans même avoir à bouger.

Gustafson réprima un sourire, que Ben eut tout de même le temps d'apercevoir.

— Alors, dit-elle, après une semaine à vous tourner les pouces en Floride, nous ne connaissons toujours pas l'identité de l'homme sur lequel vous enquêtiez, pas plus que la raison pour laquelle on lui a prélevé de la moelle osseuse, et maintenant vous voulez que je vous paie pour aller à Cincinnati.

— Ce n'est qu'à quatre cent cinquante kilomètres.

— Presque mille, aller-retour. Je le sais.

Ben se pencha vers elle en prenant un ton de conspirateur.

— Ne le dites à personne, professeur, mais j'irai à Cincinnati que vous me payiez ou non.

Alice Gustafson se cala dans son fauteuil et imita sa posture.

— Eh bien dans ce cas, dit-elle, vous feriez mieux de partir tout de suite.

Ben fit le trajet de Chicago à Cincinnati sous une bruine âpre et continue. Pendant la majeure partie du voyage, il écouta un CD de John Prine dont la plupart des chansons parlaient d'emprisonnement, soit derrière les barreaux soit entre les murs de sa propre vie. Quand il n'écoutait pas, il chantait le refrain de son morceau préféré de l'album, qu'il avait adopté comme sa chanson fétiche en attendant de trouver mieux :

Père, pardonne-nous pour ce que nous devons faire
Pardonne-nous et nous te pardonnerons
Nous nous pardonnerons les uns les autres jusqu'à l'asphyxie,
Puis nous sifflerons et irons pécher au ciel.

A l'aide des informations fournies par Schyler Gaines, d'un logiciel qu'il avait acheté sur un catalogue pour détective privé et qu'il ne put utiliser en ligne qu'après avoir régularisé ses impayés auprès de son fournisseur d'accès internet, et d'un flic qui lui devait un service, Ben n'avait pas eu trop de mal à localiser le Winnebago Adventurer et son propriétaire – Faulkner Associates, 4A Laurel Way, Cincinnati. Il n'y avait aucune entreprise de ce nom dans l'annuaire, ni dans aucun moteur de recherche en ligne. A présent, alors qu'il prenait un virage sur l'autoroute I-74 et voyait la ville s'étendre au loin, Ben essayait d'imaginer un scénario, n'importe lequel, qui pourrait bien impliquer un camping-car qui rafle ses victimes, leur fait un prélèvement de moelle osseuse contre leur volonté, puis les relâche. Rien ne lui vint à l'esprit.

Il savait qu'Alice Gustafson l'aimait bien et le dédommagerait malgré tout pour le temps passé à l'enquête, mais il était soulagé de ne pas encore avoir abordé la question des cinq cents dollars déboursés pour les portraits-robots de Glenn par Madame Sonja. D'ailleurs, plutôt que de devoir expliquer la variation entre les deux séries de dessins, il s'était contenté de lui montrer seulement le « vrai ». Au bout du compte, en additionnant les cinq cents dollars, les frais pour réactiver son compte internet, les pots-de-vin qu'il avait dû verser à plusieurs personnes en Floride pour des informations qui s'étaient révélées inutiles, et en supposant qu'il avait perdu au moins une occasion de travailler pendant qu'il était dans cet Etat, il serait loin de rentrer dans ses frais sur ce contrat.

Si ce voyage de mille bornes pour « Queen City » était un bide, il tirerait un trait sur tout ça. Il ignorerait les hideuses photos de Glenn et le récit de Juanita digne d'un tabloïd, et il mettrait derrière lui le mystère de Madame Sonja. Organ Guard pouvait reprendre sa tâche de veiller sur les organes et lui recommencerait à espionner les époux adultères.

Père pardonne-nous pour ce que nous devons faire
Pardonne-nous et nous te pardonnerons.

Avec ses parcs verdoyants, son impressionnante salle de concert, ses galeries d'art, ses universités, son quartier bohème, ses événements sportifs et son zoo, Cincinnati était selon Ben un petit bijou méconnu. Après avoir regardé son plan, il sortit de l'autoroute et se dirigea vers le fleuve. Cela faisait presque huit heures qu'il conduisait et son dos implorait une pause. Quoi qu'il se passe au 4A Laurel Way, il comptait bien se trouver un motel et prendre une douche chaude.

La pluie dense et ininterrompue, ainsi que la position de Cincinnati au bord du fuseau horaire est, rendaient ce début de soirée aussi sombre qu'une pleine nuit. Il se dirigea vers l'est au-delà du centre-ville et descendit vers les rives de l'Ohio, dans un quartier de ruelles étroites et d'entrepôts délabrés.

Contrairement à la plupart des rues anonymes et mal éclairées, Laurel Way était indiquée par un panneau. Ben se gara au coin de la rue, puis il regarda sa boîte à gants verrouillée, en se demandant si c'était une bonne idée d'emporter son .38 Smith & Wesson. Hormis lors d'une séance de tir, deux ans plus tôt, il ne s'était jamais servi de cette arme, et vu son manque de talent pour viser, il espérait qu'il n'aurait jamais à le faire. Il décida donc de laisser l'arme où elle était. Son sac en cuir, c'était autre chose. Acheté en solde chez Marshall Field, il contenait à présent une lampe-torche, un pied-de-biche, des fausses clés, une caméra et un appareil photo numérique, un dispositif d'écoute laser, de la corde, de la ficelle et de l'adhésif.

La circulation était extrêmement faible dans les environs. Conscient du martèlement dans sa poitrine, Ben glissa les portraits de Glenn dans la poche extérieure de son sac et enfila sa casquette des Cubs, dont il abaissa la visière sur son front. Puis il éteignit la lumière de sa Range Rover vieillissante et ouvrit silencieusement la porte. Pour une fois dans sa carrière d'enquêteur, il était réellement en train d'enquêter.

Quelques voitures éparses étaient garées dans la rue devant des ateliers de carrosserie et de soudure, des garages et des hangars, certains en béton, d'autres en métal rouillé, et d'autres enfin en bois. Les bâtiments eux-mêmes étaient séparés de la chaussée par des trottoirs étroits et défoncés. Les nids-de-poule, remplis d'eau de pluie boueuse, faisaient partie intégrante de la route au même titre que le bitume.

Ben resta sur le trottoir, dans l'ombre du bâtiment, et tourna dans Laurel Way. Ayant rendu visite à un concessionnaire de camping-cars au sud de Chicago pour voir à quoi ressemblait un Adventurer de douze mètres, Ben avait été soulagé de constater que la rue était plus large que la plupart des autres voies du quartier. Il était toujours en train de se demander si un véhicule de la taille d'un bus pouvait rentrer dans l'un de ces bâtiments lorsqu'il remarqua un terrain vague jonché d'ordures en face d'une bâtisse à la charpente en bois décoloré et écaillé. Elle faisait un étage de haut, peut-être deux, et à un moment donné de son histoire, elle avait dû être une grange. Face à la route se trouvait un double portail coulissant sur un rail métallique, assez vaste pour y faire pénétrer un camping-car. S'il y avait un 4A sur Laurel Way, et s'il abritait vraiment un mobile home de douze mètres de long, ce devait être là. Il lui fallait à présent trouver l'entrée piétonne, si elle existait.

Ignorant la bruine persistante, Ben s'engagea prudemment dans l'étroit couloir qui séparait le bâtiment de son voisin de gauche. Il y avait une seule fenêtre au milieu du mur, au niveau du regard, mais elle était obstruée par un rideau. Dans la rue parallèle à Laurel Way, il n'y avait ni porte ni fenêtre, juste une large façade à bardeaux qui s'élevait jusqu'à huit mètres de hauteur en un toit très pointu. Il regarda dans la rue, puis revint vers Laurel Way et longea l'avant du bâtiment, en se servant de sa lampe-torche pour éclairer la ruelle sombre. Au milieu de ce mur, il découvrit la porte qu'il cherchait. Elle était en bois solide, avec une serrure et une poignée qui venaient clairement d'être installées.

Peu après sa décision de devenir un « privé », Ben avait suivi des cours réservés aux détectives sur la manière d'identifier et de négocier des serrures en tout genre. Dans le prix des cours étaient inclus un manuel théorique, des morceaux de plastique semblables à des cartes de crédit de formes diverses et un porte-clés avec vingt passe-partout. Pendant un moment après le cours, il s'était entraîné sur les serrures de son appartement, ainsi que sur celles de ses voisins et amis et il était devenu assez doué. Mais l'aventure s'était arrêtée là. Les années suivantes, il n'avait jamais eu une seule fois à se servir des câbles. Jusqu'à ce jour.

Quasi invisible dans la ruelle sombre, il s'accroupit près de la porte et écouta avec son stéthoscope pendant plusieurs minutes. Puis il se mit au travail. Il lui fallut essayer plusieurs passe-partout différents avant de sentir l'extrémité de l'un d'eux accrocher quelque chose. Un tour sur la droite et la serrure céda. Avant même que ses yeux se soient adaptés à l'obscurité, Ben avait eu sa réponse.

L'Adventurer de douze mètres était là, à seulement trois mètres de lui, occupant presque toute la longueur du bâtiment. Il se glissa à l'intérieur, referma silencieusement la porte derrière lui et posa un genou sur le sol en béton, essayant de calmer les battements de son cœur. Lorsque le vacarme se fut apaisé, il sortit sa lampe-torche du sac et promena le faisceau autour de lui.

Le camping-car étincelant, portes fermées, vitres assombries par des rideaux, contrastait fortement avec l'espace brut et encombré dans lequel il était garé. Ben remarqua que le souvenir de Schyler Gaines sur l'absence de fenêtre à l'arrière était exact. A la gauche de Ben se trouvaient de hautes étagères remplies de pinceaux, de chiffons et d'une bonne dizaine de pots et de bombes de peinture. A sa droite, des piles de fournitures de nettoyage et de pièces de mécanique. Derrière tout cela, pourtant, il y avait quelque chose de plus intéressant : un petit escalier, qui menait à une sorte de bureau fermé, avec deux grands panneaux vitrés donnant sur l'intérieur.

Il se dirigea vers le bureau, en essayant d'ignorer la voix qui lui soufflait que le plus intelligent de ses héros n'aurait certainement pas choisi de se retrouver seul dans cet endroit. Agrippant son sac en cuir, il monta doucement l'escalier, qui lui sembla étonnamment robuste. A travers la vitre, il voyait un bureau et un fauteuil, un meuble de classement à deux tiroirs, un fax et un ordinateur. Les deux murs sans fenêtre étaient nus et la porte du bureau fermée à clé.

Ben éteignit la lampe-torche et s'agenouilla dans l'obscurité sur la marche du haut, attendant encore que son pouls se calme et que la paralysie de ses membres s'apaise. Il avait toujours voulu se voir comme un aventurier, mais il savait que comparé à la plupart de ses amis, il n'était pas très téméraire.

Alors qu'est-ce qu'il foutait là ?

La serrure du bureau ne résista pas longtemps, et en moins d'une minute, il était à l'intérieur, utilisant la lampe à intervalles répétés en essayant de se convaincre qu'il était inutile de l'éteindre et de la rallumer sans cesse. Finalement, il renonça et la laissa allumée, mais en dessous de sa taille. Il y avait quelques papiers sur le bureau mais rien d'intéressant : le tableau des scores d'un championnat virtuel de base-ball et quelques factures concernant le camping-car.

Le meuble-classeur était fermé à clé. Plutôt que de perdre du temps à essayer de l'ouvrir avec un passe-partout, Ben prit un lourd tournevis et força les tiroirs. Le premier était complètement vide à l'exception de quelques vieilles pages sportives du journal local et d'un exemplaire corné de *Playboy*. En revanche, le tiroir du bas, c'était une autre histoire. Il débordait d'armes – revolvers, pistolets et un pistolet-mitrailleur au nez émoussé, plus une douzaine de boîtes de munitions et trois grenades manuelles. Ben resta figé sur place, à ne pouvoir détourner les yeux de cette cache, tandis que sa raison lui criait qu'il était dans le pétrin jusqu'au cou et qu'il devait se tirer au plus vite.

Peut-être qu'un appel anonyme à la police pourrait faire l'affaire ou qu'un de ses amis flics de Chicago pourrait lui donner un conseil. Mais le mystère du camping-car resterait entier : était-il mêlé au trafic clandestin de moelle osseuse, ou à autre chose qui pourrait intéresser Alice Gustafson ?

Ben éteignit de nouveau la torche et regarda à travers la vitre la silhouette massive de l'Adventurer. A supposer que la porte du véhicule soit fermée, cela valait-il la peine d'essayer de l'ouvrir ? Il devait y avoir un système de sécurité. Peut-être que maintenant, la meilleure chose à faire était de partir, quitte à revenir avec quelqu'un qui saurait le neutraliser. Au débotté, il pensait au moins à deux hommes de sa connaissance qui pourraient faire l'affaire.

Une fois sa décision prise, il tourna les talons et s'apprêtait à quitter le bureau, quand soudain, mû par une intuition, il ouvrit l'unique tiroir du bureau et l'éclaira avec sa torche. Il y avait encore des factures, et quelques pages internet imprimées et décolorées. Il passait en revue les factures lorsqu'il remarqua, toujours dans le tiroir, une photo d'identité en couleur fixée à un bristol, un peu floue mais parfaitement reconnaissable.

Ben eut le souffle coupé.

Il était inutile de le comparer au portrait-robot, mais il ne put s'en empêcher. La ressemblance avec le premier portrait de Madame Sonja était remarquable. A partir d'une masse d'os brisés et de chair déchiquetée, elle avait reconstruit le visage de cet homme presque à l'identique. Sur le bristol, on pouvait lire d'une écriture masculine décidée : *Lonnie Durkin, Little Farm, Pugsley Hill Road, Conda, Idaho.*

Le sourire tendu de Ben se fit amer. Après tant de jours et de kilomètres, l'homme qu'il avait surnommé Glenn avait enfin un nom et une adresse. Mais pour sa famille dans l'Idaho, la découverte serait d'une grande tristesse.

Ben glissa la photo et le bristol dans sa poche et sortit en silence du bureau. Au bas des escaliers il hésita, puis s'approcha du camping-car et resta devant la porte dans l'obscurité et le silence, indécis. Il avait obtenu ce qu'il cherchait, lui soufflait la voix de la raison. Pourquoi forcer les choses ? Même s'il y avait un système de sécurité et qu'il déclenchait l'alarme, il pourrait se précipiter vers sa voiture et se retrouver hors de la ville avant que quiconque ait eu le temps de réagir, lui rétorquait une autre voix, soudain pleine d'audace. Il entrouvrit la porte donnant sur la ruelle et posa son sac d'outils par terre. Se sentant vaguement détaché de lui-même, il retourna à l'Adventurer et appuya doucement sur la poignée. La porte céda, mais pas comme il s'y attendait. Elle fut brutalement poussée par un coup de pied de l'intérieur et frappa Ben en plein visage, l'envoyant valser par terre, étourdi. Momentanément aveuglé par la lumière, il parvint pourtant à distinguer la silhouette d'un homme costaud, à la taille étroite, et dont les épaules remplissaient la largeur de la porte.

— Tu avais raison ! s'exclama l'homme. Il y avait bien quelqu'un !

En riant, l'homme sauta des marches et du même mouvement, bien que pieds nus, donna un vigoureux coup de pied à Ben dans la poitrine et la mâchoire, ce qui fit claquer ses dents d'un coup sec. Ben, qui venait tout juste de se remettre à genoux, fut projeté en arrière dans les étagères, et les bidons de peinture se mirent à rouler bruyamment sur le sol en béton. Abasourdi, il roula sur le côté et eut le temps d'apercevoir un homme en short et tee-shirt noirs, avec des cheveux blonds qui descendaient jusqu'aux épaules. Avant qu'il ait pu en voir davantage, il reçut un nouveau coup de pied, cette fois dans les côtes. La douleur lui coupa le souffle. De l'intérieur de son corps, il était persuadé d'avoir entendu le bruit des os qui se brisaient.

La douleur fulgurante dans sa poitrine le paralysait et le sang coulait en cascade de son nez jusque dans sa bouche et sa gorge. Son esprit, un tourbillon de pensées floues, cherchait désespérément quelque chose à faire, une arme ou une histoire convaincante qui pourrait coller aux circonstances et au moins ralentir le massacre. C'est à cet instant que sa main rencontra une bombe de peinture. Apparemment, le bouchon était tombé.

— Connie, sors de là et allume les lumières ! brailla l'homme au cou de taureau en se penchant pour attraper Ben par sa veste et le soulevant comme une marionnette.

Priant à la fois pour qu'il y ait de la peinture dans la bombe et que le jet parte dans la bonne direction, Ben braqua la bombe sur le visage de son assaillant et appuya. Les résultats furent à la hauteur de ses espérances : une épaisse peinture noire gicla dans les deux orbites de l'homme. Hurlant des obscénités, il tituba en arrière, se frottant les yeux. Ben avait déjà gagné la porte lorsque le géant fit résonner sous son poids les marches du camping-car.

— Putain, Vincent ! s'exclama une voix de femme.

Mais Ben, tirant son sac, était déjà dans la ruelle et avançait douloureusement en clopinant vers Laurel Way.

Chapitre 10

Aucune des choses humaines ne mérite d'être prise avec grand sérieux.

PLATON, *La République*, Livre X.

LA PREMIÈRE CHOSE dont Joe Anson eut conscience, ce fut le souffle régulier du respirateur, qui amenait doucement de l'air dans ses poumons ravagés par la maladie. La seconde fut le bruit blanc du moteur de l'avion. Ils avaient décollé et volaient vers l'est, à plus de six mille kilomètres du Cameroun, pour rejoindre une équipe de chirurgiens qui l'attendait à Amritsar en Inde. Son combat pour respirer, qui avait empiré au fil des ans, était presque terminé.

Anson savait que la sonde endotrachéale était en place dans sa gorge mais cela ne le dérangeait pas trop. Sans doute grâce aux médicaments, songea-t-il, une sorte de narcotique agrémenté de quelques sédatifs, et complété par une pincée de suppresseur de mémoire. La psychopharmacologie ressemblait de plus en plus aux bombes intelligentes des militaires – capable d'atteindre des cibles de plus en plus précises dans le cerveau. Quelle que soit la nature des médicaments, la combinaison qu'on lui avait donnée fonctionnait. Il n'avait pas à supporter les sensations d'étouffement et de strangulation dont se plaignaient beaucoup de patients intubés.

Il éprouvait un immense soulagement en même temps qu'une profonde tristesse : soulagement que l'épreuve de la fibrose pulmonaire soit presque terminée, et tristesse qu'il ait fallu la mort d'un homme pour en arriver là.

Il se rendit soudain compte qu'Elizabeth était assise à côté de la civière, et lui tenait la main. Il tourna légèrement la tête pour la voir, et fit un signe de tête pour montrer qu'il était conscient. Il l'avait rarement vue si paisible, presque béate.

— Salut, Joseph, dit-elle doucement en français, avant de continuer en anglais, langue dans laquelle il était plus à l'aise. J'ai un peu diminué les calmants pour que tu te réveilles et que tu saches que tout va bien. D'ailleurs tout se passe à merveille. Nous avons parcouru plus de la moitié du chemin. Bien avant notre arrivée, tout sera en place. Les chirurgiens que l'on a fait venir pour cette transplantation du poumon sont les meilleurs du monde. Tu comprends ?

Anson hocha la tête, puis il fit signe d'écrire...

— Oh oui bien sûr ! dit Saint-Pierre. Que je suis bête. J'ai du papier juste là.

Elle lui tendit un bloc-notes et un stylo.

Est-ce que tu en as appris un peu plus sur l'homme qui va bientôt me sauver la vie ? écrivit Anson.

— Pas plus que ce que nous savons déjà. L'homme a – avait trente-neuf ans. Il y a environ une semaine, il a souffert d'une rupture d'anévrisme au niveau d'une artère cérébrale. L'hémorragie a été massive et rien n'a pu le sauver. Il a été déclaré en état de mort cérébrale par les praticiens de l'Hôpital Central d'Amritsar et il a été maintenu en vie artificielle en attendant le don de son cœur, ses poumons, ses yeux, son foie, ses reins, son pancréas et ses os. Beaucoup de gens vont vivre grâce à lui.

A-t-il de la famille ?

— Je sais qu'il a une femme. C'est elle qui a donné la permission, ou plutôt qui a exigé que ces transplantations aient lieu.

Des enfants ?

— Je ne sais pas. Je me renseignerai.

Bien. Je voudrais faire quelque chose pour sa famille.

— Chaque chose en son temps, Joseph. S'ils acceptent notre gratitude, je m'assurerai personnellement qu'ils soient bien récompensés.

Je souhaiterais rencontrer la femme de mon sauveur.

— Si c'est possible, je m'en occuperai. Maintenant, s'il te plaît, tu dois te reposer.

Attends.

— Oui ?

Est-ce que Sarah a été prévenue ?

— Pas encore.

Contacte-la avant que j'entre en salle d'opération. Dis-lui que je l'aime.

— Je ferai de mon mieux pour lui faire passer le message.

J'ai peur de mourir avant d'avoir achevé mon travail.

— Ne dis pas de bêtises. C'est avant que tu risquais de mourir. D'ailleurs, si tu te souviens bien, ta respiration s'est même entièrement arrêtée. Mais maintenant tu vas vivre, et en bonne santé. Nous avons un donneur dont l'histocompatibilité est de douze sur douze. Ça n'arrive qu'une fois sur un million. Non, non, étant donné ta combinaison d'antigènes inhabituelle et ton groupe sanguin, une fois sur dix millions ! Tu ne vas pas mourir.

Je ne vais pas mourir, écrivit-il.

— Allez, repose-toi maintenant, Joseph. Dors et rêve d'une vie où l'air est doux et parfumé, riche en oxygène comme seul peut l'être l'air de la jungle.

Elizabeth lui reprit l'écritoire et l'embrassa tendrement sur le front. Puis Anson la vit prendre sa perfusion et y injecter quelque chose dans l'orifice en caoutchouc. En quelques secondes à peine, il sentit une vague de chaleur et de sérénité l'envahir.

Anson ouvrit les yeux et vit briller les plafonniers aveuglants de la salle d'opération au-dessus de lui. Une odeur de désinfectant flottait dans l'air. La température de la pièce était plutôt fraîche et il frissonna involontairement.

— Docteur Anson, déclara une voix d'homme rassurante, qui parlait anglais avec un accent indien. Je suis le Dr Sanjay Khanduri. Vous vous débrouillez très bien et nous aussi. Votre nouveau poumon est arrivé et nous sommes prêts à le mettre en place. Nous ne vous transplanterons qu'un seul poumon et l'autre ira à une personne qui en a aussi terriblement besoin. En un temps très bref, le volume de votre nouveau poumon va se développer de manière à fonctionner comme si vous en aviez deux. Docteur Anson, ne vous inquiétez pas, je suis tout à fait qualifié pour cette opération. D'ailleurs, si je devais la subir, je serais triste de ne pas pouvoir la pratiquer moi-même, dit le Dr Khanduri avec un rire joyeux. Bon, docteur Anson, poursuivit-il, fermez les yeux et comptez à rebours avec moi à partir de dix. Lorsque vous vous réveillerez, vous serez un homme neuf. Prêt ? Dix... neuf...

Chapitre 11

Le dieu qui vous a formés a fait entrer de l'or dans la composition de ceux d'entre vous qui sont capables de commander : aussi sont-ils les plus précieux. Il a mêlé de l'argent dans la composition des auxiliaires ; du fer et de l'airain dans celle des laboureurs et des autres artisans.

PLATON, *La République,* Livre III.

— OÙ ALLONS-NOUS ?

— Vous avez dit l'Intercontinental. C'est un raccourci.

— Je ne veux pas de raccourci. Je veux revenir sur l'autoroute.

— Vous êtes une très belle femme.

— Ramenez-moi immédiatement sur l'autoroute.

— Très belle.

Le taxi accélère. L'environnement se dégrade. Le peu de réverbères qu'il y a sont cassés. La plupart des maisons ont les volets fermés. Les rues sont désertes.

J'ai de plus en plus peur à chaque seconde. J'essaie de voir la licence du chauffeur de taxi mais il fait trop noir. Il se passe quelque chose de terrible. Quelque chose de terrible. Est-ce qu'il y a quelque chose que je puisse utiliser comme arme ? Quelque chose que je puisse faire ?

— Mais merde ! Ramenez-moi sur l'autoroute !

— Les clients de la Maison de l'Amour vont t'adorer. Tu seras très heureuse là-bas... très heureuse là-bas... très heureuse là-bas...

Je n'ai jamais été aussi terrorisée. J'ai entendu parler de femmes kidnappées que l'on rend accro aux narcotiques pour les faire travailler dans des bordels. J'ai entendu parler de femmes qui disparaissent et qu'on ne revoit plus jamais. La scène autour de moi devient floue, puis elle se précise de nouveau. Elle est tantôt bien réelle, tantôt surréaliste. Il faut que je sorte. Qu'importe la vitesse du taxi, il faut que je sorte. Je peux courir. Si j'arrive juste à sortir sans me blesser les jambes, je peux courir plus vite que ce salaud, plus vite que personne. Je ne serai la pute défoncée au crack de personne. Jamais. Plutôt mourir. Mon passeport. Il me faut mon passeport et mon portefeuille. Je les retire de mon sac à main pour les mettre dans la poche de ma veste.

— De l'argent ! Je vous donnerai de l'argent pour me laisser partir. Trois mille réaux ! J'ai trois mille réaux. Laissez-moi sortir !

J'attrape la poignée de la porte et je me prépare à heurter la chaussée à soixante kilomètres à l'heure. Mais avant que j'aie pu tenter quoi que ce soit, le taxi s'arrête dans un crissement de pneus, et me projette violemment contre le dossier du siège avant. Que se passe-t-il ? De nouveau, la scène est floue. Les mouvements autour de moi sont indistincts. Soudain, la porte s'ouvre brutalement. Un grand type m'attrape. Je me débats, mais il est très fort. Il a le visage couvert d'un bas en nylon noir. J'essaie de déchirer le masque, mais un deuxième type arrive, avec lui aussi le visage masqué. Son haleine empeste le poisson et l'ail. Avant que j'aie pu réagir, une seringue apparaît dans sa main. Le costaud resserre sa prise sur moi. Non ! je vous en prie ! Non !

L'aiguille s'enfonce dans le muscle de ma nuque. Je hurle mais je n'entends aucun son. De l'héroïne. Ce doit être de l'héroïne. Pourquoi moi ? Le taxi s'éloigne à toute allure. Je me sens faible et déconnectée des deux hommes. J'ai la tête qui tourne, j'essaie désespérément de m'éclaircir les idées. Mais cet effort me désoriente encore plus. Il est encore trop tôt pour que la drogue ait fait effet. Ne te laisse pas faire. Bats-toi. Donne des coups de pied, des coups de poing et essaie de mordre. N'abandonne pas. Ne te laisse pas faire.

Ils me tiennent par les bras maintenant et me traînent face contre terre dans une ruelle poussiéreuse. Je sens les ordures. Je me tords et je donne de violents coups de pied et tout à coup mon bras gauche est libre. L'entrejambe du plus petit des deux n'est qu'à quelques centimètres. Je lui donne un coup de poing de toutes mes forces. Il crie et tombe par terre. Maintenant je me relève, le souffle coupé, terrifiée et en colère. Les salopards.

Enfuis-toi ! Enfuis-toi avant que la drogue fasse effet. Le plus grand arrive vers moi. Je lui envoie un coup de poing dans le visage. Il vacille vers l'arrière. Cours ! Cours ! Au bout de la ruelle, c'est la seule possibilité.

Il y a des bâtiments tout autour, de plain-pied, un étage, parfois deux. Les détails sont vagues et indistincts, et pourtant je vois une lumière clignoter à une fenêtre. Tout est flou de nouveau. Je me sens détachée... lointaine... irréelle. Ce doit être la drogue.

J'ai un pistolet. Arrêtez-vous immédiatement ou je tire !

Mes jambes s'élancent sous l'effet de la terreur. Je préférerais encore mourir. Ignore l'arme. Cours ! Cours, merde !

Mon corps répond. Je cours... je cours aussi vite que je peux.

Oh, mon Dieu, la ruelle est bloquée. Un tas de détritus, d'ordures, de bidons et de cartons... et une clôture. Il y a une clôture ! Je peux y arriver. Je peux passer par-dessus les ordures et le grillage. Je n'ai pas le choix.

Derrière moi, j'entends un coup de feu. Pas de douleur. Je n'ai pas été touchée. Je peux y arriver. La jambe par-dessus la barrière. J'y suis presque. Un autre coup de feu. Une douleur brûlante dans le dos sur la droite. Oh mon Dieu ! J'ai été touchée. Non ! Ce n'est pas possible...

— Docteur Santoro, je crois qu'elle se réveille.

Un autre coup de feu. J'ai mal. Non ! Je ne veux pas mourir...

— Elle se réveille !

Les paroles de la femme, en portugais, pénétrèrent dans la conscience de Natalie, dispersant les terribles images de la ruelle.

Ce doit être réel... Je dois être en vie.

— Mademoiselle, réveillez-vous. Réveillez-vous, venez nous

dire bonjour. Contentez-vous de hocher la tête si vous nous entendez. Bien, parfait ! N'essayez pas d'ouvrir les yeux pour l'instant. Nous les avons recouverts.

Natalie comprenait suffisamment les paroles en portugais pour obéir. En revanche, elle se sentait incapable de parler.

— Docteur Santoro, elle nous entend.

— Bien, bien. Notre colombe commence à déployer ses ailes.

Une voix d'homme, grave et apaisante.

— Peut-être que le grand mystère va bientôt être résolu. Eteignez les lumières et nous découvrirons ses yeux. Mademoiselle, vous m'entendez ? Veuillez serrer ma main si vous m'entendez.

— Je... suis... américaine, dit Natalie d'une voix forcée, rauque dans un portugais hésitant. Je ne... parle pas... très bien... portugais.

Elle avait mal au crâne et la nausée, mais un par un, ses sens revenaient. Il y avait un martèlement à ses tempes et derrière ses yeux qui était extrêmement désagréable, mais supportable. L'odeur d'alcool isopropylique et de désinfectant était caractéristique d'un hôpital. La texture industrielle des draps le confirmait. Puis elle eut conscience des canules d'oxygène dans ses narines. Le message de ses sens se mêla aux souvenirs trop vivaces de son agression, sa tentative de fuite et des deux coups de feu dans le dos.

— En fait, vous avez l'air de parler plutôt bien portugais, dit l'homme en anglais avec un fort accent, mais comme vous voudrez. Je suis le Dr Xavier Santoro. Vous êtes à l'hôpital Santa Teresa de Rio de Janeiro. Vous êtes notre patiente depuis quelques jours. Les lumières ont été éteintes. Je vais enlever les protections de vos yeux, mais il faudra bientôt les replacer. Vos cornées ont été bien égratignées, en particulier la droite. Elles ont bien réagi au traitement, mais elles ne sont pas encore réparées. Lorsque j'aurai enlevé les compresses, veuillez ouvrir les yeux par intermittence, de façon à ce qu'ils s'accommodent. Si vous ressentez un fort désagrément, nous remettrons immédiatement le pansement.

On retira avec douceur le sparadrap qui retenait les compresses sur les yeux de Natalie. Elle garda les paupières closes quelques instants tout en remuant ses mains et ses pieds, puis ses bras et ses jambes. Ses articulations étaient terriblement raides, mais elles semblaient toutes fonctionner. *Pas de paralysie.* Sa main rencontra une sonde urinaire qui suggérait qu'elle se trouvait à Santa Teresa depuis un bout de temps. Prudemment, elle ouvrit les yeux. La pièce était faiblement éclairée par les néons du couloir. La luminosité lui causa un désagrément, mais les objets devinrent peu à peu plus nets. Une perfusion arrivait dans son avant-bras gauche. Il y avait un crucifix sculpté au-dessus de la porte. Aucune fenêtre n'était visible sur les trois murs qu'elle distinguait.

Le Dr Xavier Santoro, vêtu d'une tenue stérile et d'une blouse chirurgicale, la regardait avec bienveillance. Il avait un visage de savant, allongé et étroit, avec un nez proéminent et des lunettes à monture en acier, et de là où elle se trouvait, il lui semblait assez grand.

— J'ai... on m'a tiré dessus, dit-elle. Est-ce que je vais bien ?

— Là, laissez-moi vous aider à vous relever un peu.

Santoro la tira vers la tête du lit, puis il inclina le lit à quarante-cinq degrés.

— Je suis étudiante en médecine... interne à Boston... Je m'appelle Natalie Reyes... Un chauffeur de taxi m'a amenée depuis l'aéroport jusque dans une ruelle et... est-ce que je vais bien ?

Santoro inspira profondément et expira lentement.

— On vous a retrouvée dans une ruelle avec seulement un slip, mademoiselle Reyes. Pas de soutien-gorge. Comme vous le disiez, on vous a tiré dessus deux fois – dans le dos du côté droit. Selon nos estimations, vous êtes restée inconsciente sous un tas d'ordures dans la ruelle pendant deux jours. Vous avez perdu beaucoup de sang. Nous sommes au milieu de l'hiver ici au Brésil. De nuit, la température est inférieure à dix degrés – il ne gèle pas, mais il fait froid.

— Quand ai-je été amenée ici ?

Santoro consulta le dossier accroché au lit.

— Le 18.

— Je suis arrivée en avion le 15... et j'ai été agressée sur le chemin de l'aéroport, donc cela fait trois jours. Quel jour est-on aujourd'hui ?

— Nous sommes mercredi 27. Vous êtes dans le coma depuis votre arrivée, sans doute à cause de l'exposition prolongée au froid, du choc et de l'infection. Nous n'avions aucune idée de votre identité.

— Personne n'a appelé la police pour essayer de me retrouver ?

— Pas que nous sachions. Des policiers sont tout de même passés. Ils reviendront prendre votre déposition.

— Je me sens essoufflée.

Santoro lui prit la main.

— C'est compréhensible, dit-il, mais je vous promets que ce symptôme va s'améliorer avec le temps.

— C'est-à-dire ?

Santoro eut une hésitation.

— Vous étiez assez mal en point à votre arrivée ici, dit-il enfin, très déshydratée et en état de choc. Votre poumon droit s'était complètement affaissé à la suite des coups de feu et de l'hémorragie dans la poitrine. L'infection mettait votre vie en danger... Je suis désolé de vous dire ça, mais avec les blessures par balles et l'infection, vos constantes vitales s'affaiblissaient et nous n'avons pas réussi à le regonfler. Pour vous sauver la vie, nous avons pris la décision d'enlever ce poumon.

— Enlever ?

Natalie sentit soudain une vague de nausée la submerger. Elle commença à hyperventiler. De la bile lui remonta dans la gorge. *Son poumon.*

— Nous n'avions pas le choix, dit Santoro.

— Non, c'est impossible !

— Ce qui est positif, c'est que vous vous êtes remarquablement bien remise à ce jour.

— J'étais une athlète, parvint-elle à dire. De course à pied.

Je vous en prie, faites que ce soit un rêve.

Une vision dans laquelle elle se déplaçait à l'aide d'un déambulateur tourbillonna dans son esprit. *Son poumon !* Elle demeurerait infirme toute sa vie, et ne pourrait plus jamais courir, toujours essoufflée. Elle se reprocha de ne pas éprouver de reconnaissance envers ces médecins qui lui avaient sauvé la vie, mais elle ne pouvait penser à rien d'autre qu'au fait que sa vie telle qu'elle la connaissait était terminée.

— Une athlète, dit Santoro. Voilà qui explique votre réaction à l'opération. Je suis sûr que cela représente un choc terrible pour vous, mais croyez-en un spécialiste de la chirurgie thoracique, mademoiselle Reyes, cette opération ne signifie pas que vous ne pourrez plus jamais courir. Avec le temps, votre poumon restant va se développer et votre capacité respiratoire va augmenter, jusqu'à pratiquement égaler ce que vous pouviez faire avec deux poumons.

— Oh mon Dieu ! Je n'arrive pas à y croire.

— Peut-être voulez-vous téléphoner à quelqu'un ?

— Oh oui, oui. Ma famille doit se faire un sang d'encre. Docteur Santoro, je suis désolée si je ne vous semble pas reconnaissante, à vous et à ceux qui m'ont sauvé la vie. Je n'arrive pas encore à y croire.

— C'est normal dans de telles situations. Croyez-moi. Mais votre vie ne changera pas aussi radicalement que vous le craignez.

— Je... je l'espère. Merci.

— Quand vous serez prête, il y aura des formalités administratives à remplir. Vous avez été en soins intensifs pendant plusieurs jours, mais l'hôpital étant rempli à la limite de ses capacités, on vous a transférée dans ce bâtiment que nous appelons l'annexe. Elle n'est pas reliée à l'hôpital même. Estella va venir prendre des informations concernant la facturation et nos archives.

— J'ai une assurance qui couvrira tout... Je peux obtenir le numéro de police en appelant chez moi.

— Nous faisons beaucoup de travail bénévole ici à Santa Teresa, mais nous apprécions aussi de pouvoir être payés. Nous avons une petite salle de rééducation ici à l'annexe et nous aimerions que vous pratiquiez le tapis roulant ou le vélo aussi vite que possible.

Natalie se rappela les innombrables heures qu'elle avait passées en physiothérapie pour rééduquer son tendon d'Achille déchiré. Cette rééducation serait-elle aussi pénible ? C'était sans doute normal après un tel traumatisme, mais elle ne se sentait même pas capable d'envisager la convalescence. D'abord la suspension de l'école de médecine, et maintenant ça. Comment en était-elle arrivée là ?

— Un téléphone ? demanda-t-elle.

— Bien sûr. Je vais demander à Estella de s'en occuper également.

— Je me demandais si vous pourriez rester. Je vais appeler mon professeur, le Dr Douglas Berenger. Peut-être que vous pourriez lui parler.

— Le chirurgien cardiaque de Boston ?

— Oui, vous le connaissez ?

— J'ai entendu parler de lui. Il est considéré comme l'un des meilleurs dans son domaine.

— Je travaille dans son labo.

Natalie n'avait ni le désir ni le courage d'entrer dans les détails quant aux raisons de son malencontreux voyage au Brésil. Tout ce qu'elle voulait au fond, c'était rentrer chez elle le plus vite possible.

— Vous devez être une étudiante très brillante, dit Santoro. Attendez ici, nous allons chercher le téléphone. Les policiers ont aussi demandé à être prévenus si... quand vous vous réveilleriez. Ils aimeraient prendre votre déposition dès que vous serez assez en forme. Et je dois remettre en place ces compresses sur vos yeux.

— Je n'ai pas mal.

— Nous avons utilisé du collyre.

— Je dirai à la police ce que je sais, c'est-à-dire pas grand-chose.

— Contrairement à ce que nous autres Brésiliens entendons souvent quand nous voyageons, notre Police militaire est très efficace.

— Peut-être, répondit Natalie. Toutefois, je doute qu'ils parviennent à quelque chose dans cette affaire.

*

J'attrape la poignée de la porte et je me prépare à heurter la chaussée à soixante kilomètres à l'heure. Mais avant que j'aie pu tenter quoi que ce soit, le taxi s'arrête dans un crissement de pneus, et me projette violemment contre le dossier du siège avant. Que se passe-t-il ? De nouveau, la scène est floue. Les mouvements autour de moi sont indistincts. Soudain, la porte s'ouvre brutalement. Un grand type m'attrape. Je me débats, mais il est très fort. Il a le visage couvert d'un bas en nylon noir. J'essaie de déchirer le masque, mais un deuxième type arrive, avec lui aussi le visage masqué. Son haleine empeste le poisson et l'ail. Avant que j'aie pu réagir, une seringue apparaît dans sa main. Le costaud resserre sa prise sur moi. Non ! je vous en prie ! Non !

Comme la première fois, Natalie était à la fois participante et observatrice des événements qui avaient changé si radicalement le cours de sa vie. Elle était prisonnière de sa mémoire, elle regardait et ressentait tout, impliquée de manière terrifiante, et pourtant étrangement détachée, et surtout impuissante à échapper à ce scénario ou à en modifier le dénouement. Comme d'habitude, la voix du chauffeur de taxi était aussi distincte que sa silhouette était floue. S'il était assis juste à côté d'elle, elle serait incapable de le reconnaître, mais il n'aurait qu'à dire un mot et elle saurait que c'est lui.

... *La ruelle est bloquée par des détritus, des ordures et des cartons... et un grillage...*

Captive malgré elle, Natalie, comme toujours, s'éloignait en courant pour échapper à ses poursuivants masqués et escaladait tant bien que mal les cartons et les ordures. Puis elle entendait les coups de feu, sentait la douleur et s'effondrait dans l'obscurité. Ensuite, comme cela s'était souvent produit, une voix s'immisça dans cette expérience épouvantable. Cette fois, la voix était familière.

— Nat, c'est moi, Doug. Tu m'entends ?

— Oh, merci mon Dieu ! C'est merveilleux que tu sois là.

— Tu es à l'aéroport, Nat, prête à décoller pour rentrer. Ils t'ont donné un calmant pour t'assommer pendant le transfert et le trajet en ambulance jusqu'ici. L'effet devrait se dissiper d'ici quelques minutes.

— Combien... ça fait combien de temps que je t'ai appelé ?

— Moins de vingt-quatre heures. Je suis venu en vol sanitaire pour te rechercher. L'école a accepté de payer ce que ton assurance ne couvrait pas.

— Merci... Oh merci. C'est terrible.

— Je sais, Nat. Je sais. Mais tu es en vie et ton cerveau est intact, et crois-moi, ton état de santé va s'améliorer plus que tu ne l'imagines. Nous avons avec nous Emily Trotter, l'anesthésiste. Elle est venue au cas où. Elle attend dans l'avion. Terry est là aussi.

— Rien n'aurait pu m'empêcher de venir, Nat, déclara la voix rassurante de Millwood. Il faut qu'on te ramène à la maison, pour qu'on recommence à courir ensemble. J'ai raconté à qui voulait l'entendre comme tu avais cloué sur place les stars de la piste de Saint-Clement. Maintenant, je suis à court d'anecdotes.

Il lui caressa le front, puis lui serra la main.

— Nat, nous sommes tous tellement désolés de ce qui s'est passé, dit Berenger. Nous étions morts d'inquiétude.

— Le policier qui est venu prendre ma déposition... a dit que personne ne s'était inquiété de mon sort.

— N'importe quoi. J'ai même demandé à un policier de Boston originaire du Brésil de téléphoner.

— Celui qui m'a interrogée... avait hâte de s'en aller... il n'en avait rien à faire.

— En tout cas, nous avons bien appelé à de nombreuses reprises.

— Merci.

— Le Dr Santoro dit que tu es forte et que tu te remets magnifiquement bien – un vrai miracle, il a dit. D'après lui ton poumon gauche va très bien et ton corps compense magnifiquement la perte de l'autre.

— Mes yeux...

— J'ai parlé avec l'ophtalmo. Ils sont couverts parce que tes cornées ont été temporairement endommagées quand tu gisais inconsciente dans la ruelle. Il a dit que si ce n'était pas trop désagréable, nous pouvions enlever les pansements pour de bon une fois que tu serais installée à bord. Nous te ferons examiner par quelqu'un du service ophtalmo dès que nous serons rentrés.

Natalie sentit la civière commencer à rouler sur le tarmac. En quelques minutes elle avait été transférée à l'intérieur de l'avion. Quelques instants plus tard, ses compresses oculaires avaient été ôtées. Berenger, stéthoscope en place, auscultait sa poitrine.

— Formidable, dit-il.

Natalie tendit la main pour lui effleurer le visage.

— Je n'ai pas eu l'occasion d'aller à cette conférence.

— Ça ne fait rien. Ce sera pour l'an prochain.

— Ça dépend. Où est le colloque ?

Berenger sourit.

— A Paris. Maintenant repose-toi. Tout va bien se passer.

*

Comme toujours, l'entretien téléphonique avait lieu le mardi à midi précises, à l'heure du méridien de Greenwich.

— Ici Laërte.

— Simonide.

— Thémistocle. Salutations d'Australie.

— Glaucon.

— Polémarque.

— La séance est ouverte. J'ai eu des nouvelles d'Aspasie. L'opération d'A. a été couronnée de succès. L'histocompatibilité est de douze sur douze, donc le traitement sera minimal, voire inexistant. Aspasie pense que A. sera de retour au travail d'ici à deux semaines. Le pronostic est un rétablissement complet sans impact sur la durée de vie.

— Bien joué.

— Merveilleux.

— D'autres cas ?

— Ici Polémarque. Je veux bien commencer. Cette semaine, nous avons deux reins, un foie et un cœur programmés. Les bénéficiaires ont déjà été reconnus dignes de nos services et tous les aspects logistiques et financiers ont été réglés. Dans le cas des reins, il s'agirait d'une transplantation des deux reins chez notre patient. Quant au foie, il faudrait greffer le plus gros segment d'organe possible d'un point de vue anatomique. Voyons d'abord les reins. Homme de vingt-sept ans, ouvrier, Mississippi, Etats-Unis.

— Approuvé, lancèrent les cinq voix à l'unisson.

— Femme de quarante ans, propriétaire d'un restaurant à Toronto, Canada.

— Quel genre de restaurant ?

— Chinois.

— Approuvé, dirent-ils tous en riant.

— Pour le foie, un homme de trente-cinq ans, professeur, du pays de Galles.

— Ici Glaucon, je croyais qu'on s'était mis d'accord, pas de professeurs. Il n'y a pas d'autre possibilité ?

— Aucune à ma connaissance, dit Polémarque, mais je peux revérifier. La compatibilité est parfaite avec L., le numéro 31 sur vos listes. Comme vous le savez probablement, c'est l'un des hommes les plus riches de Grande-Bretagne. Je ne sais pas combien il a accepté de payer pour cette opération, mais étant donné les talents de négociateur de Xerxès, je suppose que c'était une somme conséquente.

— Dans ce cas, dit Glaucon, approuvé, mais que cela ne constitue pas un précédent.

— Approuvé, répétèrent les autres.

Chapitre 12

Ce qui donne naissance à un Etat, c'est [...] le besoin que [chaque individu] éprouve de mille choses [...].

PLATON, *La République*, Livre II.

ALTHEA SATTERFIELD S'AFFAIRAIT – autant que le lui permettait son âge – dans la cuisine de Ben.

— Voulez-vous du citron avec votre thé, monsieur Callahan ? Vous n'en avez pas dans votre frigo, mais j'en ai dans le mien.

Ben était impressionné que sa voisine n'ait pas fait de plus amples commentaires sur ce qui manquait dans son frigo, c'est-à-dire à peu près tout. Il était revenu de Cincinnati depuis trois jours et l'octogénaire avait interprété ses deux yeux au beurre noir comme un appel à l'aide, en plus du nez enflé (« *Juste une petite fêlure*, avait dit le Dr Banks. *Il n'y a rien à faire mais ne vous faites pas frapper au même endroit* »), et d'une douleur lancinante dans la poitrine (« *C'est juste une côte fêlée. Il n'y a rien à faire mais ne vous faites pas frapper au même endroit* »). A la vérité, même si cette femme pouvait parfois être agaçante, Ben lui était reconnaissant de son aide. Les migraines dont il souffrait, et que Banks attribuait à une commotion (« *Rien à faire mais attention de ne pas vous faire frapper au même endroit* »), n'étaient plus aussi intenses et ne le prenaient que lorsqu'il était en mouvement. Il supportait, en général, très mal la douleur et était en plus excessivement contrarié par son inactivité forcée. Il y avait des choses qu'il devait et voulait faire.

— Je vais boire mon thé comme ça, madame Satterfield. J'apprécie beaucoup votre aide. Je regrette seulement de ne pas pouvoir vous dédommager.

— Mais voyons, mon petit ! Attendez d'avoir mon âge. Vous aurez désespérément envie de vous rendre utile.

Ne comptez pas là-dessus, songea Ben.

Le dévouement d'Alice Gustafson, la semaine épuisante en Floride, la rencontre inoubliable avec Madame Sonja, l'étonnante lucidité de Schyler Gaines, la bagarre dans le garage de Laurel Way, et finalement l'identification de Lonnie Durkin, tout cela avait certes égratigné l'armure de son détachement et de son ennui, mais il jugeait ces égratignures insignifiantes. Il avait rempli sa mission, et son seul projet désormais était de rester bien au chaud jusqu'au prochain appel. Avant cela, pourtant, il y avait une dernière chose qu'il voulait faire pour boucler la boucle, et qui concernait une famille de Conda, dans l'Idaho.

— Bien, madame Satterfield, dit-il, si vous êtes sincère, j'aurais besoin d'un autre service.

— Vous n'avez qu'à demander, mon petit.

— Il faut que je parte de nouveau en voyage. J'ai besoin que vous nourrissiez Pincus et que vous arrosiez ma... enfin je veux dire que vous nourrissiez Pincus.

— Excusez-moi de vous dire ça, monsieur Callahan, mais vous n'êtes pas en état de voyager.

— Sans doute pas, mais je dois voyager quand même.

La douleur due à ses côtes fêlées empirait au moindre mouvement mais était cependant supportable. Ses migraines, en revanche, avaient jusque-là rendu impossible tout voyage en Idaho. Après avoir passé six heures avec le Dr Banks et les radiologues, il avait reçu la visite chez lui d'une Alice Gustafson inquiète, qui lui avait apporté un bouquet de fleurs sauvages dans un vase. En prenant le thé accompagné de petit-fours gracieusement fournis par Althea, il lui avait raconté en détail ses découvertes et l'agression qui avait suivi dans le garage de Laurel Way.

— Je le savais ! s'était-elle exclamée lorsqu'il eut terminé. Je savais que cette femme du Maine disait la vérité. Ça se sent, ces choses-là.

Elle arborait une étrange expression vengeresse et déterminée.

— Ces armes m'inquiètent beaucoup, poursuivit-elle, mais ne m'étonnent guère. Dès qu'il y a trafic d'organes, de grosses affaires se concluent, et à des prix exorbitants. Beaucoup de ceux qui sont impliqués dans ce commerce ne sont que des malfrats.

— La plupart des malfrats que je connais envieraient l'arsenal que j'ai découvert dans ce garage.

— Je ne pourrais pas donner une estimation de l'importance des sommes en jeu. Dans certains pays, ceux qui vont à l'étranger pour recevoir illégalement une greffe de reins sont remboursés jusqu'à cent mille dollars par leur système de Sécurité sociale. Au bout du compte, cela revient nettement moins cher au système que les dialyses et autres coûts médicaux, et cela permet de raccourcir la liste d'attente des transplantations, ce qui abaisse encore le coût des dialyses.

— J'imagine que des gens ayant besoin d'une greffe de moelle osseuse sont dans une situation médicale encore plus désespérée.

— Exactement. C'est seulement dans les cas de vie ou de mort qu'on pratique cette opération. Et de tous les organes, celui qui exige la plus grande compatibilité entre donneur et receveur, c'est la moelle osseuse. Je ne peux pas m'empêcher de me demander si ces gens ne s'occupent pas aussi d'autres organes.

— Ça ne m'étonnerait pas. Quoi qu'ils trafiquent, les armes que j'ai vues prouvent qu'ils ne rigolent pas. Et d'ailleurs, pourquoi les gens du camping-car n'ont-ils pas tout simplement tué Lonnie et cette femme du Maine ?

Gustafson haussa les épaules.

— Peut-être qu'ils refusent de commettre des meurtres, dit-elle. Ou peut-être qu'ils laissent les gens en vie au cas où ils auraient besoin de renouveler l'opération. Rappelez-vous, la femme, Juanita Ramirez, dit qu'elle a eu les yeux bandés et qu'elle était droguée presque tout le temps. Elle se rappelait très peu de détails de ce qui s'était passé, alors peut-être qu'il n'y avait tout simplement pas besoin de la tuer.

— Ou peut-être qu'ils choisissent volontairement des gens qui seront moins crédibles aux yeux de la justice...

— C'est une théorie, sauf que si ces gens du mobile home savent ce qu'ils font, la compatibilité du tissu est primordiale.

— Combien chaque individu a-t-il de donneurs potentiels parfaitement compatibles ?

— Des parfaits, pas beaucoup – surtout si le receveur est du groupe sanguin O, ou bien si ses globules blancs comportent une ou deux protéines particulièrement rares.

Au départ, Gustafson avait voulu téléphoner sur-le-champ à la famille de Lonnie Durkin, mais Ben avait insisté pour qu'elle l'autorise à y aller en personne.

— Je crois que j'ai besoin de le faire, dit-il simplement.

— Vous n'êtes pas assez en forme pour entreprendre un tel voyage.

— Mais si. Donnez-moi trois ou quatre jours.

— Pourquoi ce zèle soudain, monsieur Callahan ? Il ne me reste pas grand-chose pour vous payer.

— Ce n'est pas une question d'argent, professeur. C'est, je ne sais pas... peut-être que j'ai besoin de mettre un point final à cette affaire ?

— Je vois... Je vous en prie, n'ayez pas honte de ces sentiments, monsieur Callahan. Parmi les gens qui nous soutiennent, beaucoup voient le brouillard de leur scepticisme se dissiper à mesure qu'ils comprennent ce qui se passe dans le monde.

Elle lui tendit une enveloppe.

— Vous avez fait un excellent travail. Un jour peut-être nous serons en mesure de mieux vous payer. Bon, que voulez-vous faire au sujet du Winnebago ?

— Je ne crois pas que le type qui m'a tabassé sache avec certitude si j'étais un enquêteur ou juste un cambrioleur du dimanche, dit Ben. D'ailleurs, je ne suis même pas sûr qu'il ait bien eu le temps de voir mon visage avant que je lui peigne les yeux en noir. Il faisait assez sombre dans ce garage. Si des flics débarquent maintenant, c'est cuit. Les propriétaires de ce Winnebago sauront avec certitude que je n'étais pas un simple voleur.

— Mais Lonnie Durkin est mort à cause d'eux. Si nous choisissons de ne rien faire et que quelqu'un d'autre est blessé ou... ou pire, personnellement, je me sentirais terriblement coupable.

— OK, OK, vous n'avez pas tort.

Ben réfléchit un moment avant de poursuivre.

— Et si je me renseignais sur internet et que je passais quelques coups de fil pour trouver un détective privé à Cincinnati qui a des relations dans la police ? Il pourra vérifier que le Winnebago est toujours là, puis faire venir les flics avec un mandat de perquisition pour des armes ou autre.

— J'ai peur que nous n'ayons plus rien pour le payer, dit Alice Gustafson.

Ben agita le chèque d'Organ Guard.

— Moi j'ai de quoi, dit-il.

Il fallut à Ben un douloureux trajet jusqu'à son bureau et plus de vingt-quatre heures de recherches pour contacter enfin un détective privé à Cincinnati prêt à faire ce qu'il lui demandait, pour un si maigre salaire. L'homme, un dénommé Arnie Dolan, boucla rapidement son enquête.

— Il a disparu, annonça-t-il à Ben au bout de deux heures à peine.

— Le camping-car ?

— Oui, aussi, mais je voulais dire le garage. Il a brûlé intégralement hier. Les décombres sont encore fumants. Le feu s'est même propagé à un autre bâtiment.

— Est-ce que la police sait que c'est un incendie volontaire ?

— Un pyromane à gros sabots, selon eux. Apparemment, on a retrouvé une bonbonne de gaz.

— En effet, c'est un peu louche, dit Ben en se demandant si les occupants du camping-car étaient certains qu'il n'était pas un simple cambrioleur, ou bien s'ils avaient simplement pris des précautions radicales.

En tout cas, lorsqu'il avait trouvé la photo de Lonnie Durkin, il aurait dû sortir sans bruit du garage et filer.

Même dans le cocon stable de sa Range Rover, Ben n'aurait pas trouvé assez de Tylenol et de Motrin dans tout l'Etat du Michigan pour pouvoir conduire les deux mille cinq cents kilomètres de Chicago à Conda en Idaho. La ville se situait juste au nord de Soda Springs, elle-même à quatre-vingt-dix kilomètres au sud-est de Pocatello, dans le coin sud-est de l'Etat, à une centaine de kilomètres du Wyoming et de l'Utah. Il prit donc un avion pour Pocatello via Minneapolis et loua une Blazer sur place.

L'argent d'Organ Guard avait déjà fondu comme neige au soleil et il avait toujours autant de factures impayées – en tout cas jusqu'à la prochaine visite du facteur. De retour à Chicago, il proposerait peut-être ses services par petite annonce dans un journal local. Pour le moment, il était là où il devait être, et faisait ce qui lui tenait à cœur.

Tout au long du voyage, il continua à s'étonner que l'inventeur de la ceinture de contention thoracique n'ait pas reçu de prix Nobel. Son mal de tête était devenu supportable et ses narines réussissaient enfin à inspirer un peu d'air. Mais la fêlure de la côte était vraiment douloureuse. Le Dr Banks lui avait assuré qu'une seule côte était fêlée, mais au bout de presque six jours, Ben refusait d'y croire : même les plus légères respirations étaient très pénibles.

Quoi qu'il en soit, la douleur physique ne pouvait pas égaler l'angoisse émotionnelle qu'il éprouvait à la perspective de devoir rencontrer une mère et un père pour leur annoncer que leur fils était mort. Il ne voulait pas bouleverser la famille de Lonnie Durkin trop longtemps à l'avance, mais ne se voyait pas débarquer à Little Farm sans s'être annoncé. Il les avait donc appelés depuis l'aéroport de Pocatello. La mère de Lonnie, Karen, ne l'avait pas incité à dire au téléphone que leur fils était mort, mais Ben avait eu la nette impression qu'au fond de son cœur, elle savait. Elle lui avait fixé un rendez-vous et lui avait donné des indications pour trouver leur ferme. Après un bref arrêt à Soda Springs pour reprendre ses esprits, avaler quelques comprimés de Motrin, s'enregistrer au Bed and Breakfast Hooper Springs, et passer un peu de temps à regarder sans joie le geyser impressionnant de Hooper Springs Park, Ben emprunta la Route 34 et prit vers le nord pour gagner le bourg de Conda.

Assoupie, tranquille et toute petite, Conda lui rappela étrangement Curtisville en Floride, résidence de Schyler Gaines et de sa station-service. Il essaya de s'imaginer le gros Adventurer, Vincent au volant et Connie perchée sur le siège passager évoquant un trône, filer à travers la ville comme un grand requin blanc affamé dans un récif, cherchant Pugsley Hill Road et l'homme dont ils connaissaient mystérieusement la compatibilité des cellules avec celles d'une personne à quatre mille kilomètres de là.

Les indications de Karen Durkin amenèrent Ben sur un long chemin de terre qui coupait à travers une vaste étendue de champs de céréales. Il se demanda où, dans ce plat pays, pouvait bien se trouver la colline de Pugsley Hill. Au bout de trois kilomètres, les champs firent place à des enclos et des étables avec quelques chevaux. Derrière les enclos se trouvait une grange couleur rouille et en face, une coquette maison blanche d'un étage, perchée sur une modeste éminence. Un petit panneau en bois qui surplombait l'allée annonçait : LITTLE FARM.

Karen Durkin et son mari Ray, attendaient, angoissés, debout dans l'étroite galerie en bois devant la maison. Tous deux avaient la cinquantaine, mais en paraissaient soixante. Leurs visages burinés et francs disaient les années de dur labeur dans une profession souvent imprévisible. La poignée de main de Ray était ferme et sa peau calleuse mais la tristesse de son regard était insondable.

— Lonnie est mort ? demanda-t-il avant même qu'ils soient entrés dans la maison.

Ben hocha la tête.

— Je suis sincèrement désolé, parvint-il à articuler.

Karen le fit entrer dans une cuisine lumineuse, accueillante, avec des rideaux en tissu imprimé et une table en chêne, ronde et usée, très certainement faite à la main. Ben s'arrêta près de la porte pour gratter le chien derrière l'oreille.

— C'est Joshua, déclara Karen.

— Un pitbull noir et blanc, commenta Ben. Il est magnifique.

— Merci. C'est notre deuxième. Il vient d'avoir quatre ans. Woody, notre premier, a vécu jusqu'à seize ans. C'est Lonnie qui les a baptisés tous les deux. Tout à fait gentils et parfaitement loyaux. Peut-être que si Joshua avait été avec Lonnie ce jour-là...

Elle arrêta de parler et tamponna ses yeux pleins de larmes avec un mouchoir.

Dans un coin de la cuisine se trouvait un bureau encastré dans le mur, avec plusieurs photos encadrées d'un jeune garçon, et une autre d'un jeune homme. Ben était certain qu'elles représentaient toutes Lonnie.

— Il a toujours été un si bon garçon, dit Karen après avoir posé des mugs de café et un plat de brownies sur la table. Ils ont dit qu'il avait eu le cordon enroulé autour du cou dans l'utérus et que son cerveau n'avait pas reçu assez d'oxygène, donc il ne réussissait pas trop à l'école. Mais il adorait les animaux et tous les gens qui travaillent à la ferme l'aimaient beaucoup.

Ben se souvint de l'explication de Madame Sonja au sujet des deux portraits. L'un était bien le Lonnie de ces photos. L'autre montrait-il l'homme qu'il aurait pu devenir ? Il s'interrogea là-dessus tout en leur rapportant les détails de la mort de Lonnie. Il trouvait inutile de les faire souffrir en leur montrant les photos du coroner et les portraits de Madame Sonja, sauf bien sûr s'ils demandaient à les voir.

— Voici le numéro de téléphone de la police de Fort Pierce et celui du Dr Woyczek, le médecin légiste. Ils vous diront si vous devez ou non venir l'identifier en personne ou si vous pouvez envoyer quelque chose qui porte ses empreintes digitales et si possible des radios dentaires. La police de l'Idaho devrait pouvoir vous aider à contacter celle de Floride et les pompes funèbres de votre choix devraient pouvoir vous aider également, surtout pour l'organisation du rapatriement du corps de Lonnie.

— Je te l'avais dit, Karen, dit Ray, le visage impassible. Je t'avais dit qu'il était mort.

— Je suis juste contente qu'il n'ait pas souffert, répondit sa femme. Monsieur Callahan, je crois que nous voulons tous les deux savoir tout ce que vous pourrez nous dire sur la raison pour laquelle notre fils s'est retrouvé en Floride et qui a pu lui faire ça.

— Je crois que je sais *pourquoi* au sens large et même *comment,* mais *qui* et pourquoi spécifiquement Lonnie, eh bien, croyez-moi ou non, c'est vous qui allez pouvoir m'aider à répondre à cette question.

Au cours de l'heure qui suivit, rarement interrompu par les Durkin, Ben raconta son implication depuis la première rencontre avec Alice Gustafson jusqu'à sa décision de se rendre à Conda pour leur annoncer en personne la triste nouvelle de la mort de Lonnie.

— Alors c'est comme ça que vous avez eu les yeux au beurre noir, fit Ray, manifestement impressionné.

— C'est gentil à vous de ne pas avoir posé la question avant. Croyez-le ou non, j'estime quand même avoir eu le dessus.

— Vous ne nous avez pas dit pourquoi ces gens ont choisi Lonnie, dit Karen.

— Parce que je l'ignore. Je peux juste vous dire ceci : jamais ils ne seraient venus jusqu'ici pour chercher Lonnie s'ils ne connaissaient pas déjà son typage HLA.

— Mais comment l'auraient-ils eu ?

— Il n'y a qu'un moyen : une analyse de sang.

— Mais il n'a jamais eu d'analyse particulière.

— Est-ce qu'il a déjà eu des prises de sang ?

Les Durkin échangèrent des regards inquisiteurs.

— Il y a deux ans, dit soudain Karen.

— Quand il a eu des vertiges, ajouta Ray. C'est le Dr Christiansen qui la lui a prescrite.

— Vous pensez qu'il serait d'accord pour me parler ?

— Elle, dit Karen. Le Dr Christiansen est une femme. Je pense que oui, surtout si je vais à Soda Springs avec vous.

— Est-ce que nous pouvons l'appeler aujourd'hui ?

— Pourquoi pas ? Elle est très gentille.

— Même moi, je vais chez elle, annonça Ray fièrement.

— J'espère que si je l'appelle, elle sera d'accord pour vous voir sans nous. Ça ne me dérange pas d'aller à Soda Springs quand j'y suis obligée, mais avec ce que vous venez de nous dire aujourd'hui, nous avons pas mal de choses à faire.

— Oh, oui, je suis désolé d'avoir manqué de tact.

— Mais non. Vous avez raison. Vous voulez aller au fond des choses, et c'est très bien.

Ben resta assis en silence quelques instants à regarder la femme et son mari. Y avait-il rien de pire que de perdre un enfant ? A ce moment-là, en étudiant leurs traits fatigués, marqués, un autre sentiment s'empara de lui, un sentiment qu'il sentait confusément monter depuis quelques semaines, depuis sa rencontre avec Alice Gustafson. Il était touché. Ce couple, qui vivrait désormais sans son fils unique, le touchait. Tout comme cette femme de chambre d'un motel du Maine, désorientée et terrifiée. Il avait à cœur de leur rendre justice contre un tueur sans scrupule responsable, au moins en partie, de tant de peines et de souffrances.

— Dites-moi, est-ce qu'il y a un hôpital à Soda Springs ?

— Caribou Memorial Hospital. Il n'est pas très grand, mais il a une excellente réputation. Heureusement, on n'a jamais besoin d'y aller. Enfin, je veux dire...

Malgré elle, Karen Durkin se mit à pleurer.

Ben resta assis en silence et but son café, l'esprit ailleurs, peinant à déglutir à cause de sa gorge serrée. Il s'était toujours imaginé père, avec deux ou trois enfants, d'ailleurs. Depuis l'échec de son mariage, il ne s'était jamais trop soucié du temps qui passait. A présent, en dépit de l'angoisse de ses hôtes, il se demandait ce que ça ferait que d'avoir des enfants.

— Je passe la nuit dans un Bed and Breakfast de Soda Springs, dit-il. Je vais y aller et nous reparlerons de tout ça demain.

— Non, non, fit Karen en reprenant son sang-froid. Ça va. On peut appeler le Dr Christiansen tout de suite.

— Si vous vous en sentez capable. Caribou Memorial, est-ce que c'est là que Lonnie a eu sa prise de sang ?

— Je pense, dit-elle.

— Non, c'est pas là, les interrompit Ray. C'était au nouveau labo qui a ouvert juste à côté de la pharmacie. C'est moi qui l'ai accompagné.

— Un nouveau labo ?

— C'est ça. Un bâtiment flambant neuf. Il était ouvert depuis six mois ou un an quand on y est allés. Je ne me souviens pas du nom.

— Je ne crois pas l'avoir su un jour, dit Karen. Laissez-moi appeler le Dr Christiansen, pour savoir si elle veut bien vous rencontrer, Ben. Elle va être très triste pour Lonnie. Il n'allait pas la voir tant que ça, mais il faisait partie de ses chouchous.

Elle passa l'appel depuis un poste du bureau encastré tandis que Ray et Ben restaient assis à regarder leur tasse de café.

— Pas de problème, Ben, dit-elle quand elle eut fini. Le docteur peut vous voir à son bureau à dix heures demain matin. Ça vous laisse le temps de prendre un bon petit déjeuner, et peut-être d'aller voir le geyser à Hooper Springs Park.

— C'est ce que je vais faire, dit Ben en se levant et en leur serrant la main.

Il fit demi-tour, caressa Joshua, et il se trouvait sur le seuil quand Karen s'écria :

— Oh, au fait, c'est le laboratoire Whitestone.

— Comment ?

— Le labo où Lonnie a eu sa prise de sang, il s'appelle Whitestone. Je crois qu'il fait partie d'une chaîne.

— Tout simplement la plus grande chaîne du monde, précisa Ben.

Chapitre 13

Peux-tu voir autrement que par les yeux ?

PLATON, *La République*, Livre I.

IL Y AVAIT DU SANG PARTOUT – en flaques sur la route, du sang qui jaillissait du sol en explosant, qui coulait sur son visage. Ben se rappelait rarement ses rêves, mais il se réveilla à quatre heures trente du matin en sachant que sa nuit agitée au Bed and Breakfast de Hooper Springs avait été remplie de cauchemars d'une extrême violence, une succession de scénarios macabres dont le fil conducteur était un Winnebago dégoulinant de sang. Tantôt il était au volant, tantôt il était Vincent, le costaud du garage parti en fumée. Deux fois au cours de la nuit, Ben se réveilla, en proie à la panique, à cause d'une scène dont il oubliait aussitôt les détails. A chaque fois, il se rendit à la salle de bains avant de retourner se coucher, mais de nouveau, le sang et la terreur vinrent troubler son sommeil.

Il réussit finalement à se débarrasser de ces images par un effort de volonté, alluma la lampe de chevet, saisit un vieux livre de poche de Travis McGee et tenta de trouver un sens à ce rêve sinistre. Lorsqu'il sentit qu'il s'assoupissait de nouveau, il alla prendre une longue douche et sortit du Bed and Breakfast pour aller marcher dans la ville encore endormie.

Quelle envergure ? se demanda-t-il en passant devant les magasins fermés et s'arrêtant brièvement devant la pharmacie. A supposer que le Winnebago Adventurer était le moyen par lequel des donneurs malgré eux étaient amenés aux receveurs qui attendaient impatiemment, de quelle envergure était ce trafic ?

Quelques pas de plus le conduisirent devant le modeste bâtiment en briques rouges qui abritait le laboratoire Whitestone. A Chicago, il avait l'impression qu'il y avait un labo Whitestone à chaque coin de rue. Certains d'entre eux, comme celui auquel il s'était rendu quelques années plus tôt, n'étaient guère que des centres de prélèvements sanguins. Les tubes de sang étaient ensuite acheminés jusqu'à un laboratoire de secteur où étaient effectuées la plupart des analyses. Le laboratoire Whitestone de Chicago où Ben avait subi une prise de sang était situé à moins de cinq pâtés de maisons de son bureau. Il se rappelait une remarque du Dr Banks sur la rapidité, l'efficacité et la fiabilité de ce labo, ainsi que la stratégie toute militaire avec laquelle ils étaient passés d'une petite entreprise peu connue au premier rang mondial.

Soda Springs, si l'on en croyait la pancarte à l'ouest de la ville, comptait à peine plus de trente-trois mille habitants. Cela semblait suffire à Whitestone. A cette heure matinale, la salle derrière la devanture était encore plongée dans l'obscurité mais en regardant bien, Ben put distinguer une chaleureuse salle d'attente contenant plusieurs grandes plantes vertes. Un véhicule de police passa devant lui et ralentit suffisamment pour que l'agent puisse le scruter de la tête aux pieds. Ce dernier lui fit un sourire et un signe puis s'éloigna. Ben se demanda si quelqu'un avait pu appeler la police au sujet de l'étranger à l'allure bizarre qui marchait dans la rue principale à l'aube, sans se presser. Bienvenue dans les petites villes américaines !

Disposant de plusieurs heures à tuer avant son rendez-vous, il revint sans se presser à son Bed and Breakfast, prit un petit déjeuner plus consistant que d'habitude : œufs pochés et hachis maison de corned-beef, après quoi il écouta les messages laissés sur son répondeur professionnel.

— Monsieur Callahan, annonçait une voix grave d'homme, vous m'avez été recommandé par le juge Caleb Johnson, qui dit que vous êtes le meilleur détective de la ville...

Si Johnson sait qui je suis, songea Ben, *alors il est bien meilleur détective que moi.*

L'homme expliquait ensuite qu'il soupçonnait sa femme d'infidélité et que des millions de dollars dépendaient du résultat de l'enquête discrète de Ben. Quels que soient ses honoraires habituels, il les triplerait si Ben acceptait de traiter son affaire en priorité.

Tripler. Ben fit un peu de calcul mental et se rendit compte que même si cette filature était résolue plus vite que d'habitude, il rattraperait tout de même plusieurs fois le chèque d'Organ Guard qu'il avait déjà dépensé, ou l'argent qu'il avait perdu dans l'affaire de Katherine de Souci. Tripler. Cette belle voix grave était le premier barreau de l'échelle qui allait le faire sortir du gouffre où il se trouvait. Ben se mit à fredonner le refrain de *Fish and Whistle* de Prine,

Père, pardonne-nous pour ce que nous devons faire...

Dans le futur immédiat, cela le mettrait à l'abri du besoin.

On récolte toujours ce que l'on sème, songea-t-il en souriant. *Le bon comme le mauvais.*

Le Dr Marilyn Christiansen, généraliste et ostéopathe, était une femme d'une quarantaine d'années, à l'air aimable, qui avait son cabinet dans une vieille maison victorienne en bordure est de la ville. Antithèse du Dr Banks, toujours pressé et débordé, elle fut bouleversée d'apprendre la mort de Lonnie Durkin et stupéfaite qu'il ait pu être utilisé comme donneur de moelle osseuse contre son gré.

— C'est très triste, dit-elle. C'était le fils unique des Durkin. Y a-t-il une autre interprétation possible de ce qui s'est passé ?

— Pas d'après le médecin légiste de Floride. Les trous par lesquels la moelle osseuse a été aspirée étaient visibles dans l'os de chaque hanche.

— Comme c'est bizarre. En tout cas, je ne voyais pas Lonnie très souvent au cabinet. Il était rarement malade. Mais je le connaissais. Comme la plupart des gens de la ville. Un très gentil garçon. Je dis garçon même s'il avait plus de vingt ans, parce que, comme vous le savez sans doute...

— Je sais, dit Ben pour lui épargner une explication. Ses parents m'ont dit qu'ils vous avaient consultée pour des vertiges.

— Il y a deux ans. Même si je ne soupçonnais rien de grave, j'ai prescrit une batterie de tests de routine en laboratoire. Les résultats n'ont rien donné et les vertiges ont tout simplement disparu. Ce devait être un simple virus.

— Les examens ont été faits à Whitestone ?

— Oui. J'aurais pu les faire faire au labo de l'hôpital, mais je trouve que chez Whitestone ils sont un peu plus... efficaces.

— Vous connaissez le directeur du labo ?

— Shirley Murphy. Je ne la connais pas bien. Elle vit seule avec sa fille adolescente.

— Est-ce que cela vous dérangerait de l'appeler pour savoir si elle accepterait de me rencontrer aujourd'hui ?

— Pas du tout, mais je soupçonne que vous n'aurez pas de problème pour obtenir un rendez-vous de toute façon.

— Comment le savez-vous ?

Christiansen hésita, et eut un sourire énigmatique.

— Je vois que vous ne portez pas d'alliance, dit-elle enfin.

— Divorcé.

— Eh bien, comme je le disais, Shirley est célibataire, elle a fait des études, et Soda Springs est une petite ville assez familiale.

Ben n'avait jamais été très intuitif en ce qui concernait les femmes, mais même lui se rendait compte que Shirley Murphy était en train de le draguer. C'était une femme assez séduisante, du même âge que lui, avec des mèches décolorées, une forte poitrine et des hanches pleines. Cependant, que cela soit en l'honneur de Ben ou simplement son habitude quotidienne, elle n'avait lésiné ni sur le parfum ni sur le maquillage, ce que Ben ne trouvait pas particulièrement agréable. Néanmoins, tant qu'elle pourrait l'aider dans ses recherches, il n'allait pas anéantir ses espoirs.

Une question demeurait : à quel point devait-il se montrer sincère avec elle ? Si elle savait ce qui était arrivé à Lonnie Durkin, ou si elle parlait de la visite de Ben à quelqu'un qui était au courant, ce serait une erreur aussi grave que lorsqu'il avait essayé d'ouvrir la porte du camping-car. Il allait devoir faire preuve de créativité dans sa manière de flirter et de mentir, deux choses pour lesquelles il n'était pas particulièrement doué. Heureusement, le Dr Christiansen avait accepté de ne pas mentionner sa véritable profession.

— Ce ne sera pas la peine de concocter une histoire très élaborée sur votre identité, monsieur Callahan, avait-elle dit après avoir appelé le labo. Je ne crois pas que Shirley ait entendu grand-chose au-delà des mots beau et célibataire. Je lui ai dit que vous étiez venu me voir pour des troubles de la vision après un accident de voiture et que vous vous intéressiez au laboratoire Whitestone. Ça vous convient ?

Le bureau de Murphy était bien rangé et professionnel, avec des reproductions de tableaux d'impressionnistes au mur, ainsi que des diplômes et deux récompenses d'employée régionale du mois des laboratoires Whitestone. Les livres remplissant la petite bibliothèque ne semblaient pas avoir beaucoup servi.

Comme le médecin l'avait prédit, Shirley était plus intéressée par l'homme que par ce qu'il racontait.

— Je possède une petite société qui s'occupe de typage HLA, vous savez, l'identification des antigènes d'histocompatibilité dans le cadre des transplantations, avait dit Ben en étudiant attentivement sa réaction. Whitestone est sur le point de nous racheter, mais ils me garderaient comme directeur. Ils veulent déplacer notre siège de Chicago et ils envisagent plusieurs possibilités, dont Pocatello. D'après ce qu'ils m'ont dit, il y aurait aussi Soda Springs. Ils disent que dans les petites villes les employés sont plus loyaux et restent plus longtemps en place.

— C'est certain. La plupart des gens ici sont là depuis que nous avons ouvert il y a trois ans. C'est drôle, je n'ai pas du tout entendu parler de tout cela.

— Cela n'a pas encore été rendu public. Je suis sûr que lorsqu'ils auront fait leur choix sur cette région, vous serez prévenue.

— J'imagine, avait-elle dit.

Et ils en étaient restés là.

— Alors, Ben, dit-elle à présent, en se donnant du mal pour redresser les épaules, le regarder dans les yeux, et incliner la tête selon l'angle le plus seyant, parlez-moi de Chicago.

— Oh, c'est une ville extraordinaire ! dit-il, désireux de ramener la conversation sur le typage HLA, mais sans lui donner l'impression de la dédaigner. Ça bouge, c'est très vivant. Des musées, un orchestre symphonique, de la supermusique et bien sûr, le lac Michigan.

— Ça a l'air passionnant.

— Et romantique. Vous adoreriez.

— Oh, j'en suis sûre, surtout avec le guide idéal.

— Peut-être que nous pourrions organiser ça.

— Bon, eh bien, en attendant, je pourrais vous faire faire une visite guidée de notre beau centre-ville de Soda Springs. Ma fille a son entraînement de pom-pom girl après l'école et elle ne rentrera pas avant dix-huit heures. Je pense que je peux terminer plus tôt. Attendez, qu'est-ce que je raconte ? C'est moi la patronne. Evidemment que je peux terminer plus tôt !

— Après notre rendez-vous, j'ai quelques coups de fil à passer, donc je peux seulement vous dire que j'aimerais beaucoup euh... une visite guidée, mais je ne suis pas certain de pouvoir me libérer.

La promesse sous-entendue la fit redresser encore ses épaules d'un centimètre.

— Alors Ben, dites-moi ce que je peux faire pour vous renseigner sur notre travail. Nous faisons déjà moitié autant d'analyses que le labo de l'hôpital, or, comme je l'ai dit, nous ne sommes en activité que depuis trois ans.

— Seulement trois ans. Impressionnant, très impressionnant. Comment procédez-vous pour l'instant en ce qui concerne le groupage HLA ?

— Pour tout vous dire, nous n'en faisons pas énormément. Les candidats aux transplantations d'ici sont en général examinés dans un centre hospitalier universitaire. Le peu que nous avons, nous les envoyons à Pocatello.

— Est-ce que vous gardez une trace de ce typage ?

— Pas spécifiquement. Cependant, nous avons la possibilité, dans le cadre de notre programme de contrôle qualité, de sortir la liste des patients qui ont fait tel ou tel examen, y compris le groupage HLA, mais il faudrait que je réfléchisse pour savoir si je peux partager les noms de nos patients avec vous. Et puis zut, si c'est vraiment important pour vous, Ben, je pourrais faire une exception. Je veux dire, puisque vous êtes sur le point d'entrer dans la famille Whitestone, pour ainsi dire.

Elle le gratifia d'un regard intense et d'une expression qui évoquaient bien de longues nuits solitaires dans sa petite ville de l'Idaho. Il savait qu'étant donné son rapprochement imminent avec Whitestone, sa proposition de lui communiquer des données sur leurs patients n'était pas tant un manque de professionnalisme qu'un acte de désespoir. Elle lui demandait de profiter d'elle. Il avait de bonnes raisons de vouloir un relevé des patients qui avaient eu une prise de sang à des fins de typage HLA. S'il trouvait Lonnie Durkin sur cette liste, la gentille Marilyn Christiansen, si compatissante, aurait des explications à fournir. Pourtant...

— Ecoutez, Shirley, s'entendit-il déclarer, c'est vraiment gentil à vous de me proposer ça, mais une simple visite du labo me suffira. Et si nous nous retrouvons plus tard, ça me ferait plaisir de vous inviter à dîner et de discuter, mais je dois vous prévenir que je viens de commencer une relation à Chicago, qui devient sérieuse, donc je ne peux pas vous promettre autre chose qu'une discussion...

Bon, ça suffit maintenant ! Si tu veux réussir dans le métier de détective privé, il va falloir arrêter les rediffusions de « Rockford » et les livres de Travis McGee.

Le visage de Shirley Murphy reflétait autre chose que de la déception. Etrangement, Ben eut l'impression qu'elle était soulagée.

— Merci, Ben, dit-elle. Merci de vous montrer honnête avec moi. Venez, je vais vous montrer le labo.

Tandis qu'il suivait la directrice dans cette ruche en pleine activité, un scénario étrangement réaliste se mit à défiler dans son esprit. Il se trouvait dans une sorte de palais de justice très décoré et faisait les cent pas tout en procédant au contre-interrogatoire d'une femme stressée qu'il ne distinguait pas très clairement dans son esprit. Il était certain, toutefois, que cette femme était Shirley.

Supposons, disait-il, *que Lonnie Durkin n'aurait jamais été utilisé en tant que donneur de moelle osseuse si on ne lui avait pas fait ce typage HLA. Et pourtant... et pourtant, nous devons bien partir du fait qu'un tel prélèvement a bien eu lieu. Peut-on avoir fait une prise de sang à M. Durkin sans qu'il s'en soit rendu compte ? Après tout, cet homme était, aux dires de ses parents et de son médecin, un peu simple d'esprit. Peut-être que quelqu'un lui a fait une prise de sang, puis a menacé de lui faire du mal à lui ou à ses parents s'il le révélait. Est-ce que vous trouvez ça logique ? Moi pas du tout. Pourquoi aurait-il été choisi au départ ? Non, madame, cela ne peut pas s'être passé comme ça. Le seul endroit où cela ait pu se passer, c'est justement ici au...*

La rhétorique imaginaire de Ben fut brutalement interrompue. Il se trouvait derrière Shirley qui vantait les mérites d'un nouvel appareil, dont il avait complètement raté le nom et la fonction. Pardessus son épaule, il apercevait une jeune laborantine, toute menue, avec une queue-de-cheval blond vénitien. Elle enlevait un grand nombre de tubes de sang d'un réfrigérateur et les plaçait prestement dans des râteliers à l'intérieur de glacières remplies de neige carbonique, prêtes à être expédiées.

— C'est une supermachine, Shirley, dit-il en espérant qu'elle ne poserait pas la question la plus élémentaire à ce sujet. Dites-moi, quel pourcentage des examens prescrits effectuez-vous ici et quel pourcentage envoyez-vous à l'extérieur ?

— Bonne question. En fait, les appareils sont devenus si sophistiqués, précis et efficaces qu'il suffit de deux techniciens pour gérer toutes les analyses de chimie et d'hématologie que nous avons. Nous continuons à envoyer les examens les plus rares et difficiles à réaliser, à des labos Whitestone plus grands que le nôtre, ou bien à des labos spécialisés comme le vôtre. Mais dans l'ensemble, tout est traité ici.

— Excellent. Ces tubes, qui sont manipulés là-bas... Est-ce qu'on les envoie pour des analyses spécifiques ?

Shirley Murphy se mit à rire.

— Quand je disais que nous en envoyons à l'extérieur, je ne parlais pas de telles quantités !

Elle le prit doucement par le bras et le guida vers la laborantine.

— Sissy, je te présente M. Ben Callahan de Chicago. Il possède un laboratoire qui fait du typage HLA pour les greffes.

— Un métier risqué, lança Sissy avec un geste vers les hématomes qui entouraient encore ses yeux.

— Eh ! répondit Ben avec une candeur spontanée, vous devriez voir l'autre type !

— Sissy, poursuivit Shirley, M. Callahan s'intéresse à ces tubes que vous enveloppez.

— Ceux-là ? Ce sont des tubes de secours.

— De secours ?

— Au cas où un échantillon serait contaminé, ou bien au cas où les résultats seraient mis en doute. Ou bien si nous avons besoin de refaire un test pour une raison juridique.

— A notre connaissance, ajouta fièrement Shirley Murphy, Whitestone est le seul labo qui prenne de telles précautions. Peut-être est-ce pour cela que nous sommes N° 1 avec tant d'avance sur les autres. Je suis sûre que cela ajoute des frais aux analyses, mais d'après ce qu'on m'a dit, Whitestone prend ces frais supplémentaires en charge sans les répercuter sur le consommateur ni à l'assurance-maladie.

Ben avait le cerveau en ébullition.

— Alors, pour chaque patient à qui vous faites une prise de sang, des tubes supplémentaires sont congelés et stockés ?

— Seulement celui à capsule verte, dit Murphy. On nous a dit que grâce aux nouvelles technologies, ils n'ont besoin que de ça. Nous prenons en moyenne quatre tubes de sang pour chacun de nos clients, un rouge, un gris, un violet et un noir. Les couleurs des bouchons en caoutchouc se réfèrent aux produits chimiques qui se trouvent à l'intérieur. Nous appelons le tube à capuchon vert le « cinquième échantillon », même lorsque nous n'en prélevons que deux pour un patient donné.

— Mais ces tubes verts, vous les envoyez à l'extérieur ?

— Oh ! oui, fit Sissy. Nous n'aurions jamais la place de stocker tout ça. On les envoie par avion dans un entrepôt au Texas.

— Où ils sont gardés pendant un an, ajouta Shirley.

— Incroyable, murmura Ben, en se demandant s'il était même légal de prélever un tube sans que le patient soit au courant, puis il songea que ça l'était sans doute, si cela restait dans le cadre d'un contrôle qualité.

Nonchalamment, il regarda l'étiquette d'expédition FedEx. Laboratoire Whitestone, John Hamman Highway, Fadiman, Texas

79249. C'était tout simple, mais cela collait parfaitement avec les faits du dossier. Dans un labo, qui se trouvait peut-être dans une ville texane appelée Fadiman, le typage HLA avait été déterminé. Ben se demanda si un tube du même genre contenant son propre sang avait aussi fait le voyage jusqu'à Fadiman. Dans ce cas, il était possible que le groupe tissulaire de Lonnie Durkin tout comme le sien fassent partie de la même base de données – une base de données gigantesque.

Il fallut un moment à Ben, et la promesse d'un dîner lors de sa visite suivante, pour se dégager des griffes de Shirley Murphy, mais quand ce fut fait, il se rua vers un téléphone et appela Alice Gustafson pour lui faire le résumé des nouvelles de Soda Springs, et lui poser une question :

— Quel genre de tube utilise-t-on pour un groupage tissulaire ?

La réponse, qui vint pourtant au bout d'une seconde, sembla se faire attendre des heures.

— Un tube à capsule verte, répondit-elle.

Chapitre 14

Le médecin, en tant que médecin, ne propose ni n'ordonne ce qui lui est avantageux, mais ce qui est avantageux au malade.

PLATON, *La République*, Livre I.

— EXTRAORDINAIRE !

La physiothérapeute et la kinésithérapeute respiratoire s'écartèrent du tapis de jogging et regardèrent stupéfaites Natalie passer le cap des trente minutes de marche rapide en montée, 7,2 kilomètres à l'heure avec une pente de niveau quatre.

Graduellement, Natalie avait senti plus de difficultés à respirer, et une brûlure sous le sternum, mais elle était déterminée à s'accrocher encore quelques minutes. Cela faisait à peine plus de deux semaines que son vol sanitaire l'avait rapatriée du Brésil et à peine plus de trois que son poumon droit lui avait été retiré à l'hôpital Santa Teresa de Rio. Elle avait passé trois jours à la sortie de l'hôpital chez sa mère, et serait peut-être restée plus longtemps sans l'insidieuse odeur de cigarettes, omniprésente malgré les efforts d'Hermina, par respect pour sa fille, pour ne fumer que sous le porche et dans la salle de bains.

Jenny avait été ravie de la présence de sa tante et enchantée de prendre soin d'elle à son tour. Elles passaient des heures ensemble à parler de la vie, de la résistance à l'adversité, ou bien de leurs lectures (Jenny avait essayé à contrecœur le premier Harry Potter et dévorait maintenant toute la série), des stars de cinéma, de la carrière médicale et même des garçons.

— Est-ce que tu n'es pas un peu jeune pour t'intéresser aux garçons ?

— Ne t'inquiète pas, Tatie Nat, les garçons sont jeunes eux aussi.

Les progrès de Natalie et sa combativité avaient impressionné ses kinés. La thoracotomie sur son côté droit était toujours sensible, mais il n'y avait aucun autre signe extérieur de l'importante intervention qu'elle avait subie. Les progrès étaient constants et le poumon gauche compensait de mieux en mieux la perte du droit.

— Hé, Millwood ! lança-t-elle. Je pense que demain on devrait se faire quelques tours de stade.

Le chirurgien, qui trottinait à vive allure sur le tapis adjacent, la regarda, incrédule.

— Tu ne devrais pas trop forcer, dit-il. Il faut rééduquer ton corps de façon progressive.

— Avant que tout ça soit fini, je ferai un triathlon. Ça va être mon nouveau sport.

— Je pense que tu devrais t'arrêter, maintenant, Nat, dit la physiothérapeute. Je te promets que demain on ajoutera quelque chose.

Tandis que Natalie commençait à ralentir, Millwood éteignit son tapis et sauta au sol.

— Merci, mesdames, de m'avoir autorisé à accaparer votre machine mais il fallait que je voie par moi-même si les rumeurs au sujet de Superwoman, que voici, étaient fondées.

— Tu es un adepte ? demanda Natalie.

— Tu rigoles, je suis carrément un disciple.

— Dans ce cas : le disciple peut suivre le maître jusque chez Friendly's pour prendre un sundae au chocolat chaud. Si tu peux supporter ma crasse, je ne prendrai ma douche qu'une fois chez moi. Je dois faire quelques courses pour ma mère de toute façon et Friendly's est à peu près sur la route. On se retrouve là-bas ?

Natalie termina son petit temps de récupération et se plia à une série de tests sous la direction de sa kiné respiratoire.

— Les chiffres sont bons, dit la femme, mais votre performance parle d'elle-même. Je dois dire honnêtement que je n'ai jamais entendu parler de quelqu'un qui fasse tant de progrès après une pneumonectomie totale.

— Eh bien regardez. Si c'est faisable, j'y arriverai.

Natalie se frictionna avec une serviette et enfila un sweatshirt distendu. Aussi macabre et désastreuse que semblât la perte d'un poumon, la convalescence au moins pour le moment, était bien moins douloureuse que sa rééducation après son opération chirurgicale au tendon d'Achille. Elle avait rebondi après cette épreuve-là et elle comptait bien faire de même cette fois-ci.

Sa guérison spectaculaire n'avait été entachée jusque-là que par des flash-backs récurrents de son agression, qui troublaient son sommeil et se produisaient même parfois pendant la journée. Ils étaient presque identiques à ceux qu'elle avait eus à Santa Teresa, tantôt déformés, indistincts et distanciés, tantôt détaillés et viscéralement terrifiants. Par moments, elle était la passagère terrorisée d'un affreux trajet en taxi depuis l'aéroport, l'instant d'après elle était spectatrice de son agression et des coups de feu. Elle avait discuté de ce phénomène avec sa psy, le Dr Fierstein, qui lui avait parlé des nombreuses manifestations du stress post-traumatique.

— Votre esprit choisit de se rappeler ce qu'il peut supporter, avait-elle dit. Le reste est mis en sourdine sous une forme que vos émotions peuvent supporter. C'est une manière de préserver votre santé mentale et quand vos défenses se brisent, les véritables émotions connectées à l'événement déclencheur peuvent risquer de vous submerger. Nous devrions toutes deux veiller à cette éventualité.

Pour le moment, il avait été décidé de ne pas traiter le stress post-traumatique par des médicaments, sauf si les symptômes la gênaient au quotidien. Hormis des troubles du sommeil, ce n'était pas encore le cas. Fierstein avait la conviction que si Natalie réagissait si bien au défi que représentait sa rééducation, c'était parce qu'elle fonctionnait mieux lorsqu'elle avait quelque chose à combattre.

Millwood la retrouva sur le parking de Friendly's, une chaîne vieille de soixante-dix ans qui s'étendait dans tout le Nord-Est et qui avait survécu, malgré une nourriture et un service médiocres, grâce à ses glaces incomparables.

— Je n'arrive pas à expliquer ce qui m'est arrivé depuis que je me suis réveillée de cette opération, dit-elle à Millwood une fois qu'ils furent installés sur une banquette et eurent commencé à remplacer les calories brûlées sur le tapis roulant par un sundae au chocolat, mais il y a quelque chose de changé en moi.

Elle sourit, montra la cicatrice de sa thoracotomie et ajouta :

— Je veux dire, au-delà de ce qui est évident.

— J'ai remarqué des changements chez toi, dit Millwood. Tout comme Doug. Nous nous attendions à ramener une femme morose, amère, s'apitoyant sur son sort. Et pour te dire la vérité, ça ne nous aurait pas surpris du tout. Je pense que si j'étais dans ta situation, c'est comme ça que j'aurais réagi.

— Je me suis sentie très mal au début, puis ensuite quelque chose s'est déclenché en moi. Cela a commencé après mon départ de chez ma mère. Je me suis rendu compte que tout cela ne se serait jamais produit si je n'avais pas été suspendue de la fac et je n'aurais pas été suspendue si je n'avais pas voulu montrer à Cliff Renfro qu'un bon médecin doit savoir faire preuve de compassion.

— Tu as frôlé la mort, dit Millwood. Les gens réagissent chacun à leur manière à ce traumatisme. Certains entrent alors dans une vie de peur et d'hésitation. D'autres en éprouvent une libération absolue.

— Le Dr Fierstein pense que je suis peut-être en plein déni mais je ne crois pas. C'est comme si ce qui s'était passé à Rio m'avait ouvert les yeux sur moi-même, ma tendance à m'emballer très vite et l'effet que cela produit sur mon entourage. Tu sais, parfois il arrive qu'on prenne certaines choses trop à cœur. Au fil des ans, j'ai fini par tout prendre trop à cœur. La passion, c'est merveilleux quand elle a un objet, mais appliquée sans aucun filtre, cela peut rendre folles toutes les personnes impliquées.

Millwood étendit le bras sur la table et posa la main sur celle de Natalie.

— Je n'en crois pas mes oreilles, dit-il.

Natalie n'essuya pas la larme qui roulait sur sa joue.

— J'ai toujours mis un point d'honneur à être aussi dure et coriace que j'étais intelligente, et je croyais que tous ceux que je rencontrais avaient tort de ne pas s'impliquer avec autant d'énergie que moi. Cela a toujours été ainsi : Voilà qui je suis, c'est à prendre ou à laisser, mais ne vous attendez pas à ce que je change ! Maintenant, à trente-cinq ans, un seul poumon et toutes les raisons de laisser tomber, je me fous pas mal d'être coriace ou non.

— Crois-moi, Nat, même quand tu es très difficile, tu as toujours plus à offrir que quiconque. Tes amis aiment et respectent ton caractère passionné, même si j'avoue que parfois nous avons un peu peur que tu exploses comme un feu d'artifice.

— Bon, eh bien, je vais essayer d'y aller plus mollo avec les gens. Et si tu me prends à m'emporter contre quiconque, tu n'auras qu'à te frotter le nez ou faire un signal de ce genre pour me dire de me calmer. D'accord ?

— D'accord.

Millwood fit une démonstration.

— Parfait, merci. En attendant que j'y arrive vraiment toute seule, tu seras ma conscience, mon Jiminy Cricket.

— Compte là-dessus.

— En parlant de conscience, Terry, tu ne devineras jamais ce que j'ai fait l'autre jour. J'ai écrit des lettres d'excuses au doyen Goldenberg ainsi qu'à Cliff Renfro. Je n'en attends rien, mais je voulais vraiment le faire, je voulais écrire noir sur blanc que j'avais enfin compris ce que j'avais fait comme erreur et pourquoi j'avais eu tort. Je voulais aussi remercier le doyen de ne pas m'avoir virée de la fac pour de bon.

L'expression de Millwood était énigmatique, mais ses yeux pétillaient.

— Tu dis que tu n'attendais rien de ces lettres mais que tu les as écrites quand même ?

— C'est ce que j'ai dit, oui... Pourquoi ?

Il se cala contre le dossier de la banquette et croisa les bras en gardant les yeux fixés sur elle.

— Parce que tu te trompes, dit-il simplement. Elles ont été déterminantes, et encore plus parce que tu les as écrites gratuitement. Je les ai lues, Nat, les deux. Le doyen m'a demandé mon avis, et celui de Doug. Elles étaient bien écrites et venaient indéniablement du cœur. Tu peux répéter nuit et jour que tu es en train de changer, mais ces lettres le disent encore mieux. (Il fit une pause pour souligner son propos). Nat, le doyen va recommander que le comité disciplinaire mette fin à ta suspension.

Natalie le regarda, les yeux écarquillés.

— Tu ne plaisantes pas ?

— Je suis cruel, fit Millwood, mais pas à ce point-là. Il va aussi discuter avec le Dr Schmidt sur les possibilités de reconsidérer ta résidence. Sans garantie, mais il semblait assez optimiste. Je voulais vraiment te donner moi-même ces bonnes nouvelles, alors Sam m'en a donné la permission. Te voilà revenue parmi nous, ma pote !

— Oh, waouh, c'est tellement... je ne sais pas quoi dire.

— Tu n'as pas besoin de dire autre chose que ce que tu disais dans ces lettres. Sur la piste d'athlétisme le jour où tu as fait la course avec les lycéens, nous parlions du fait que ton identité, *qui* tu es, c'est plus important que *ce que* tu es. Mais il y a un équilibre que nous avons tous besoin de trouver, et on dirait que tu es en train d'y arriver. Donc, ajouta-t-il en tendant la main pour serrer celle de Natalie, félicitations !

— Eh, merci, Terry. Merci de m'avoir soutenue.

— Rien d'autre ?

— Si, encore une chose. Est-ce que tu comptes finir ton sundae ?

L'excitation donnait à Natalie l'impression de flotter dans les airs. Elle parvint tout de même à finir ses courses au Whole Foods Market. Sur le moment, elle avait préféré ne pas parler à sa mère de sa suspension. Tôt ou tard, pourtant, surtout à l'approche de la remise des diplômes, elle aurait été obligée de lâcher le morceau. Désormais, grâce au doyen, à Doug, Terry et tous ceux qui avaient plaidé sa cause, tout rentrait dans l'ordre.

Le mieux, c'était que ce qu'elle avait dit à Terry était la vérité absolue. Elle avait écrit les lettres en reconnaissant tous ses torts sans faire aucun calcul.

Lors de leur cours de deuxième année sur les médicaments pouvant entraîner une addiction, les étudiants avaient dû assister au minimum à deux réunions des Alcooliques Anonymes, ou divers programmes pour les personnes ne pouvant s'empêcher de boire, se droguer, trop manger, jouer ou coucher avec tout le monde, et ils avaient étudié en détail les fameuses douze étapes, les outils pour réussir à changer ces comportements. La huitième de ces étapes était de faire la liste de ceux que la personne dépendante avait blessés par ses paroles ou ses actions. La neuvième exigeait de faire amende honorable auprès de ces personnes sans rien attendre en retour ni espérer leur pardon. Peut-être, songeait-elle à présent, était-il temps d'allonger sa liste, à commencer par sa mère.

Une déviation et un embouteillage sur quatre pâtés de maisons rendit le trajet jusqu'à Dorchester deux fois plus long que d'habitude. Natalie remarqua fièrement qu'aujourd'hui, ses jurons, habituellement du niveau interdit aux moins de dix-huit ans dans toutes les situations d'embouteillage, auraient à peine été déconseillés aux moins de dix ans.

Qui est cette femme et qu'avez-vous fait de Natalie Reyes ?

En fredonnant doucement, elle se gara devant la maison d'Hermina et prit deux sacs plastique dans chaque main, puis elle les posa par terre pour prendre la clé sous le pot de fleurs devant la porte. Au moment où elle se tournait vers la porte d'entrée, elle sentit la fumée et remarqua des volutes gris-noir qui passaient sous la porte.

— Oh, putain ! marmonna-t-elle en insérant la clé dans la serrure et tournant le bouton de la porte, qui était brûlant au toucher.

— Au feu ! cria-t-elle à la cantonade. Au feu ! Appelez le 911 !

Elle s'aida de son sweatshirt pour saisir le bouton et tourna la clé. Puis elle contracta son épaule et se lança contre la lourde porte de toutes ses forces.

Chapitre 15

Le peuple n'a-t-il pas l'invariable habitude de mettre à sa tête un homme dont il nourrit et accroît la puissance ?

PLATON, *La République,* Livre VIII.

LA PORTE D'ENTRÉE S'OUVRIT violemment et Natalie plongea en avant dans un mur de fumée noire et de chaleur. Il lui vint brusquement à l'esprit qu'il était fortement déconseillé d'ouvrir une porte lors d'un incendie, parce que cela risquait d'attiser les flammes, mais elle n'avait vraiment pas le choix. Sa mère et sa nièce se trouvaient à l'intérieur.

La chaleur était supportable mais la fumée devenait de plus en plus intense à chaque pas, lui piquait les yeux, le nez et le poumon. Dans le couloir, à mi-chemin de la cuisine, crachant et toussant, elle fut obligée de plaquer son sweatshirt sur sa bouche et son nez et de se mettre à quatre pattes. A sa gauche, le salon se remplissait de fumée, et le papier peint à fleurs près de la cuisine se consumait, mais rien n'indiquait que le feu se soit déclenché là. Le pire était devant elle.

— Maman ! cria-t-elle en atteignant la cuisine. Maman, tu m'entends ?

Les rideaux aux fenêtres étaient en flammes, tout comme le mur derrière, la cloison de séparation avec le salon, la table en chêne et certaines parties du sol. Une fumée âcre, éclairée de façon sinistre par les flammes, tourbillonnait dans la pièce. Des langues de feu semblaient tomber du plafond et jaillir du plancher près de la table.

— Maman ?... Jenny ?

Natalie progressait lentement vers les chambres. Le feu avait dû se déclencher là-bas, songeait-elle, visualisant parfaitement Hermina, piquant du nez à sa table, penchée sur les mots croisés du *Times*, un crayon à la main et dans l'autre une Winston rougeoyante. Mais où était-elle ? La chaleur était intense à présent et Natalie commença à s'inquiéter de la cuisinière à gaz. Les veilleuses restaient souvent allumées sans que cela embrase le gaz contenu dans les tuyaux et elle n'avait jamais entendu parler d'une explosion massive d'une cuisinière à gaz à moins qu'il n'y ait déjà une fuite de gaz dans la pièce. Les tuyaux devaient bien avoir une sécurité, songea-t-elle. De toute façon, ça n'avait pas d'importance : elle ne partirait pas avant d'avoir trouvé sa mère et Jenny.

La chaleur et les tourbillons de fumée s'amplifiaient. Natalie se mit en appui sur les coudes pour leur échapper un peu. Maintenant, il y avait en plus du bruit, un crescendo de craquements de bois, de plâtre qui s'effondre et le sifflement des flammes. Elle regardait devant elle les yeux plissés, presque fermés, lorsqu'elle repéra sa mère, allongée sur le ventre, à moins d'un mètre cinquante d'elle. Elle portait une blouse mais pas de chaussures et semblait inconsciente devant la porte qui menait à la partie chambres. *Jenny !* A moins qu'Hermina n'ait perdu ses repères, elle avait dû essayer d'aller chercher sa petite-fille. Dans un sursaut, Natalie attrapa sa mère par les chevilles, se redressa autant qu'elle pouvait le supporter, et se mit à la tirer, dix centimètres par dix centimètres, jusqu'à la cuisine. L'air était bien plus chaud qu'une minute ou deux auparavant. C'était comme de respirer l'air d'un four. Sa mère ne faisait aucun mouvement, ne réagissait pas bien qu'elle soit traînée par terre le visage contre le sol. Natalie refréna son envie de vérifier ses constantes vitales. Peut-être que c'était une crise cardiaque qui avait précipité tout cela. Au lieu de cela, elle la tira encore un peu. Il fallait qu'elle sorte Hermina de la maison, puis qu'elle revienne chercher Jenny.

La porte de derrière, juste au-delà de la table qui flambait, était drapée dans les flammes. Il n'y avait absolument aucun autre moyen de sortir que de remonter le couloir jusqu'à la porte d'entrée. Est-ce que quelqu'un avait appelé les pompiers ? La fumée devait sortir par la porte en tourbillonnant, à présent. Y aurait-il quelqu'un dehors pour l'aider ?

Par deux fois, les mains de Natalie glissèrent et elle tomba en arrière, toussant et hoquetant, essayant de s'éclaircir la gorge et la poitrine. Chaque fois, elle reprit son sang-froid et affirma sa prise afin de traîner encore sa mère sur quelques dizaines de centimètres. Elle approchait de la porte d'entrée ouverte quand Ramon Santiago, le locataire du dessus, âgé de soixante-dix ans, apparut à ses côtés et essaya de l'aider.

— Attention... Ramon, hoqueta Natalie, sachant que l'homme avait de l'arthrite ainsi qu'un problème cardiaque. Je ne veux pas que... vous vous... blessiez.

— Est-ce qu'elle est en vie ?

— Je... ne sais pas.

Ramon ne faisait que la ralentir dans sa progression. Finalement il lâcha prise.

— Je crois que quelqu'un a appelé les pompiers.

— Allez... vous en assurer !

— C'était ses cigarettes, n'est-ce pas ?

— Ramon... allez chercher... les pompiers !

— OK, OK.

Il fit volte-face et s'en fut en courant au moment où Natalie atteignait la galerie couverte devant la maison. Elle toussait sans interruption maintenant et n'avait plus de souffle. La brûlure de sa poitrine était intense. Il y avait plusieurs voisins sur le pas de la porte. Un seul, un homme de cinquante ans qui ne travaillait pas à cause d'un problème de santé, était assez jeune pour pouvoir l'aider.

— Aidez-moi ! cria-t-elle en se demandant ce qu'elle allait faire si sa mère ne respirait pas : faire confiance à un voisin pour pratiquer la respiration artificielle et aller rechercher Jenny ou bien prier pour que la fillette soit à l'école et rester s'occuper d'Hermina ?

Avec l'aide du voisin, elle fit rouler sa mère sur le dos et lui fit descendre les marches, moitié en la portant, moitié en la tirant. Elle était couverte de suie et de saleté et ses longs cheveux de jais étaient roussis. Rapidement, Natalie s'agenouilla auprès d'elle et prit son pouls sur la carotide. Au moment où elle sentait le pouls, la femme eut une respiration rauque, minime.

— Merci mon Dieu !

Natalie pinça le nez de sa mère avec son pouce et son index, passa l'autre main sous sa nuque pour lui remonter la tête et lui donna trois respirations rapides de bouche à bouche. Au bout de la troisième, Hermina respira plus profondément.

— Maman, tu m'entends ? Est-ce que Jenny est là-dedans ?

La tête d'Hermina roula sur le côté, mais aucune réponse ne vint. Natalie se releva, peinant à chaque respiration.

— Gardez un œil sur elle ! cria-t-elle à la cantonade.

— Ne retournez pas là-dedans ! s'écria l'homme.

Quelque part derrière elle, elle crut entendre une sirène, mais il était hors de question qu'elle reste là à attendre aussi longtemps qu'elle tiendrait encore debout. Sa nièce avait déjà eu une vie assez pénible ; il était inconcevable de la laisser mourir de cette façon.

La fumée, la chaleur et le bruit avaient encore augmenté, mais près du sol, il restait encore de l'air. Les yeux presque fermés et le nez et la bouche couverts, Natalie fonça vers la cuisine. Le petit salon bien rangé s'était complètement embrasé. Les flammes avaient découpé une brèche dans le mur de la cuisine et propagé le feu au canapé et au tapis. Retenant son souffle le plus possible, Natalie tenta de se mettre debout. La cuisine était un brasier, la chaleur presque insupportable, le bruit atroce.

Elle essaya d'évaluer si le danger le plus immédiat venait du plafond qui risquait de s'effondrer ou du plancher qui menaçait de céder sous ses pas. Au milieu de la cuisine, ses jambes se dérobèrent et elle tomba en avant sur le lino. Elle ne voyait plus rien et n'arrivait plus à inspirer suffisamment l'air surchauffé. C'est à cet instant, prostrée sur le sol, qu'elle entendit la voix de Jenny.

— Au secours ! Aidez-moi ! Mamie ! Tatie Nat ! Au secours ! Aidez-moi !

Galvanisée par les cris de la fillette, Natalie poussa sur ses mains et ses genoux et avança, mue par la seule volonté. Elle était dans les cent derniers mètres d'un quinze cents mètres, coude à coude avec une autre concurrente farouche. Ses poumons étaient en feu et ses jambes hurlaient qu'elles ne pouvaient pas donner davantage, mais la ligne d'arrivée se rapprochait et elle savait qu'elle n'allait pas perdre. Qu'importe les ressources de son adversaire, elle tiendrait plus longtemps.

Aveuglée et suffocante, elle se traîna jusqu'à la chambre de Jenny et se cogna la tête à celle de la fillette qui gisait au bas de son fauteuil roulant renversé, en proie à une crise d'hystérie qui l'empêchait de comprendre ce qui se passait.

— Ma chérie... tout va bien maintenant... c'est Tatie... Nat.

Pour toute réponse, Jenny chuchota le nom de Nat.

Comparée à Hermina, la fillette de dix ans était une plume, mais c'était aussi un poids mort et Natalie était épuisée. Elle rabattit le tee-shirt de Jenny sur sa bouche et son nez, passa les mains sous les aisselles de la fillette et la tira en arrière comme elle l'avait fait avec sa mère. Mais avant qu'elle ait traversé un tiers de la cuisine, ses jambes et son poumon cessèrent de répondre.

Alors que les braises pleuvaient sur elle, Natalie attira contre elle sa nièce qui sanglotait et lui fit un rempart de son corps. Puis elle ferma les yeux et pria pour que l'inévitable ne soit pas trop douloureux.

Chapitre 16

Quiconque ayant le pouvoir d'être invisible ne voudrait ni commettre aucune injustice ni toucher au bien d'autrui, serait regardé par tous [...] comme le plus [...] insensé des hommes.

PLATON, *La République*, Livre II.

— SOCRATE, NOUS SOMMES RAVIS de vous retrouver au sein du conseil, soyez le bienvenu !

— Merci, Laërte. Mon prochain mandat ne commence en réalité que dans deux mois, mais je vous assure que je m'en réjouis. Est-ce que tout le monde est là ?

— Oui.

Les quatre membres du conseil, parlant en même temps depuis leurs continents respectifs, saluèrent l'un des fondateurs de leur organisation.

— Alors ? demanda Socrate.

— Alors, dit Laërte, nous vous appelons au sujet de H., le client n° 14 sur votre liste. Sans prévenir, sa santé a commencé à se détériorer très rapidement. Il a besoin de l'opération dans les dix jours selon l'estimation de ses médecins, plus tôt si possible. Comme vous pouvez sans nul doute le deviner à partir de son nom, les enjeux politiques et financiers sont importants. Nous savons que vous avez beaucoup travaillé pour nous ces derniers temps, mais nous avons besoin de savoir si vous pouvez vous charger de cette affaire.

— Je me rendrai disponible. Le donneur ?

— Nous avons trois possibilités. Un boulanger de quarante ans, de Paris, compatibilité de onze.

— Informations ?

— Quelques-unes. C'est un Producteur assez typique. Il n'est pas propriétaire de sa boulangerie et ne le sera jamais. Deux enfants. Les gens de son quartier disent qu'il fait de l'excellent pain.

— Ici Thémistocle. Il me semble qu'enlever ne serait-ce qu'un bon boulanger du monde serait un péché. Je vote pour qu'on en choisisse un autre.

— Les deux autres sont aux Etats-Unis. Le premier est un acteur de Los Angeles, âgé de trente-sept ans. Compatibilité de onze.

— Dans quoi il joue ?

— Surtout des films d'horreur de série B. Il a été marié au moins quatre fois, il est accro au jeu et il est criblé de dettes. Les critiques ne sont guère élogieuses et il ne semble pas particulièrement respecté dans l'industrie du cinéma.

— Peu importe, dit Glaucon. Même s'il n'a pas de talent, il est toujours acteur et cela fait de lui un Auxiliaire. De plus, il n'a une compatibilité que de onze sur douze. Je vote pour qu'on ne le choisisse qu'en dernier ressort.

— Je suis d'accord, renchérit Polémarque. Les Producteurs avant les Auxiliaires. C'est notre politique. De plus, je suis sûr que Socrate préférerait un douze si nous pouvions lui en fournir un.

— Certes, dit Socrate, même si notre travail nous a appris que la différence à terme entre un onze et un douze est minime. Cependant, toutes choses égales par ailleurs, je préférerais une compatibilité parfaite. Un Producteur adulte, sans accidents de santé, le plus jeune possible.

— Je suis ravi de vous annoncer que nous avons un tel candidat, dit Laërte. Une femme de trente-six ans. Productrice de classe inférieure. Serveuse dans une sorte de restaurant. Divorcée. Un enfant. Elle ne fait pas grand-chose en dehors de son travail. Notre enquêteur rapporte que certaines femmes mariées de sa ville se méfient d'elle.

— Et elle a une compatibilité de douze ?

— Oui.

— De quel Etat est-elle ? demanda Socrate.

— Voyons cela, je crois qu'elle est, oui, du Tennessee. Elle est de l'Etat du Tennessee.

— Elle doit écouter cette atroce musique country toute la journée, marmonna Polémarque.

— Nous allons lui faire l'honneur de la sélection. Des objections ?

— Aucune.

— Aucune.

— Bon choix.

— Dans ce cas, c'est d'accord, Socrate. A partir de maintenant, vous êtes officiellement en stand-by. Bonne journée, messieurs.

Chapitre 17

> *— Or, te rappelles-tu les discours que tiennent les malades quand ils souffrent ?*
> *— Quels discours ?*
> *— Qu'il n'y a rien de plus agréable que de se bien porter, mais qu'avant d'être malades ils n'avaient point remarqué que c'était la chose la plus agréable.*
>
> PLATON, *La République*, Livre IX.

— BON, NAT, C'EST LE MOMENT. On a les résultats de l'examen des gaz du sang et ils ne sont pas mauvais. La saturation en oxygène est à quatre-vingt-dix-huit pour cent. Je ne vois aucune raison de ne pas enlever ce tube. Vous êtes prête ?

Natalie hocha vigoureusement la tête à l'intention de son médecin, Rachel French, chef du service de médecine respiratoire de White Memorial. Pendant plusieurs heures, elle avait été sous assistance respiratoire dans l'unité de soins intensifs, traversant à plusieurs reprises la ligne séparant la conscience de l'au-delà et souvent, lorsqu'elle se réveillait, le visage gentil, intelligent de French était penché sur elle.

C'était sans doute à cause du médicament qu'ils lui avaient donné, mais la sonde endotrachéale n'était pas si terrible qu'elle l'avait souvent craint. Elle n'avait aucun souvenir de celle qui l'avait maintenue en vie à Santa Teresa et supposa qu'elle oublierait également cette épreuve-ci. *Dieu bénisse les pharmacologues.*

Après avoir perdu connaissance sur le sol de la cuisine, ce qui l'avait renseignée sur le fait qu'elle n'était pas morte, avait été la sirène de l'ambulance qui fonçait sur la Southeast Expressway pour l'emmener à White Memorial. Apparemment, son taux d'oxygénation était bas, selon Rachel, elle avait été immédiatement intubée en arrivant aux urgences. Mais elle n'avait aucun souvenir de cette épopée.

D'après l'horloge sur le mur en face de son lit, cela faisait environ douze heures que les calmants et les antidouleurs avaient été réduits pour lui donner des moments de conscience de quelques minutes. En tout, quarante-huit heures s'étaient écoulées depuis l'incendie.

Il avait fallu lui répéter plusieurs fois que sa mère et Jenny étaient vivantes, qu'elles étaient en convalescence dans un autre hôpital, et que les pompiers et la presse lui attribuaient tout le mérite pour leur avoir sauvé la vie. La rumeur disait que quelques minutes après que les pompiers les eurent sorties de la cuisine, le plafond de la chambre de Jenny s'était effondré et que la maison s'était totalement écroulée. La grande question qui demeurait sans réponse pour elle était l'étendue de ses séquelles, si séquelles il y avait. Elle se trouvait dans une de ces situations communes aux étudiants en médecine et aux praticiens, où elle était trop consciente de toutes les complications possibles.

French, maman de deux jumeaux et le plus jeune chef de service dans cet hôpital, était le genre de femme médecin dévouée que tout le monde tient en haute estime et que Natalie, un jour, avait espéré devenir : sûre d'elle et efficace sans pour autant renoncer à sa féminité et à sa compassion. Lors de sa brève hospitalisation à son retour du Brésil, Rachel French était devenue le médecin attitré de Natalie et toutes deux avaient passé des heures à échanger anecdotes, pensées sur l'avenir et philosophie.

— J'entends quelques crépitements, dit le Dr French après un examen prolongé au stéthoscope, mais ce n'est pas une surprise. Voici le Dr Hadawi, anesthésiste. Ecoutez ce qu'il dit et ce tube devrait être sorti en quelques secondes. Vous comprenez que si les choses ne sont pas parfaites, nous le replacerons sans tarder, OK ?

Natalie hocha la tête. Le fond de sa trachée fut aspiré, une sensation très désagréable. Puis, comme l'anesthésiste le lui demandait, elle toussa, et d'un coup, la sonde sortit. Pendant quelques minutes, elle dut rester immobile, avec un masque sur le visage, avalant de l'oxygène humidifié en lentes et profondes gorgées bienvenues. Une tension silencieuse l'envahit tandis qu'elle s'habituait au changement, attendant dans la crainte les signes indiquant que sa respiration s'était détériorée et qu'il faudrait réinsérer une nouvelle sonde. Rachel French l'ausculta à plusieurs reprises, et finalement remercia l'anesthésiste et le libéra. Natalie continuait, presque immobile, à évaluer son degré d'inconfort, d'anxiété et de dyspnée.

Quelque chose clochait.

Même au bout de deux jours, l'odeur de fumée était toujours présente, sans doute dans son nez et ses sinus. Bien que sa vue ne fût pas troublée, ses yeux la piquaient et la démangeaient toujours, malgré un onguent qu'on lui appliquait sous la paupière inférieure toutes les deux ou trois heures. Mais le véritable problème, elle le sentait, se trouvait dans son poumon. Grâce aux intenses entraînements pendant la rééducation, sa respiration était redevenue à peu près normale. Et voilà qu'à présent, bien qu'elle soit capable d'inspirer profondément, elle avait l'impression qu'elle ne prenait pas assez d'air à chaque bouffée – ce n'était pas tout à fait une asphyxie et cela ne provoquait pas de panique, mais elle connaissait son corps comme seule une athlète le connaît et quelque chose clochait. Un coup d'œil à l'expression qu'affichait Rachel lui apprit que la pneumologue l'avait également remarqué.

— Vous vous sentez bien ? demanda French.

— Je ne sais pas, c'est à vous de me le dire.

— Vous allez bien.

Natalie voyait l'inquiétude assombrir le visage du médecin.

— Vous allez bien. Ce n'est pas ce qu'on a dit à... Marie-Antoinette quand elle est montée à l'échafaud ?

La pause qu'elle dut faire au milieu de sa phrase n'était pas naturelle.

— Croyez-moi, vos perspectives sont nettement plus roses que les siennes, répondit French en souriant à cette comparaison, mais même si je savais que vous étiez assez bien pour qu'on enlève le tube, votre saturation en oxygène est un peu basse et vous avez encore des œdèmes dans certaines parties du poumon. Je crois que c'est cela qui vous gêne en ce moment.

— Vous pensez que cela va se dissiper ?

— Une bonne partie s'est déjà dissipée.

— Mais les alvéoles de mon poumon ont-elles été brûlées ?... Est-ce pour ça que j'ai de l'œdème et un taux trop bas d'oxygénation ?

— Nat, vous avez inhalé beaucoup de fumée et d'air brûlant.

Natalie sentit la peur lui nouer la poitrine.

— Et ?

French éleva la tête de lit de quarante-cinq degrés, puis elle s'assit sur le bord.

— Les muqueuses de la trachée, des bronches et des alvéoles ont été endommagées. Il n'y a pas de doute là-dessus.

— Je vois. Endommagées. L'œdème n'est pas seulement une réaction à... l'irritation du poumon à cause de la fumée.

— Si, en partie, mais la chaleur a aussi fait des dégâts. Vous savez que quelqu'un qui s'est trouvé dans un incendie peut avoir des brûlures au premier, deuxième et troisième degré sur la peau ? Eh bien c'est ce qui s'est passé. Vous avez des brûlures au premier, deuxième et troisième degré sur les tissus du poumon.

— Le premier et le deuxième degrés finissent par guérir totalement, dit Natalie.

— Exactement. Mais les brûlures au troisième degré traversent toute l'épaisseur de l'épiderme, du derme et du tissu sous-cutané. Plutôt que de redevenir comme avant, les tissus brûlés au troisième degré guérissent généralement par cicatrisation. Le tissu cicatrisé offre une sorte de protection physique, mais empêche le fonctionnement naturel – dans votre cas, l'échange gazeux.

— Alors la question c'est dans quelle proportion... mon poumon a été brûlé au troisième degré.

— Pour le moment, nous n'en savons rien. Ce que vous avez fait, c'était un acte incroyablement héroïque, Nat. Depuis qu'ils vous ont ramenée ici, je prie pour que les séquelles ne soient pas trop importantes.

— Mais on n'en sait rien, murmura Natalie, aussi bien pour elle-même que pour Rachel French.

— Je ne sais pas. Nat, avec ce qui vous est arrivé au Brésil, et maintenant ça, la vie n'a pas été tendre avec vous. Je ne veux pas que cela empire.

— Mais c'est possible.

Rachel sembla chercher une réponse qui éluderait la difficulté.

— Nous ignorons l'étendue des dégâts, ainsi que la quantité de brûlures au deuxième degré qui évolueront avec les mêmes conséquences.

— Mon Dieu ! Est-ce qu'il y a quelque chose que je peux faire ?

— Attendez environ une semaine et à ce moment-là, nous ferons plusieurs examens du fonctionnement pulmonaire et vous recommencerez la rééducation.

— Je... je ne sais pas si je pourrai.

— La femme qui est revenue en rampant dans une maison en flammes pour sauver une fillette de dix ans, elle en est capable.

— Je ne sais pas, répéta Natalie, en prenant une longue inspiration qui ne remplit que très faiblement son poumon. Si les résultats sont mauvais ? S'il y a trop de séquelles pour que je puisse un jour me remettre à respirer normalement ?

Rachel soutint son regard.

— Nat, il ne faut pas vous projeter comme ça. Vous allez finir par tellement imaginer le pire que cela va vous paralyser.

— A ma place, vous ne voudriez pas savoir ?... Vous n'auriez pas envie de savoir si vous serez capable de courir de nouveau un jour ?... ou même de marcher sans être essoufflée ?... Il n'y a vraiment rien que je puisse faire ?

— Allez-y doucement, Nat, s'il vous plaît.

— Il doit bien y avoir quelque chose.

— Oui, en effet, dit Rachel à contrecœur. J'ai pris la liberté de vous faire une analyse de sang pour un typage HLA.

— Une greffe ?

— Je ne dis pas que vous en aurez besoin, mais comme vous le savez sans doute, le processus peut être interminable.

— Mettez-moi sur la liste.

— Il y a une liste régionale, en effet, mais depuis l'an dernier ce n'est plus comme la liste pour la greffe de rein, qui fonctionne par ordre d'inscription, premier arrivé, premier servi. La liste d'attente pour le poumon comporte un calcul mathématique assez compliqué qui s'appelle le quotient d'allocation pulmonaire. Mais écoutez, le moment est sans doute mal choisi pour parler de tout ça. J'ai uniquement lancé le processus parce que c'est très long. Vous êtes loin d'avoir besoin d'une transplantation.

— Si je ne peux pas être normale ou proche de la normale, dit Natalie, je ne crois pas que j'aie envie de vivre.

Rachel soupira.

— Nat, j'aurais vraiment dû attendre pour aborder ce sujet. Je suis désolée.

— Je suis du groupe O, vous savez. C'est le groupe sanguin pour lequel il est le plus difficile de trouver un donneur compatible pour une greffe.

— Nat, je vous en prie.

— Il n'y a pas moyen que je prenne des immunosuppresseurs... chaque jour pendant le reste de ma vie... La liste des effets secondaires est longue comme mon bras... Infections, ostéoporose, diabète, insuffisance rénale...

— Ma belle, je vous en prie, respirez un bon coup et reprenez-vous. Vous voyez trop loin. Je ne sais même pas si vous allez un jour...

— Je ne serai jamais guérie, c'est ça ?... Quoi qu'il arrive je ne pourrai plus jamais courir... Et une résidence en chirurgie demande de l'énergie – tout comme une garde de vingt-quatre heures aux urgences... Il n'y a aucune chance pour que je puisse devenir chirurgien... si je ne peux même pas marcher jusqu'à l'épicerie du coin sans être essoufflée.

Au lieu de reculer devant les projections et la logorrhée véhémente de Natalie, Rachel French fit ce qui lui était le plus naturel en tant que médecin, elle s'avança et passa le bras autour des épaules de sa patiente.

— Doucement, chuchota-t-elle. Une seule chose à la fois, Nat.

Natalie se sentit momentanément sur le point de craquer. Au lieu de cela, elle se raidit et regarda, impassible, le mur d'en face, sans verser une larme.

Les vingt-quatre heures suivantes ne furent guère plaisantes, bien que Natalie sente une légère amélioration de sa respiration.

Certes, elle était heureuse d'avoir pu sauver sa mère et sa nièce, mais la déprime qui avait accompagné les nouvelles de ses séquelles au poumon continuait de s'approfondir. Sa psychothérapeute passa la voir plusieurs fois et finit par la persuader d'essayer un antidépresseur léger. Plutôt que d'attendre que le traitement fasse effet, Natalie convainquit une amie d'apporter son ordinateur, et passa la plus grande partie de son temps éveillée et sur internet, à se documenter sur la transplantation du poumon, le typage HLA, l'histocompatibilité et la nouvelle formule adoptée pour déterminer qui recevrait l'un des rares poumons disponibles.

Un facteur déterminant pour établir le quotient d'allocation pulmonaire était la probabilité de survie dans l'année. L'étendue du handicap comptait beaucoup moins dans l'équation que la probabilité de décès. Le moral déjà à plat de Natalie devint encore plus sombre en se rendant compte que la possibilité très faible qu'elle meure dans un avenir proche, risquait de l'empêcher d'être candidate à la transplantation. Elle pourrait se traîner indéfiniment, peiner à chaque souffle, mais cela ne compterait pas. La qualité de vie importait peu face à la quantité.

Mais quelle différence cela faisait-il ? De toute façon, elle ne voulait pas de transplantation. Elle ne voulait ni la préparation ni l'attente, ni l'opération, et encore moins ces saletés d'immunosuppresseurs avec leurs atroces effets secondaires, et elle ne désirait pas passer sa vie sous une épée de Damoclès, à craindre le rejet de greffe et l'hospitalisation d'urgence. Vivre avec autant d'énergie qu'un légume ou bien vivre avec des médicaments toxiques conçus pour que le poumon de quelqu'un d'autre la maintienne en vie. *Super, comme choix.*

Pour aggraver encore les choses, des images de son agression lui revenaient constamment à l'esprit. Les scènes n'étaient pas des souvenirs – elles ne l'avaient jamais été. Elles étaient puissantes et terrifiantes au niveau le plus primaire. Le fait qu'elles se poursuivent à cette intensité un mois après les faits était quelque chose que le Dr Fierstein ne pouvait pas expliquer autrement qu'en invoquant la vieille appellation fourre-tout de stress post-traumatique.

Natalie était suspendue au grillage de la sordide ruelle quand un mouvement et un bruit de pas la tirèrent de la situation terrifiante où elle se trouvait. Elle ouvrit les yeux, s'attendant à découvrir un journaliste de plus, bien qu'elle ait demandé expressément que les agents de sécurité et infirmières les empêchent d'approcher. Au lieu de cela, elle vit sa mère, qui avait ouvert le *Herald* à la double page de l'article relatant son téméraire sauvetage. Derrière elle se trouvaient Doug Berenger et Terry Millwood, qui tenait une sorte de corbeille en plastique. Les deux hommes étaient des visiteurs assidus.

— Salut, Maman, tu es sortie, remarqua Natalie platement. Jenny aussi ?

— Ils nous ont laissées sortir hier soir. Nous nous sommes installées chez toi en attendant de savoir quoi faire. Mon amie Suki veille sur Jenny en mon absence.

— C'est bien. Je crois qu'ils vont me virer demain... Il y a de la place pour nous trois, en tout cas pour un moment.

— J'étais tellement inquiète. Tu te rétablis bien ?

— Bien, Maman. Ça va bien. Tu te souviens du Dr Berenger... et de Terry ?

— Bien sûr, nous discutions dans le couloir.

Natalie essayait de garder sous contrôle sa colère contre Hermina, mais la nouvelle au sujet de ses poumons et la possibilité d'une greffe étaient encore trop vivaces.

— Eh bien, ce sont tous les deux des spécialistes de chirurgie thoracique, Maman, dit-elle, et j'espère qu'ils t'ont fait un topo complet... La maison est détruite, tout ce que tu as jamais possédé est parti en fumée... Et toi et Jenny vous avez failli mourir. Pour quoi ? Pour que tu puisses tirer sur une Winston de plus... Je sais que les tribunaux disent que c'est la faute des fabricants de tabac, et je sais à quel point ça a été horrible de perdre Elena de cette façon, mais je sais aussi le peu d'efforts que tu as fournis pour arrêter... Tu fais tout ce que tu peux pour que Jenny ait la meilleure vie possible, et ensuite tu manques de tuer la pauvre gamine !

Natalie n'avait plus de souffle après cette diatribe.

Hermina chancela sous la force de l'attaque.

— Je... je suis désolée, Nat. Vraiment.

Natalie refusa de lâcher prise.

— Etre désolée ne suffit pas, Maman.

Hermina leva la main droite et la fit tourner.

— Pour ce que ça vaut, dit-elle, penaude, j'ai arrêté depuis trois jours maintenant. Tu vois, pas de traces de nicotine !

Berenger et Millwood murmurèrent quelques mots d'approbation, mais Natalie resta de marbre.

— Plus une seule, Maman. Plus une seule clope ! s'exclama-t-elle avec véhémence.

— Je te le promets. Je ferai de mon mieux.

— Plus une seule, répéta Natalie en visualisant les alvéoles endommagées de son seul poumon.

Finalement, elle soupira.

— Bon, en tout cas Jen et toi vous êtes saines et sauves, c'est ce qui compte.

Doug Berenger, l'air très professionnel dans sa blouse blanche, s'avança, embrassa Natalie sur le front et lui tendit une boîte de chocolats Godiva. Puis il se tourna vers sa mère.

— Madame Reyes, Hermina, je me demandais si Terry et moi pourrions parler quelques minutes à Natalie.

Hermina, décontenancée et essayant de ne pas faire la moue, murmura « Bien sûr » et sortit.

— Dis donc, tu es l'héroïne ici ! dit Berenger. J'ai entendu dire que le maire et le doyen avaient déjà parlé de te remettre une médaille.

— Faites ce que vous pouvez pour m'éviter ça, dit Natalie.

— Je n'ai pas eu l'occasion de te féliciter d'avoir été réintégrée à l'Ecole de médecine.

— Merci. Je célèbre toujours les bonnes nouvelles sous assistance respiratoire. C'est une tradition.

Millwood posa la corbeille en plastique près d'elle.

— Des cartes te souhaitant un bon rétablissement, dit-il. Tout le monde aime une bonne vieille héroïne, y compris nous. Elles viennent de partout, pas seulement de Boston.

Bien que leurs regards ne se soient croisés qu'un instant, Natalie était certaine que son ami avait perçu sa profonde mélancolie.

— Pose-les dans le coin, dit-elle. Je les ouvrirai une fois de retour chez moi.

— Natalie, fit Berenger, j'ai une idée dont j'aimerais te parler.

Avec des amis, je possède une petite affaire de rénovation d'appartements que nous revendons avec un profit substantiel. Bon, il se trouve qu'en ce moment nous avons un nouvel immeuble à East Boston que nous venons de terminer et tous les lots sont vendus à part l'appartement témoin qui est un trois pièces joliment meublé. Je serais honoré que ta mère et ta nièce viennent habiter là en attendant de régler la situation avec leur compagnie d'assurances. C'est au rez-de-chaussée et parfaitement adapté aux fauteuils roulants.

Natalie refréna la tentation impulsive de refuser en disant qu'elles se débrouilleraient parfaitement dans son appartement à elle.

— C'est très gentil à vous, dit-elle à la place. C'est un très beau geste. Juste une chose, si vous le faites. Si ma mère fume... dehors. Pas de deuxième chance. Elle pourra trouver une chambre ou un appartement à louer et moi je prendrai Jenny. J'aurais dû me montrer plus ferme il y a des années.

— Si elle fume, dehors, dit Berenger. Il faut espérer que cet événement lui aura ouvert les yeux et si tu dis que c'est la condition *sine qua non*, on te suit. Mais l'addiction à la nicotine est terriblement puissante. Pense à Carl Culver, ce patient à qui ta copine Tonya Levitskaya a failli arracher la tête. Avoir un nouveau cœur n'a pas suffi à l'empêcher de recommencer à fumer. Tu serais étonnée de voir combien de receveurs de greffe du foie continuent à boire de l'alcool, pour certains en grande quantité, bien qu'il ait été prouvé qu'une dizaine de centilitres suffit à créer une accumulation de graisses dans le foie.

Natalie ne fut pas ébranlée par les propos de Berenger.

— Il faut maintenir la pression, dit-elle.

Berenger joignit les mains et s'inclina.

— Que cela soit écrit et accompli, dit-il. Je vais voir si ta mère accepte de se plier à ce contrat.

— C'est merveilleux. J'ai toujours soupçonné que ma mère possédait des pouvoirs mystiques... Ne la laisse pas te persuader de faire machine arrière au sujet des cigarettes.

— Je ferai de mon mieux, dit-il en sortant de la pièce à reculons.

— Je ne plaisante pas, Doug. Je l'aime beaucoup mais l'autoroute dans son rétroviseur est jonchée des corps des gens qui se sont crus plus forts qu'elle.

— Surtout des hommes, je parie, dit Millwood une fois que Berenger fut parti.

— Exactement.

— Excuse-moi de te dire ça, mais pour une héroïne, tu ne me sembles pas très joyeuse.

— En effet, je ne le suis pas. Rachel French dit que mon poumon a été endommagé. Pour le moment, on ne sait pas quelle est l'ampleur des dégâts. Elle a dit qu'au cas où, elle avait mis en route le processus pour une demande de transplantation.

— Je sais, dit Millwood. Je viens de lui parler. Nat, cette histoire de greffe n'est qu'une précaution parce que l'évaluation et le calcul d'allocation pulmonaire sont très pénibles et prennent du temps.

— Je n'y arriverai pas, Terry.

— Je sais que c'est dur, mais il faut que tu essaies de vivre au jour le jour. Ça ne sert à rien de se projeter avant de savoir à quoi tu as affaire.

— Facile à dire pour toi. Ce n'est pas ton poumon qui est en train de pourrir !

— Je dis juste qu'il ne faut pas déprimer sur ce qui n'est pas sûr. Tu es arrivée trop loin pour abandonner maintenant.

— Je vais voir ce que je peux faire, dit-elle, amère.

Millwood se leva.

— Nat, je suis désolé. Vraiment. Si tu as besoin de quelque chose, de quoi que ce soit, n'hésite pas. Notre amitié est très importante à mes yeux.

— Tant mieux, fit Natalie avec peu d'enthousiasme.

Millwood sembla un instant sur le point d'ajouter quelque chose. Puis il se contenta de secouer la tête, plein de frustration et de tristesse, et sortit. Dans le couloir, il tourna vers la droite, à l'opposé des ascenseurs, et se dirigea vers le bureau des infirmières. Rachel French, qui travaillait sur un rapport, l'attendait.

— Alors ? demanda-t-elle.

Millwood soupira.

— Jamais elle n'a été si près de s'avouer vaincue. Dire qu'il y a quelques jours elle était sur un petit nuage à l'idée de réintégrer la fac. Et maintenant...

— J'ai peur de ne pas avoir très bien présenté les choses. J'aurais dû attendre qu'elle soit rentrée chez elle avant d'aborder le sujet de la greffe. Toute cette histoire lui donne à croire que son poumon est foutu, même si je ne cesse de lui dire que pour l'instant, nous l'ignorons.

— Elle est très intelligente et très intuitive.

— Heureusement qu'elle n'a pas encore toutes les données.

— Quelles données ?

— J'ai des amis au labo de typage HLA, alors je leur ai demandé de traiter son analyse en priorité.

— Et ?

— Elle est O positif, ce qui réduit déjà le champ des donneurs potentiels. Mais il y a pire. Je viens d'avoir l'analyse préliminaire de ses douze antigènes d'histocompatibilité. Beaucoup sont rares – certains très rares. Les probabilités de trouver un donneur sont minimes, et ce, même si nous ne nous montrons pas exigeants du tout en termes de compatibilité. Elle aurait donc des doses très importantes de médicaments antirejet, à prendre à vie. Elle a beaucoup exagéré la toxicité du traitement, mais ses craintes ne sont pas non plus sans fondement.

Millwood fit la grimace.

— Alors quelle est l'alternative ?

— Disons, répondit French, qu'elle a le choix entre la peste et le choléra.

Chapitre 18

Nous voulons que nos gardiens soient de véritables sauveurs.

PLATON, *La République*, Livre IV.

IL SERAIT FAUX DE PRÉTENDRE que la jungle qui entourait le Centre Whitestone pour la Santé en Afrique fût jamais calme, mais au fil des ans, Joe Anson avait remarqué un étrange apaisement entre trois heures et trois heures et demie du matin. Durant ce laps de temps précis, les animaux hurleurs, les scarabées Popillia et les lucanes, chimpanzés et autres singes, les abeilles, les cigales, tous semblaient se taire à l'unisson. Aucun des natifs du Cameroun n'était prêt à confirmer cette observation, mais Anson était sûr de lui.

Ce matin-là, très tôt, il s'appuya contre la balustrade en bambou à l'extérieur de son laboratoire principal, et écouta la cacophonie provenant de l'obscurité environnante s'adoucir. L'air embaumait des centaines d'espèces différentes de plantes à fleurs, ainsi que le curry, la réglisse, la menthe, et une myriade d'autres épices. Anson inhala profondément, profitant pleinement de cette sensation.

La vie après la transplantation se déroulait ainsi qu'Elizabeth l'avait prédit. L'opération elle-même avait été un cauchemar mais il avait été bourré de médicaments, si bien qu'il n'en avait plus que de vagues souvenirs. Le seul véritable problème, avait été celui que ses médecins avaient rencontré en période post-opératoire. Une épidémie nosocomiale s'était déclarée, une bactérie souvent mortelle, qui les avait conduits à le transférer précipitamment hors d'Amritsar et loin de l'Inde. On l'avait transporté en avion, sous anesthésie et assistance respiratoire, à un hôpital renommé de sa ville natale de Capetown, où le reste de sa convalescence s'était déroulé sans anicroche. Grâce à une histocompatibilité quasi parfaite avec le donneur du poumon, la quantité de médicaments antirejet qu'il avait reçue au départ et qu'il prenait toujours était réduite au strict minimum, ce qui réduisait également les risques d'infection par des organismes opportunistes.

S'il avait su à quel point cette procédure s'avérerait efficace pour ramener sa respiration à la normale, avouait Anson à qui voulait l'entendre, il aurait essayé d'obtenir une transplantation des années plus tôt.

— C'est ton moment préféré ici, n'est-ce pas ?

Elizabeth avait surgi à ses côtés et s'appuyait à la balustrade, près de lui à le toucher. Après l'opération, leur relation était plus ou moins redevenue ce qu'elle était depuis le début : une amitié profonde bâtie sur le respect mutuel, prête à se muer en histoire d'amour. C'était quelque chose de rassurant et de confortable, et alors que les travaux cruciaux d'Anson touchaient au but, aucun d'eux n'avait envie de sauter le pas. Anson lui rappela ce qu'il avait observé au sujet du bruit blanc de la jungle, puis il pointa du doigt sa montre. Pendant un moment, tous deux restèrent sans parler.

— Ecoute, maintenant, dit-il enfin. Ecoute le son qui recommence à monter. Là, tu as entendu ça ? Les singes de Brazza. Ils n'ont pas fait un bruit pendant une demi-heure et maintenant ils recommencent. C'est comme s'ils avaient repris des forces après une petite sieste.

— Je te crois, Joseph. Tu devrais consigner tes observations et nous les soumettrions à une revue zoologique. Bien sûr, il y a le petit détail des recherches à achever *avant* de pouvoir faire ça.

Il se mit à rire.

— Compris.

— Les agences de sécurité sanitaire française et britannique sont sur le point d'approuver des tests cliniques étendus de Sarah-9.

— Oh, c'est magnifique !

— La FDA aux Etats-Unis ne devrait pas tarder non plus. Tu es sur le point de changer le monde, Joseph.

— Je ne m'accorde pas souvent le luxe de penser à notre travail en ces termes, dit-il, mais je suis heureux de ce qui se passe ici et au laboratoire Whitestone en Europe. Sois-en certaine.

— Est-ce que tu as réussi à dormir un peu ?

— Pas la peine. Mon énergie est inépuisable. Toi et tes chirurgiens, et bien sûr mon merveilleux donneur, vous m'avez donné une seconde vie. Chaque respiration était devenue un tel effort ! Maintenant, c'est comme si on venait de m'enlever des boulets aux chevilles et que je pouvais m'élancer.

— S'il te plaît, Joseph, sois prudent. Ce n'est pas parce que tu as un nouveau poumon que tu es soudain devenu immunisé contre l'épuisement.

— Mais rends-toi compte ! Nous avons établi des traitements pour des formes de cancers réputés incurables !

— J'y pense tout le temps, dit Elizabeth.

— Et des maladies cardiaques !

Il rayonnait comme un gamin.

— Comme je le disais, ton travail est sur le point de changer le monde. Excuse-moi de te poser la question, mais combien de vérifications te reste-t-il encore à faire avant de livrer tes notes à Whitestone ?

Anson scruta l'obscurité, un sourire dans les yeux mais pas encore sur les lèvres. Au cours des deux ou trois dernières semaines, il s'était efforcé de lutter contre ses excentricités : sa possessivité, son perfectionnisme et sa méfiance. L'heure était venue, songeait-il, de remercier Whitestone et Elizabeth de lui avoir fourni tout ce dont il avait besoin pour achever son travail, les remercier pour l'hôpital et les nombreuses vies qui y avaient été sauvées, d'accepter une réunion avec leurs scientifiques et leur livrer les derniers secrets du Sarah-9. L'heure était venue de réfléchir à de nouveaux objectifs pour sa vie.

— Toi et ton organisation, vous vous êtes montrés très patients à mon égard.

— Alors nous pouvons organiser une réunion avec nos scientifiques ?

Anson ne répondit pas tout de suite, il regarda le ciel qui, en quelques minutes, s'était teinté d'un gris rosé. L'aurore était si belle dans la jungle. Il était temps de coopérer avec Whitestone, reconnut-il en lui-même. Mais il avait une dernière chose à accomplir avant.

— En fait, dit-il, j'aurais encore besoin d'une dernière chose.

— Quelque chose que nous ne t'avons pas encore donné ?

— Je sais que cela peut sembler dur à croire, mais oui en effet. Je veux rencontrer la famille de l'homme qui m'a rendu la vie et les aider financièrement comme je le pourrai.

Elle ne répondit pas immédiatement. Lorsqu'elle reprit la parole, ce fut d'une voix ferme.

— Joseph, j'espère que tu te rends vraiment compte et que tu apprécies la tolérance et la patience dont Whitestone a fait preuve à ton égard.

— Mais oui.

— Nous possédons les droits de Sarah-9 pour le monde entier, avec tout ce qui sortira d'autre de ce laboratoire, et pourtant nous t'avons autorisé à garder pour toi tes méthodes et les milieux de cultures que tu utilises. Nous savons que la plupart des cuves de ton labo ne servent pas à la production de ce médicament.

— Et je vous en suis reconnaiss...

— Joseph, s'il te plaît, écoute-moi. La patience de l'équipe de développement et de la direction de Whitestone atteint ses limites. Nos protocoles ont été limités par le fait que tout le Sarah-9 que nous obtenons pour nos labos de recherche ici et en Europe vient de toi. Tu peux dire que tu produis le médicament assez rapidement mais ce n'est tout simplement pas vrai. Chaque jour de retard à la mise sur le marché de ce merveilleux traitement peut se traduire en millions de dollars de pertes. Je sais que tu te fiches complètement de l'argent mais pense aussi aux vies qui pourraient être sauvées. Il faut boucler la boucle, Joseph. Nous avons besoin des microbes et de la source de l'ADN recombiné, et nous avons également besoin de tes notes afin de pouvoir finir nos tests cliniques et commencer la production industrielle. Je peux te promettre que tu conserveras tout le mérite de la création du Sarah-9.

— Tu sais que les honneurs m'importent peu.

— Joseph, je ne sais vraiment plus ce qui t'importe. Si ce qui t'importe est de mettre sur le marché ce médicament qui pourra aider les innombrables personnes qui en ont besoin, alors il faut que tu fasses bouger les choses. Voilà à quoi cela se résume. Tu veux que Whitestone te donne quelque chose et nous voulons que tu nous donnes quelque chose.

— Sois plus précise, s'il te plaît.

— A condition que la veuve de ton donneur de poumon soit d'accord, nous organiserons le voyage pour que tu lui rendes visite à Amritsar, et que tu rencontres aussi ses deux enfants si possible.

— Et moi ?

— A notre retour d'Inde, nous ferons venir d'Angleterre une équipe de chercheurs, avec de l'équipement pour rapporter tes cultures à notre labo anglais. Pendant qu'ils seront là, tu devras passer en revue tes carnets avec eux, pas les faux que tu as méticuleusement fabriqués, mais les vrais. Nous avons payé, et payé généreusement cette recherche et il est temps que nous en devenions propriétaires.

— Tu n'es pas obligée d'être d'accord, Elizabeth, mais je suis convaincu que le secret que j'ai maintenu autour de mon travail est justifié et ce dans l'intérêt de tout le monde. Nous avons échappé aux confusions qui se produisent lorsque les responsabilités sont trop fractionnées, et tout risque d'espionnage industriel a pu être évité. Mais je t'accorde qu'il est temps que ces cachotteries s'achèvent.

— Alors marché conclu ?

— Oui.

— Merci, Joseph. Au nom du monde entier, merci !

Elizabeth l'entoura de ses bras, puis elle approcha les lèvres des siennes et l'embrassa brièvement mais tendrement.

— Nous avons traversé beaucoup de choses ensemble, dit-il.

— La fin de cette phase de travail est proche. Tu devrais être très fier de ce que tu as accompli. En tout cas moi je le suis. Maintenant, il faut que j'aille me reposer un peu. Je travaille au dispensaire aujourd'hui. Et toi aussi d'ailleurs.

— Je serai prêt, dit Anson, en prenant une longue et délicieuse respiration.

Elizabeth retourna à son appartement d'une seule pièce avec douche, dans le même couloir que celui d'Anson. Elle en avait assez de cet espace restreint, de la moisissure qui réapparaissait sans cesse sur les carreaux de la salle de bains, et elle y séjournait le moins possible, préférant son élégante maison au sommet d'une verdoyante colline qui surplombait Yaoundé. Elle ignorait encore si elle resterait au Cameroun lorsque les Gardiens n'auraient plus besoin d'Anson. De toute façon, elle recevrait une prime qui ferait d'elle une femme aisée, et des stock-options de la nouvelle société pharmaceutique Whitestone qui la rendraient très très riche. Pas mal, pour quelques années à jouer les baby-sitters auprès d'un génie excentrique et méfiant.

Elle se servit d'une ligne privée pour appeler Londres.

— Nous sommes parvenus à un accord, dit-elle sur un répondeur. Nous l'amenons en Inde pour rendre visite à la famille et ensuite il donne toutes les infos à nos chercheurs pour effectuer le transfert final de ses notes et des cultures. Je le crois. Il a toujours tenu parole et il n'y a aucune motivation financière qui pourrait l'empêcher de jouer franc jeu avec nous. Non pas qu'il soit intéressé par l'argent, mais les stock-options qu'il obtiendra de Whitestone Pharmaceuticals devraient suffire à financer son hôpital *ad vitam aeternam.* Cela a été un travail de longue haleine mais c'est presque terminé. Ma plus grosse erreur de départ a été de sous-estimer la profondeur de la paranoïa de cet homme ; je n'imaginais pas qu'il irait si loin pour protéger son travail. Heureusement que j'ai trouvé des moyens de contourner sa folie et d'encourager son génie. Lui mettre le couteau sous la gorge est le plus sûr moyen de le braquer.

Chapitre 19

L'âme se rebute bien plus dans les fortes études que dans les exercices gymnastiques.

PLATON, *La République*, Livre VII.

N*ATALIE NE RÉUSSIRAIT PAS* à finir la séance et elle le savait. C'était idiot d'avoir accepté de reprendre la rééducation physique et pulmonaire si tôt après l'incendie. Elle regarda le temps qui s'était écoulé sur le compteur du tapis roulant et leva ensuite les yeux vers l'horloge murale au cas où l'instrument électronique aurait eu une défaillance. Dix-sept minutes sur le plat. *Quelle connerie,* songea-t-elle. A quoi bon prolonger cette mascarade ? Son poumon ne fonctionnait pas bien. C'était clair et net. Rachel French pouvait dire ce qu'elle voulait à propos des brûlures qui allaient guérir et le poumon mieux fonctionner, mais cela ne se produirait pas.

Mais bien sûr, Manchot, tu feras bientôt des pitchs d'enfer, il suffit d'attendre que ton bras amputé se régénère !

— Allez, Nat ! lui enjoignit sa kiné. Plus que cinq minutes. Vous vous débrouillez très bien.

— Je me débrouille très mal et vous le savez bien.

— Vous vous trompez. Les gens du service de médecine respiratoire m'ont dit que vos tests de fonctionnement pulmonaire s'étaient largement stabilisés et qu'ils devraient s'améliorer petit à petit très rapidement.

— Personne ne prédit jamais l'amélioration en médecine, lança Natalie d'une voix cassante en s'interrompant pour reprendre son souffle. D'ailleurs, en général... on se donne beaucoup de mal pour prédire qu'il n'y aura pas d'amélioration. Comme ça soit les médecins ont l'air intelligents et au courant... soit ils ont l'air de héros, si les choses finissent par s'améliorer.

— Vous savez, ça ne vous aidera pas beaucoup de voir tout en noir.

— Qui vous dit que j'ai besoin d'aide ? fit Natalie en éteignant la machine. Je vous appellerai quand je serai prête à revenir.

Elle reprit sa serviette et sortit en trombe de la salle, comme si la kiné allait la poursuivre. Elle savait qu'elle se comportait comme une imbécile, mais elle s'en foutait. Elle avait accepté la perte tragique de son poumon avec courage, et philosophie. Mais en ce moment, même si sa mère et sa nièce étaient en vie grâce à elle, qu'elle continuait à recevoir des cartes de félicitations et de vœux de rétablissement, et qu'on prévoyait de lui accorder une décoration, elle n'avait tout simplement plus assez d'élégance et de courage pour défaire ce qui avait été fait.

Elle rentra à toute allure chez elle, espérant qu'un policier aurait la témérité et la malchance d'essayer de lui mettre un PV. Peut-être qu'avec le temps, son sentiment de désespoir et d'auto-apitoiement disparaîtrait et qu'elle parviendrait à prendre du recul et retrouver la sérénité. En attendant, quelque part, un mathématicien incapable de trouver un poste d'enseignant en collège devait être en train de sortir sa calculette pour déterminer son quotient d'allocation pulmonaire.

Voyons, plus vingt-deux et elle traîne indéfiniment, s'arrêtant tous les trois mètres pour reprendre son souffle. Plus vingt-huit et elle a la chance d'attendre impatiemment le privilège de recevoir un poison qui va neutraliser son système immunitaire et rendre potentiellement mortel le simple fait de prendre un ascenseur public...

Hermina, qui avait posé à ses pieds deux sacs en plastique de produits de nettoyage, était en train de lui laisser un mot sur la table de la salle à manger.

— Salut, ma chérie, dit-elle. Je ne m'attendais pas à ce que tu rentres si tôt.

— Jenny est là ?

— Elle est dans la voiture. Je m'apprêtais à la conduire à notre nouvel appart. J'ai pensé que nous pourrions dormir là-bas ce soir.

— C'est super, Maman !

— Ma puce, je suis vraiment désolée. Je sais que tu es furieuse contre moi et tu as toutes les raisons de l'être.

— Ce sont des choses qui arrivent. Je suis juste heureuse que toi et Jenny vous soyez saines et sauves. Si tu te sens coupable de ce qui m'est arrivé, tu sais ce qui te reste à faire.

— Je sais, et pour l'instant je m'y tiens.

— J'espère.

— Tu veux venir avec nous ?

— Peut-être demain.

— Comment se passe la rééducation ?

— Génial.

— Excuse-moi de te dire ça mais tu n'as pas l'air très en forme.

— Je vais bien.

— Crois-moi, si je pouvais revenir en arrière et soit avoir arrêté de fumer il y a un an, soit m'enfermer dans un placard et cramer dans l'incendie, je le ferais.

— C'est idiot. Tu as arrêté de fumer, c'est ce qui compte. Et maintenant je veux que tu arrêtes de dire que tu regrettes de ne pas avoir brûlé. Ça ne sert à rien.

— Nat, s'il te plaît, aide-moi à m'installer dans le nouvel appartement.

— Maman, je vais bien. Vraiment.

— Est-ce qu'ils ont dit que tu allais mieux ?

— Oui. Amélioration régulière. C'est ce qu'ils ont dit.

Hermina, sentant bien la vérité, passa le bras autour de sa fille.

— Ma chérie, je suis désolée. Vraiment.

— Je le sais, Maman.

— Tu es sûre qu'il n'y a rien que je...

— J'en suis sûre. J'ai besoin de me reposer, c'est tout.

— Bon... je ne veux pas laisser Jenny trop longtemps seule dans la voiture. Tu crois que tu pourras nous rejoindre plus tard pour le dîner ?

— Non, non, j'ai du travail à rattraper pour la fac, après ma sieste.

— Merci pour l'argent que tu nous as prêté pour nous aider à nous installer. Je te rembourserai dès que je toucherai les sous de l'assurance.

— Ce n'est pas la peine.

— Si, j'y tiens.

— D'accord, Maman, tu me rembourseras quand tu voudras.

Natalie resta debout quelques instants dans la salle à manger après que la porte d'entrée se fut refermée. Elle allait sûrement finir par prendre une douche, mais à vrai dire, elle n'avait pas versé une goutte de sueur à sa rééducation. Finalement, elle ôta son tee-shirt, le jeta par terre, hésita à mettre de la musique, et puis se laissa tomber dans le profond fauteuil du salon. Face à elle, juste au-dessus du manteau en marbre décoré de sa petite cheminée à gaz, se trouvait une grande photographie couleur encadrée. Elle avait été prise par un professionnel aux Jeux Panaméricains à Mexico sept ans plus tôt, au moment où Natalie franchissait la ligne d'arrivée de la finale du 1500 mètres. Ses bras, les poings serrés, étaient levés vers le ciel, et l'exaltation sublime peinte sur son visage était indicible.

Plus jamais. Ni sur une piste d'athlétisme. Ni dans une salle d'opération. Sans doute même plus jamais dans la chambre à coucher, bon Dieu... Plus jamais.

De sa main gauche, elle se mit à masser la cicatrice encore sensible sur le côté de sa poitrine. Que disait déjà cette chanson de MASH ? Le suicide c'est simple ? Le suicide c'est indolore ? Simple... indolore... facile. On ne pouvait pas en dire autant d'une rééducation pulmonaire, surtout lorsque l'unique poumon restant était brûlé.

Si elle réussissait à trouver le courage, comment procéderait-elle ?

Elle avait déjà envisagé la possibilité de mettre fin à ses jours, mais il y avait des années de cela. Vivre infirme avec un handicap respiratoire lui serait insupportable. Tout comme les effets secondaires du traitement immunosuppresseur suivant la greffe du poumon. Et le pire de tout serait sans doute l'attente, à regarder son quotient d'allocation pulmonaire monter et baisser comme le Dow Jones.

Difficile de croire que le champ des possibles avait pu se rétrécir à ce point.

Les murs se refermaient sur elle, et il semblait n'y avoir aucun moyen de les arrêter.

Des médocs, sans doute, songea-t-elle. Des comprimés, forcément. Elle se rappelait avoir entendu dire que la Hemlock Society recommandait de prendre assez de calmants et d'antidouleurs pour tomber dans le coma, tout en enfilant un sac en plastique sur la tête juste avant de perdre connaissance. Cela n'avait pas l'air très plaisant, ni même très faisable. Peut-être que cela valait la peine d'aller fureter sur internet. Si on pouvait y apprendre comment fabriquer une bombe thermonucléaire, on devait certainement y trouver des conseils sur la manière la plus efficace et indolore de se suicider.

Tout en regardant la photo des Jeux Panaméricains et presque malgré elle, Natalie se mit à réfléchir à la façon dont elle pourrait se procurer assez de OxyContin et de Valium pour déclencher un coma. Le téléphone posé sur le guéridon à côté d'elle sonna plusieurs fois avant qu'elle en ait conscience. L'appel venait du New Jersey.

— Allô ?

— Ici June Harvey, de Northeast Colonial Health, je cherche à joindre mademoiselle Natalie Reyes.

Northeast Colonial – son assurance-maladie. *Quoi encore ?*

— Oui, c'est moi.

— Tout d'abord, j'espère que vous allez bien.

— Je vous remercie. Je ne crois jamais avoir entendu quelqu'un de ma compagnie d'assurances s'enquérir de ma santé. A vrai dire, j'ai rencontré de nouveaux soucis.

— J'en suis désolée. Bon, j'appelais pour vous donner une bonne nouvelle : Northeast Colonial a étudié votre dossier et s'engage à vous rembourser intégralement le vol sanitaire de rapatriement à Boston.

Rembourser ? Jusqu'à ce moment, Natalie ne s'était jamais demandé qui avait payé son billet. Maintenant, elle réalisait que c'était sans doute Doug Berenger. Il ne risquait peut-être pas la banqueroute s'il n'était pas remboursé mais un tel vol avait dû coûter bonbon. Typique de cet homme, il n'avait même pas mentionné qu'il l'avait payé de sa poche.

— Eh bien, merci, dit-elle. Merci beaucoup.

— Il y a juste une chose.

— Oui ?

— Notre dossier indique que vous avez subi une pneumonectomie à l'hôpital Santa Teresa de Rio de Janeiro.

— C'est exact.

— Eh bien, nous n'avons reçu aucun dossier médical de l'hôpital pour valider cette opération et bien que vous soyez entièrement couverte, aucune demande de remboursement n'a été envoyée pour votre opération ni pour l'hospitalisation.

— C'est-à-dire, j'étais inconsciente pendant quelque temps, mais quand je me suis réveillée, j'ai appelé chez moi et j'ai donné mon numéro d'assurance aux gens de l'hôpital. Je ne me souviens pas de beaucoup de choses au sujet de cette hospitalisation, mais ça oui, je m'en souviens très clairement.

— Bon, dit June Harvey, peut-être pourriez-vous écrire ou téléphoner à l'hôpital Santa Teresa. Il nous faut des copies des dossiers médicaux, plus une demande de remboursement. Si vous le souhaitez, je peux vous envoyer les formulaires appropriés.

— Oui, s'il vous plaît, je veux bien.

June Harvey lui souhaita bon rétablissement pour ses nouveaux soucis, lui fit confirmer son adresse postale et raccrocha. Natalie demeura dans le fauteuil encore quelques minutes, consciente que cet appel, pour elle ne savait quelle raison, avait dissipé un peu l'urgence de ses impulsions autodestructrices. *Il y aurait encore le temps,* songeait-elle maintenant, *amplement le temps.*

Elle se redressa, fit bouillir de l'eau et se fit infuser une tasse de thé qu'elle emporta dans le minuscule bureau à côté de sa chambre. Au lieu de chercher le site de la Hemlock Society sur Google, elle fit une recherche sur l'hôpital Santa Teresa. Il y avait 10 504 entrées, dont une grande majorité en portugais. Le moteur de recherche les avait trouvées en 0,07 secondes.

Qui voudrait quitter un monde dans lequel une telle chose est possible ? se demanda-t-elle. Peut-être l'invention du poumon mécanique à porter en sac à dos était-elle toute proche ?

Il lui fallut une demi-heure pour trouver l'adresse et un numéro de téléphone de l'hôpital dans le quartier Botafogo à Rio.

Après avoir envisagé puis rejeté l'idée de demander l'aide de sa mère pour passer les coups de téléphone, Natalie rechercha l'indicatif du Brésil et de Rio et se mit à composer le numéro. Au début, ses conversations furent limitées par son portugais du Cap-Vert un peu hésitant. Petit à petit, cependant, ses capacités à naviguer d'un interlocuteur à l'autre s'améliorèrent. Elle réussit à trouver le bureau d'informations sur les patients, puis la facturation, les archives et même la sécurité. Une heure et quart après avoir eu June Harvey, elle terminait une discussion animée avec la directrice des archives de Santa Teresa, une femme du nom de Da Soto, qui parlait anglais sans doute aussi bien que Natalie parlait portugais.

— Je suis désolée, mademoiselle Reyes, dit-elle, mais Santa Teresa est l'un des mieux hôpitaux dans Brésil. Notre système d'enregistrement électronique fonction très bien. Vous n'êtes pas admise le 18 juillet, vous n'avez pas opération dans aucune salle chez nous. Et vous n'êtes pas patiente chez nous pendant douze jours, même pas un seul jour. Vous demande si je suis sûre de ce que je dis. Je vous dis que je peux le jurer sur mon carrière. Non, je peux le jurer sur mon vie.

— Merci, senhora Da Soto, dit Natalie, sentant son cœur battre plus fort, tout en refusant de croire que cette femme, pourtant si sûre d'elle, n'avait pas négligé un détail. Je sais que cela a dû être difficile pour vous de me parler de cela sans avoir la preuve de mon identité.

— Je vous en prie.

— J'ai une dernière question.

— Oui ?

— Pourriez-vous me donner le numéro du poste de police qui aurait été susceptible de s'occuper de mon agression par balles ?

Chapitre 20

Il réunit toutes sortes de traits et de caractères et il est bien le bel homme qui correspond à la cité démocratique.

PLATON, *La République*, Livre VIII.

SANDY *MACFARLANE ÉTEIGNIT* le néon rouge et vert même si en théorie, la cafétéria était encore ouverte pendant dix minutes. Qu'est-ce que ça pouvait faire, les Corliss ne lui en voudraient pas. Depuis six ans qu'elle était à leur service, elle avait à peine manqué une journée. C'était une jolie femme aux cheveux orange, et à la silhouette sensuelle et désirable qu'elle exhibait souvent en déplorant les kilos qu'elle avait à perdre.

— Tu fermes en avance, Sandy ? demanda Kenny Hooper.

Hooper, un veuf d'une bonne soixantaine d'années, travaillait toujours à plein temps pour Tennessee Stone and Gravel. Rien ni personne ne l'attendait chez lui hormis son vieux chien de chasse, aussi chaque soir après le travail venait-il dîner au Big Bend.

— J'ai des choses à faire, Kenny, dit Sandy. En plus, personne ne viendra d'ici la fermeture. J'ai un sixième sens pour ces trucs-là.

Sandy n'aimait pas mentir, même pour quelque chose d'aussi insignifiant que ses projets pour la soirée, mais si Twin Rivers, dans le Tennessee, était championne du monde de quelque chose, c'était bien en ragots, et Kenny Hooper n'était pas le dernier dans ce domaine. S'il apprenait qu'elle sortait avec l'un de ses clients, toute la ville le saurait en un rien de temps et le moindre péquenaud du coin, marié ou non, se mettrait à la draguer. Une célibataire avec un enfant de huit ans et un corps correct suscitait déjà suffisamment de ragots, pas la peine que les gens croient qu'elle était désespérée.

Mais Rudy Brooks semblait valoir la peine qu'elle prenne ce risque.

— Y aurait pas moyen d'avoir un dernier petit noir avant que tu vides la cafetière ? demanda Kenny.

Sandy s'apprêtait à répondre que la cafetière était déjà vide et les filtres nettoyés lorsqu'elle vit que l'homme fixait du regard l'appareil derrière le bar.

— Bon, d'accord, dit-elle en remplissant une tasse et en ajoutant deux sucres et deux capsules de crème sans qu'il ait besoin de le lui demander. Mais dépêche.

Hooper la regarda se recoiffer et se remettre un soupçon de rouge à lèvres devant le miroir derrière le bar.

— T'es sûre que t'as juste des choses à faire ? demanda-t-il avec une lueur dans le regard.

— Contente-toi de boire ton café, Kenny Hooper. Tiens. Voilà la dernière part de tarte aux myrtilles. J'allais la jeter de toute façon.

Rudy était un Texan buriné et élégant, qui portait un jean et un tee-shirt de sport qu'on ne trouvait pas dans n'importe quel magasin des surplus de l'armée. Il avait la taille étroite et les épaules très larges, exactement ce qui lui plaisait chez un homme. Mais ce qui l'avait vraiment fait craquer, c'était son sourire. Il était sexy et rusé, comme un bandit qui savait que, quelle que soit la rapidité de son adversaire, il dégainerait plus vite. Bien sûr, à Twin Rivers, les hommes disponibles ne couraient pas les rues, et très peu, voire aucun, ne ressemblaient à celui-là.

Sandy finit de nettoyer et effectua une dernière vérification de la cuisine. Rudy était peut-être marié, songea-t-elle. Les hommes mentaient tout le temps là-dessus. Ce soir, ils se retrouvaient simplement au Green Lantern pour boire un verre. Pas de lézard. Si, comme il le disait, sa boîte allait construire le premier centre commercial de Twin Rivers et qu'il venait régulièrement surveiller le chantier à l'ouest de la ville, il aurait bien l'occasion d'aller plus loin. Peut-être un tas d'occasions.

— Alors, Sandy, il est où le petit Teddy ce soir ? C'est Nick qui le garde ?

— Teddy est chez Nick tous les mercredis.

— J'ai entendu dire que ton ex avait fait un sacré barouf chez Miller l'autre soir. Il a fallu quatre hommes pour le mettre dehors. Moi je dis qu'il a un problème, ce gars.

— Et moi je dis qu'on ne te demande pas ton avis, sauf si tu as des preuves et que ça concerne Teddy.

Sandy sentit son cœur se serrer à l'idée de Nick retombant dans l'alcoolisme. Certes, à sa connaissance, il n'avait jamais frappé leur fils, mais elle, il l'avait frappée bien souvent au cours de leurs cinq années de mariage, et toujours lorsqu'il avait bu. Elle avait parlé au juge de son tempérament et de son problème avec l'alcool, et elle avait même fourni des témoignages appuyant ses déclarations, en demandant à ce que Teddy ne passe jamais la nuit chez son père, à moins qu'il ne suive une quelconque thérapie. Mais le juge croyait fermement qu'un enfant a besoin de ses deux parents, et il n'avait pas donné suite à sa requête. Donc, chaque mercredi et un samedi sur deux, elle ne pouvait que prier pour que Nick reste maître de lui et que sa petite amie Brenda y aille elle aussi mollo sur l'alcool ; le lendemain, elle posait des questions indirectes à Teddy pour savoir s'il y avait eu des problèmes.

Bien qu'il n'y ait eu aucun incident lié à l'alcool, en tout cas jusqu'à maintenant, la vérité, c'était que Sandy souffrait dès que son fils était loin d'elle, même s'il passait juste la nuit chez un copain. Il était le genre d'enfant pour qui elle ne regrettait pas de travailler autant. Les gens l'adoraient dès qu'ils le rencontraient. Il était comme ça. Peut-être que c'était son sourire, ses taches de rousseur, ou tout simplement le fait qu'il n'ait jamais rien fait ni dit de méchant à personne de toute sa vie. Quelle que soit la raison, Sandy savait comme tout le monde dans la ville que Teddy Macfarlane deviendrait quelqu'un.

Finalement, après ce qui lui parut une éternité, Kenny Hooper quitta sa table, laissa assez d'argent pour l'addition, plus le billet habituel de cinq dollars en pourboire, puis il sortit d'un pas traînant. Ayant jeté un coup d'œil anxieux sur l'heure, Sandy essuya la table de Hooper et éteignit les lumières. Elle se hâta vers sa Mustang décapotable rouge pompier, décida de laisser le toit fermé, dans l'intérêt de sa coiffure, et sortit du parking sur les chapeaux de roues pour prendre l'autoroute de Brazelton. Cette ville, de la même taille que Twin Rivers, était beaucoup plus intéressante, avec plus de bars et de clubs, semblait-il, que d'habitants. Elle avait déjà parcouru trois kilomètres sur l'autoroute quand elle prit son portable pour appeler Nick.

Elle n'avait pas l'habitude d'interrompre les moments que Teddy passait avec son père, et Nick détestait ça, mais même toute excitée par son rendez-vous avec Rudy Brooks, elle ressentait le douloureux besoin d'avoir son fils et aussi de vérifier comment allait le père.

— Allô ?

— Salut, c'est moi.

— Ouais ?

— J'appelais juste pour savoir comment ça se passait.

— Ça se passe bien. Pas de problème.

Cette petite conversation suffisait à montrer que Nick avait déjà bu un coup de trop, même s'il n'était pas encore ivre. C'était toujours son élocution qui le trahissait. Toutefois, le mentionner était le meilleur moyen de se faire raccrocher au nez.

— Tu crois que je pourrais dire bonne nuit à Teddy ?

— Il regarde des dessins animés avec Bren. Je ne veux pas le déranger, sauf si tu as un truc vraiment important à lui dire.

— Non, non pas vraiment. Je voulais juste lui souhaiter une bonne nuit.

— Je lui dirai que tu as appelé.

— Oui, s'il te plaît, Nick, n'oublie pas.

— A demain.

— Oui... merci.

Impuissante, Sandy reposa son portable. Presque instantanément, il se mit à sonner.

— Sandy, salut, c'est Rudy.

Merde, songea-t-elle, *d'abord Nick qui ne veut pas me laisser parler à mon fils et maintenant l'autre qui va me poser un lapin.*

— Salut ! dit-elle. Je viens de sortir du travail. Ça marche toujours pour ce soir ?

— J'ai attendu ce moment avec impatience toute la journée.

Au moins quelque chose qui se passait bien.

— C'est gentil. Ben moi aussi j'ai hâte de te voir, Rudy Brooks.

— Il y a juste un petit changement. Je suis encore sur le site du centre commercial avec un des prestataires, Greg Lumpert, je crois que tu le connais.

— Je vois qui c'est mais nous ne nous connaissons pas personnellement.

— Bref, moi et Lumpert, on a un truc à terminer. Tu aurais moyen de passer ici quelques minutes ? On aurait besoin de ton opinion. Le site est juste sur la route du Green Lantern, tout près de l'autoroute de Brazelton.

— Je... je crois, bien sûr, dit Sandy en supposant que Greg Lampert n'était pas du genre à lancer des ragots sur elle, et soulagée que le rendez-vous avec Rudy ne soit pas annulé.

Rudy lui décrivit en détail l'embranchement où elle devrait tourner, bien que ce ne soit pas la peine. Sandy savait exactement où cela se trouvait.

— J'y serai dans moins de dix minutes, dit-elle.

— Génial. On se voit bientôt au clair de lune.

La route du futur centre commercial était à peine à plus d'un kilomètre de l'autoroute dans une zone boisée encore largement inexploitée qui avait fait l'objet de multiples spéculations au cours des dernières années. Sandy trouvait cela excitant et même jouissif d'être impliquée dans un projet qui changerait le paysage de la ville qu'elle connaissait si bien.

Elle sortit de l'autoroute et emprunta une route en terre caillouteuse en ralentissant pour éviter de toucher une pierre ou d'envoyer un caillou dans le pot d'échappement. Ses phares éclairaient par intermittence la forêt devant elle. Au moment exact où elle pensait qu'elle était trop loin de l'autoroute et qu'elle avait peut-être pris le mauvais embranchement, la forêt fit place à une clairière de bonne taille dans laquelle on avait commencé d'importants travaux de terrassement. Sur un côté de la route était garée une Ford Bronco, à côte de laquelle se tenait Rudy, seul, appuyé au capot. Juste derrière la Bronco, tout près de la lisière des arbres, se trouvait un énorme camping-car. A l'intérieur, les lumières brillaient à travers les deux immenses fenêtres de l'avant.

Rudy lui fit un signe. Il portait un jean ajusté, des bottes de cowboy brodées et un tee-shirt de sport coloré à manches longues. *Un bel homme,* songea Sandy.

— Salut, lança-t-elle.

— Tu es très belle.

— Merci. Où est Greg Lumpert ?

— Oh, sa femme a appelé. Un problème chez lui. Nous avions presque fini, alors je lui ai dit d'y aller.

— Tu es sûr que c'était sa femme ? J'étais persuadée qu'elle était morte il y a quelques années.

— Je crois que c'est ce qu'il m'a dit, répondit Rudy, mais j'ai pu mal comprendre. J'avais autre chose en tête.

Il donna un coup de coude à Sandy pour souligner son propos et lui fit son sourire de bandit. Après ses deux visites au Big Bend, elle avait remarqué qu'il avait l'air costaud, mais ce soir il lui semblait plus grand et plus fort encore.

— Alors, c'est quoi ce bus ?

— Appeler ça un bus, c'est comme appeler Jessica Simpson une fillette.

Sandy décida de ne pas préciser qu'elle ne pouvait pas supporter Jessica Simpson.

— Est-ce qu'il appartient à ta société ? demanda-t-elle à la place.

— C'est comme ma maison quand je suis loin de chez moi pour travailler sur un chantier. Tu veux jeter un coup d'œil ?

Soudain, sans pouvoir l'expliquer, Sandy se sentit mal à l'aise.

— Une autre fois peut-être. C'est comme, je ne sais pas, comme si c'était ta chambre d'hôtel.

— Je ne le vois pas comme ça, dit Rudy, mais comme tu voudras.

Sandy balaya du regard la noirceur environnante. Le bruit de circulation de l'autoroute était à peine audible.

— On devrait peut-être y aller, dit-elle avec nervosité. Il paraît que le groupe qui joue ce soir au club est super.

— Y a pas le feu, déclara Rudy sans bouger de sa place près de la camionnette.

— Rudy, s'il te plaît, allons-y. Je commence à flipper, ici.

— Fais-moi confiance, poupée, il n'y a pas de quoi flipper.

A quelques pas de lui, elle le regarda avec étonnement et une angoisse croissante prendre un mouchoir en tissu dans sa poche, le plier soigneusement sur le capot du Bronco et l'imbiber entièrement avec quelque chose qu'il sortit d'une flasque en métal.

Sandy évalua la distance qui la séparait de la Mustang. Elle avait peu de chance d'y parvenir à temps. Puis l'odeur douceâtre et écœurante du chloroforme lui parvint. A ce moment exact, la porte de l'énorme camping-car s'ouvrit et une jeune femme mince, blonde et bien faite en sortit.

— Salut Sandy, appela-t-elle, joviale, viens, on va te faire faire le tour du propriétaire !

Par pur réflexe, Sandy pivota en direction de la voix. A cet instant, sa dernière chance de résister s'évanouit. Rudy parcourut la distance qui les séparait en deux enjambées rapides et appliqua le tissu imbibé de chloroforme sur sa bouche et son nez si fermement qu'elle ne pouvait même pas se débattre. En quelques secondes, la scène autour d'elle se mit à tourbillonner, puis à disparaître. Il y eut une explosion de terreur dans son esprit, qui fut instantanément remplacée par une seule image, un seul mot. *Teddy.* La vision de son fils fut la dernière chose que vit Sandy avant d'être avalée par les ténèbres.

Quinze minutes plus tard, le rutilant Winnebago Adventurer tournait à gauche sur l'autoroute de Brazelton. Il était suivi à bonne distance par une Mustang rouge décapotable. Au bout de vingt-cinq kilomètres d'autoroute, le camping-car parcourut en cahotant un chemin de terre de trois kilomètres qui se terminait à Redstone Quarry, un petit lac qui avait la réputation auprès des autochtones d'être sans fond. Le plongeon du bord de la falaise à la surface de l'eau était de quatre mètres. La Mustang vide s'évanouit dans l'obscurité avant même d'avoir heurté la surface. Personne, à l'exception de l'homme qui se faisait appeler Rudy Brooks, n'entendit les éclaboussures.

Chapitre 21

Celui qui est destiné à être gardien, outre la colère, [...] il faut qu'il soit naturellement philosophe ?

PLATON, *La République*, Livre II.

— NATALIE, VOUS ÊTES CENSÉE reprendre votre stage de chirurgie la semaine prochaine.

Le doyen Goldenberg lui montrait la pile de paperasse qui avaient été nécessaires pour lui faire réintégrer l'école.

— Je sais.

— Et vous pensez être capable physiquement de supporter ce voyage ?

— Dès l'instant où j'ai fini de passer ces coups de fil, j'ai consacré au minimum trois heures par jour à ma rééducation. Mes tests de fonctionnement pulmonaire se sont améliorés de près de vingt-cinq pour cent depuis l'incendie. Je suis même capable de faire un jogging.

— Et maintenant, vous voulez reprendre un congé ?

— J'ai l'impression que j'y suis obligée.

La scène dans le bureau de Goldenberg ressemblait en tout point au jour où Natalie avait été suspendue, sauf que la situation s'était inversée. En plus de Natalie et du doyen étaient présents Doug Berenger et Terry Millwood. Veronica avait proposé de venir pour la soutenir moralement, mais Natalie ne voyait pas pour quoi elle l'aurait arrachée à son stage en obstétrique.

Après la première série de coups de téléphone dans les différents départements de l'hôpital Santa Teresa, Natalie avait pris contact avec plusieurs postes de police de la ville de Rio. D'après ce qu'elle avait compris, il existait une loi qui obligeait les hôpitaux à faire un rapport sur les blessures par balle, or aucun rapport n'avait été fait à son sujet et la police ne possédait aucune information sur cette agression.

Dès le lendemain matin, elle avait demandé à sa mère de l'aider pour tenter d'en savoir plus. Les résultats avaient été identiques, avec un nouvel échec : l'impossibilité de trouver un Dr Xavier Santoro dans le personnel de l'hôpital ni même dans toute la ville. Une heure après le dernier appel de sa mère – au conseil de l'ordre de l'Etat de Rio de Janeiro, où il n'y avait nulle trace d'un Dr Xavier Santoro –, Natalie était revenue au centre de rééducation et elle s'était forcée à faire une série d'exercices d'aérobic et de respiration. Le lendemain matin, elle appelait sa kiné respiratoire et lui présentait ses excuses en lui demandant d'autres séances, beaucoup plus de séances.

— Terry, vous avez le rapport de la pneumologue de Natalie ? demanda Goldenberg.

— Oui. Rachel French me l'a laissé parce qu'elle ne pouvait être présente ce matin.

Millwood lui tendit le document et le doyen le parcourut, avec un signe de tête indiquant que ses conclusions étaient claires.

— Natalie, vous avez pris du retard si vous voulez recevoir votre diplôme en même temps que ceux de votre promo, dit-il. Et vous dites vous-même que toute cette affaire au Brésil est sans doute un malentendu causé par les barrières linguistiques et la difficulté à négocier avec une administration hospitalière qui se trouve à des milliers de kilomètres.

— Si en arrivant là-bas je découvre que l'hôpital et la police possèdent des dossiers sur moi, je rentrerai par le premier vol disponible. Je n'essaierai pas de découvrir qui est le Dr Santoro ni où il se cache.

— Doug, vous avez parlé avec ce Dr Santoro ?

— Une fois, répondit Berenger. D'après Nat, cet homme a dit qu'il savait qui j'étais, mais de mon côté je n'avais jamais entendu parler de lui. J'ai surtout discuté avec une infirmière du service de chirurgie, dont j'ai oublié le nom.

Goldenberg eut l'air désemparé.

— Natalie, déclara-t-il, comme vous le savez et avec votre permission, je me suis entretenu avec le Dr Fierstein, votre thérapeute. Elle ne pense pas qu'il soit dans votre intérêt d'y aller. Apparemment, vous avez encore des réminiscences importantes de la soirée où on vous a tiré dessus.

— Cela a commencé à l'hôpital de Rio. Le Dr Fierstein pense qu'il s'agit d'un symptôme de stress post-traumatique.

— Je sais. Elle craint que votre retour sur les lieux de votre traumatisme puisse avoir des conséquences désastreuses sur votre psychique.

— Docteur Goldenberg, dit Natalie. Terry sait ce que je m'apprête à vous dire mais personne d'autre n'est au courant. Au moment où ma compagnie d'assurances m'a appelée, j'envisageais sérieusement de me donner la mort. J'avais l'impression que ma situation était sans espoir et que je vivrais soit handicapée par mon insuffisance respiratoire, soit affaiblie par le traitement antirejet nécessaire lors d'une greffe. Ces deux possibilités me font toujours peur mais dès l'instant où j'ai eu fini cette première série d'appels au Brésil, j'ai brûlé d'envie de trouver les réponses à cette question : pourquoi n'existe-t-il aucun dossier sur un événement qui a changé aussi radicalement le cours de ma vie ? Si je dois perdre ma bourse et perdre une année de médecine, alors tant pis.

Les trois médecins échangèrent des regards.

— Bon, d'accord, dit enfin Goldenberg, voilà le mieux que je puisse faire. Je vous donne deux semaines, que je retire de votre stage libre. La moitié des étudiants ne bossent pas pendant leur stage libre, de toute façon. Obstétrique à San Francisco, dermatologie à Londres... Vous croyez tous qu'on ne le sait pas, mais pour être honnêtes, nous faisions la même chose quand nous étions étudiants.

Les trois autres sourirent.

— Alors Nat, demanda Millwood, tu pars quand ?

— Dès que j'aurai trouvé un billet.

— Sam, je vous remercie, dit Berenger, en se levant et serrant la main du doyen. Si je puis me permettre, je pense que vous avez pris la bonne décision.

Il escorta Natalie hors du bureau vers la salle d'attente, puis il attendit que Millwood soit parti avant de sortir une enveloppe de la poche de sa veste.

— Nat, dès l'instant où tu m'as dit ce qui se passait, j'ai su que tu retournerais au Brésil. Je l'ai su parce que je te connais. Puisque c'est moi qui t'ai envoyé là-bas au départ, j'ai pensé que t'aider à retourner à Rio pour démêler tout ça, c'était le moins que je puisse faire.

— Des billets ! s'exclama Natalie sans même ouvrir l'enveloppe.

— Des billets de première classe, précisa Berenger.

Natalie l'enlaça sans gêne sous le regard amusé de l'assistante de Goldenberg.

— Ils sont pour quand ? demanda Natalie en ouvrant nerveusement l'enveloppe.

— Qu'est-ce que tu crois ? Rappelle-toi, je ne suis pas plus patient que toi. Et puis, comme tu le sais, ma femme possède une agence de voyages.

Natalie prit un instant pour regarder la date de départ sur le billet.

— Demain !

— Maintenant c'est à toi de jouer, déclara Berenger. J'espère que tu réussiras rapidement à y voir clair.

— Moi aussi.

— Ah, et j'espère autre chose aussi.

— Quoi donc ?

— J'espère que tu prendras un bus pour te rendre en ville au lieu d'un taxi.

*

Le médecin connu parmi les Gardiens sous le nom de Laërte faisait les cent pas dans le bureau de sa résidence secondaire sur la côte anglaise surplombant l'embouchure de la Tamise. Il était professeur de chirurgie à Saint-George à Londres, et conférencier renommé dans le monde entier pour sa spécialité : la transplantation cardiaque. Il était également un des membres fondateurs des Gardiens. Au cours des six derniers mois, il avait effectué son mandat au sein de la société secrète comme PR, Philosophe Roi, assumant la responsabilité au quotidien et, en de rares cas, tranchant le débat sur les sujets controversés.

— Glaucon, redites-nous cela, lança-t-il en direction du haut-parleur de son bureau Louis XIV.

— Le patient est W., le n° 81 sur votre liste, répondit Glaucon, le jeune et brillant urologue spécialiste de transplantation rénale, qui appelait de Sydney. Comme vous le voyez, c'est un industriel, l'un des hommes les plus puissants sur le plan économique comme sur le plan politique ; il a cinquante-huit ans et il pèse à peu près quatre milliards de dollars, dont il est prêt à nous céder une partie substantielle en échange de nos services. Sa situation cardiaque est passée de stable à critique et sans une transplantation, il mourra dans les toutes prochaines semaines.

— Je lis que c'est un gros fumeur.

— Oui, mais il a promis d'arrêter.

— Mais il y a un problème.

— Oui, sa combinaison d'anticorps est très inhabituelle.

— Quel est le mieux que nous ayons trouvé dans notre base de données ?

— Un huit sur douze, qui l'obligerait à subir un traitement agressif de médicaments immunosuppresseurs et augmenterait, bien évidemment, la possibilité du rejet de greffe.

— Toutefois, intervint Laërte, nous avons trouvé un donneur de compatibilité douze sur douze dans l'état du Mississippi.

— Alors quel est le problème ? demanda Thémistocle.

— Le donneur est âgé de onze ans.

— Je vois. Son poids ?

— Là, nous avons de la chance. Il est rond. Notre homme estime qu'il pèse cinquante-quatre kilos.

— Et le receveur ?

— Soixante-dix-sept kilos.

— Ça fait une différence de trente pour cent. Est-ce que cela va marcher ?

— Une différence de moins de vingt pour cent serait idéale,

c'est sûr, mais W. a un excellent cardiologue. Avec un repos forcé et un traitement, la transplantation pourrait fonctionner un moment et nous donner le temps de chercher quelque chose de plus compatible.

— Combien de temps ?

— Peut-être un mois, plus ou moins.

— Profil du donneur ?

— Rien de spécial. Un enfant parmi une fratrie de quatre. Le père boit trop, la mère travaille chez un teinturier.

— Notre hôpital en Nouvelle-Guinée est prêt et je suis partant pour faire le voyage dès que le donneur aura été récupéré et transféré ici.

— Donc, je repose la question, fit Thémistocle, quel est le problème ?

Chapitre 22

La louange du sage est décisive; et il loue sa propre vie.

PLATON, *La République*, Livre IX.

De : Benjamin M. Callahan
A : Monsieur le député Martin Shapiro

Objet : Enquête sur Mme Valerie Shapiro

Vous trouverez ci-joints les disques et photographies associés à mon enquête sur votre épouse. Ma conclusion, avec un très haut degré de certitude, est que Mme Shapiro n'est impliquée dans aucune aventure au sens trivial du terme. Au cours de mon enquête, à quatre reprises, Mme Shapiro s'est rendue dans la maison (voir photo) d'Alejandro Garcia, un mécanicien du garage Goodyear au 13384 Veteran's Parkway à Cicero, et de sa femme Jessica (voir photos). Les deux fois, elle est restée plus d'une heure et à chaque fois elle est ressortie avec une fillette d'une douzaine d'années (photos). Chaque fois, elles sont allées faire des courses, achetant surtout des vêtements. Leur relation était chaleureuse et aimante et deux fois j'ai entendu la fillette l'appeler Tata Val. Vous trouverez ci-joints les documents prouvant que le nom de jeune fille de Mme Garcia est en fait Nussbaum, le même que celui de votre femme. Ils n'ont pas d'autre enfant. On pourrait approfondir énormément cette enquête mais je peux d'ores et déjà vous dire que je suis persuadé que Julie Garcia est en réalité la fille de votre épouse, née lorsque celle-ci avait seize ans, puis adoptée par sa sœur (âgée de treize ans de plus qu'elle). J'ai entendu dire que le notaire Maître Clement Goring (voir coordonnées ci-jointes) avait réglé les formalités de l'adoption lui-même ou bien était en mesure de dire qui l'avait fait.

Manifestement, votre femme vous a caché certaines choses, mais pas celles auxquelles vous pensiez.

Comme je vous l'ai dit lorsque j'ai accepté cette enquête, je pouvais vous consacrer un mois, mais pas davantage, en tout cas pas avant mon retour d'un voyage pour une autre affaire.

Je vous souhaite bonne chance pour régler cette crise. J'espère que vous serez d'accord avec mes conclusions et que j'ai pu vous être utile.

BEN GLISSA CE RÉSUMÉ dans une enveloppe remplie de photos, documents, DVD et une facture, dont le règlement résoudrait ses problèmes financiers pendant quelque temps. De toutes ses affaires récentes, celle-ci était sans conteste la plus gratifiante. Un député plein d'avenir, Martin Shapiro, était marié à une femme pratiquement deux fois plus jeune que lui, brillante, belle, cultivée, alliance qui représentait un atout politique pourvu qu'ils puissent régler leurs problèmes. L'un de ces problèmes concernait sa femme qui à l'âge de seize ans n'avait pas pu mettre un terme à sa grossesse, sans pour autant être capable d'élever un enfant.

Les Shapiro semblaient tous deux des gens bien et Ben leur souhaitait bonne chance. A présent, il était temps d'achever son travail sur Lonnie Durkin. Il était surpris de se découvrir un tel sens du devoir alors que ces derniers temps plus rien ne l'atteignait. Mais depuis son voyage en Idaho, il n'avait pas pu ôter de son esprit la tristesse et le chagrin infini sur les visages de Karen et Ray Durkin.

Il était convaincu que les employés des laboratoires Whitestone partout dans le pays et selon toute probabilité dans le monde, étaient malgré eux complices de ce trafic et il avait besoin de savoir ce qui se tramait.

Tandis qu'Althea Satterfield papillonnait dans son appartement, Ben prépara une valise avec des vêtements chauds et sortit suffisamment de nourriture pour chat pour deux semaines. Puis, après avoir embrassé sa vieille voisine et grattouillé l'oreille de Pincus, il descendit en hâte les escaliers jusqu'à sa Range Rover noire qu'il avait depuis cinq ans. La voiture était endommagée par une demi-douzaine d'éraflures qui lui coûteraient trop cher à réparer, mais en dépit d'un manque d'entretien certain, le moteur était toujours sain. D'ailleurs, la veille, le mécanicien de Quicky Oil Change lui avait donné le feu vert pour entreprendre le trajet de mille sept cents kilomètres jusqu'à Fadiman, Texas.

En plus de sa valise et d'une paire d'haltères de douze kilos, Ben posa sur la banquette arrière son sac en cuir marocain, rempli de matériel neuf, dont plusieurs appareils d'écoute, une lunette de vue nocturne qui n'avait jamais servi mais pouvait être utile, trente mètres de corde à linge et un nouveau couteau suisse. Finalement, il transféra son Smith & Wesson .38 spécial, fraîchement huilé, de son étui en velours à un holster qu'il dissimula sous des papiers dans la boîte à gants.

Au départ, Alice Gustafson, qui l'appelait désormais par son prénom, avait été aussi excitée et enthousiasmée que lui au sujet des découvertes à Cincinnati et au laboratoire Whitestone de Soda Springs, mais au cours des semaines suivantes, elle était devenue beaucoup plus prudente.

— Ben, je crois que nous devrions appeler le FBI, avait-elle dit lors de leur dernier entretien.

— Pour leur dire quoi ? Nous n'avons aucune preuve formelle de quoi que ce soit. Il y a des chances pour que les gens de Whitestone puissent facilement parer une attaque aussi faible que la nôtre. Ensuite il leur suffira de recommencer ailleurs sous une autre forme.

— J'ai des amis qui font des recherches sur ce groupe, avait dit Gustafson, et ce qu'ils ont découvert m'inquiète beaucoup. Whitestone, dont le siège est à Londres, a pour fer de lance financier ses laboratoires et sa recherche pharmaceutique. Ils sont peut-être l'une des entreprises privées avec la plus forte croissance au monde.

— Leurs médicaments ?

— Pour la plupart, des médicaments et des génériques légaux en Europe et en Afrique mais pas ici, du moins pas encore. Ben, je crois que nous nous attaquons à plus fort que nous.

— Et alors ?

— Alors je ne veux pas qu'il vous arrive malheur.

— Croyez-moi, je ne suis pas un héros, mais il arrive déjà malheur à plein de gens dans cette affaire, et peut-être un grand nombre. Il y en aura de plus en plus jusqu'à ce que l'on arrête ces types. Un médecin prescrit un test de glycémie et son patient est enregistré à son insu dans une base de données pour son typage HLA. C'est comme s'ils se baladaient avec une bombe à retardement dans leur poche. Combien de ces tubes de sang – soi-disant utilisés pour le contrôle qualité – sont envoyés chaque jour à Fadiman, au Texas ? Combien de profils sont ajoutés quotidiennement dans leur base de données ?

Alice Gustafson secoua tristement la tête.

— Je m'inquiète, c'est tout, dit-elle. Tous ces labos de prélèvements sanguins, ce mobile home, ces armes, cette brute qui a failli vous tuer, ce ne sont pas des petits malfrats.

— Hé, fit Ben, où est passée la femme qui s'est déguisée en infirmière pour entrer dans une salle d'opération en Moldavie afin d'obtenir des preuves sur le commerce illicite de reins ? Si je me souviens bien, sur ce coup-là, vous avez obtenu des arrestations.

— C'est l'une des premières affaires au cours desquelles nous avons véritablement réussi à mettre hors d'état de nuire un revendeur d'organes et un chirurgien, dit-elle avec un brin de nostalgie, au moins temporairement.

— Professeur, sur Google et Yahoo ! il y a plus de cent mille articles sur vous, qui racontent comment vous vous êtes baladée sous de fausses identités, comment vous avez fait perdre des centaines de millions de commissions à des intermédiaires, risquant votre vie pour des gens qui étaient dans la misère. Il ne me semble pas que vous ayez jamais reculé devant quoi que ce soit !

— Je crois qu'à cette époque j'étais jeune et guère raisonnable.

— Eh bien, vous avez donné l'exemple et vu les honoraires que vous me versez, je braverais n'importe quel danger.

– Très drôle. D'accord Ben, faites ce que vous avez à faire, mais je vous en prie, soyez prudent.

— Promis.

— Et à propos de paiement...

— Oui ?

— Voilà déjà ma carte de station essence Sunoco.

Une nouvelle nuit sur la route à jouer le détective, un autre motel à petit budget, en Oklahoma, celui-ci. A trois heures et demie du matin, Ben était toujours réveillé, les yeux ouverts dans l'obscurité de la chambre 118. A quatre heures et demie, il s'était douché, avait fait ses bagages, pris une tasse de café à la réception et repris la route. Il avait toujours trouvé sublime la rudesse du désert et sa palette de couleurs, mais jamais autant que ce matin-là, avec le sable et les buissons de sauge baignées par les teintes pastel du petit matin, qui s'étendaient à l'infini de chaque côté de l'autoroute.

Il laissa le lecteur CD éteint et les fenêtres ouvertes et réfléchit à ce qui l'attendait à Fadiman. Bientôt, il se mit à repenser à *Fred et Ed*, une bande dessinée qu'il lisait religieusement dans le journal hebdomadaire de sa fac. Dans son épisode préféré, Fred, le dégingandé un peu lent, un immense filet et une grande corde à la main, annonce à son ami bien plus petit et futé que lui qu'il part à la chasse à l'alligator.

« Si tu en attrapes un, qu'est-ce que tu vas en faire ? demande Ed.

— Je n'y ai pas encore réfléchi », répond Fred.

Tout à fait idiot, tout à fait profond.

Ben arriva à Fadiman un peu après midi. La ville assoupie aurait pu servir de décor au classique de Bogdanovitch *La Dernière Séance*. C'était indéniablement plus grand que Curtisville, en Floride, qui abritait la station-service et la supérette de Schyler Gaines, mais l'esprit des deux lieux était assez semblable. Le panneau en bois à l'entrée de la ville, écaillé et percé de nombreux impacts de balles, annonçait que Fadiman était fermement ancré dans le passé mais tourné vers l'avenir. D'après ce que Ben put distinguer pendant le trajet vers le centre-ville, les principales industries qui faisaient le pont entre deux âges étaient les concessionnaires de mobile homes et de camping-cars, ainsi que des garde-meubles. Il y en avait trois de chaque, rien que dans ce quartier.

Ressentant de plus en plus le besoin de se restaurer et prendre une douche, mais sans plus de plan d'action que le personnage de la BD avec les alligators, Ben descendit doucement Main Street, ponctuée par quatre ou cinq feux de circulation et large comme seules le sont les grandes rues du Midwest. Il dénombra cinq bars, qui tous servaient des repas, mais dont aucun ne semblait en mesure de passer avec succès un contrôle sanitaire. A vrai dire, l'ambiance lui était égale et il était loin d'être un gourmet, mais il venait d'arrêter le Zantac et le Maalox et ses brûlures d'estomac le laissaient enfin en paix. Au second passage, il repéra deux restaurants qu'il avait ratés la première fois, *Mother Molly's* et le *Hungry Coyote*. Le choix était facile.

Molly's, décoré dans le genre cow-boy et ranch, était en réalité plus grand et plus pittoresque que ce que Ben avait imaginé. Des box avec des banquettes en cuir rouge et du bois sombre étaient disposés le long des murs et des tables avec des sets à carreaux rouges et blancs au centre de la pièce. Environ un tiers des places étaient occupées. La fatigue de son réveil matinal et du long trajet en voiture commençait à se faire sentir. Il hésita tout de même à commander une Coors avec son steerburger aux champignons et cheddar, puis finalement il opta pour un petit coup de fouet de caféine et prit un Coca. La bière pouvait attendre. Il avait du boulot.

Il était arrivé sans trop de difficulté jusqu'à Fadiman, mais n'avait rien trouvé qui ressemble de près ou de loin à une John-Hamman Highway. Dans le laboratoire Whitestone de Soda Springs, il était pourtant certain d'avoir lu l'adresse correctement. A présent, il n'en était plus si sûr. Tout en s'attaquant à son déjeuner, il s'imaginait marchant avec sa corde et son filet, à regarder passer une file interminable d'alligators.

Et maintenant ?

Commençons par le commencement, trancha-t-il, et il fit signe à la serveuse. C'était une femme corpulente aux airs de grand-mère, avec les cheveux argentés coupés court et une allure calme et compétente qui suggérait qu'elle se laissait rarement déborder. Elle portait un badge au nom de Cora.

— Excusez-moi, Cora, je cherche John-Hamman Highway. Est-ce que vous pouvez m'aider ?

Elle le regarda en fronçant les sourcils, puis elle secoua la tête. A ce moment-là, l'autre serveuse passa près d'eux.

— Hé, Micki, dit Cora à voix assez basse pour ne pas déranger les autres clients, John-Hamman Highway, ça te dit quelque chose ?

— Je cherche le laboratoire Whitestone, ajouta Ben.

— John-Hamman Highway, ce n'est pas la même que Lawtonville Road ? demanda Micki. Ils ont changé le nom l'année dernière, tu te rappelles ?

— Ah oui, pour lui donner le nom de ce garçon de Lawtonville qui a eu une médaille pour s'être fait tuer en Irak. Je me rappelle.

— Exactement. Suivez Main Street vers l'ouest et à l'embranchement, prenez vers la droite. Mais le laboratoire Whitestone, ça me dit rien du tout.

— Eh bien, merci, dit Ben soulagé que la rue existe bel et bien. Je vais trouver.

— Oui, vous trouverez.

Cette affirmation venait de l'homme assis seul dans le box voisin. Il avait entre trente-cinq et quarante ans, la mâchoire carrée, les yeux écartés et des cheveux châtains, denses et bouclés.

— Vous connaissez le laboratoire Whitestone ? demanda Ben, sentant d'après l'absence d'interaction entre les serveuses et lui que ce n'était pas un habitant de la ville.

— Je vais là-bas demain pour un travail.

— Vous êtes chimiste ou quelque chose comme ça ?

— Moi ? fit l'homme en se mettant à rire. Oh là, non. Je suis steward. Un de mes collègues de chez Southwest arrondit ses fins de mois en bossant pour Whitestone et ce coup-ci il est pris et je prends sa place. Seth Stepanski.

Ben serra la main de l'homme et constata qu'il avait une bonne poigne.

— Ben, dit-il, sentant que contrairement à ses héros de fiction, il bafouillerait s'il tentait d'inventer un pseudonyme sur-le-champ, Ben Callahan.

Sans attendre d'y être invité, Stepanski posa un billet sur sa table et pivota pour venir s'asseoir face à Ben.

— Vous avez rendez-vous chez Whitestone ? demanda-t-il.

— Non, répondit Ben, réfléchissant à toute allure et prêt à improviser comme il le pourrait de manière à garder l'attention de Seth Stepanski, qui toutefois semblait ravi d'avoir de la compagnie. Je vends du matériel pour les labos et le directeur de Whitestone nous a contactés pour une mise à jour.

— Bon, mais je suis pas sûr qu'ils soient ouverts aujourd'hui, dit Stepanski. Je viens de Corsicana, au sud de Dallas. Le trajet m'a pris beaucoup moins longtemps que prévu, et je me suis retrouvé ici hier soir, alors je suis allé sur place ce matin pour voir s'ils avaient besoin d'aide sur l'avion.

— Et ?

— Je n'ai même pas pu m'approcher des bâtiments. Il y a des clôtures tout le long, avec du fil barbelé en haut. On dirait une prison haute sécurité sans les miradors. C'est loin de tout, au milieu du désert. Il n'y a rien et je dis bien *rien* aux alentours. J'ai aperçu la silhouette de quelques bâtiments au loin, mais quand j'ai sonné au portail et que je me suis présenté, une femme m'a dit que je n'étais pas attendu avant demain et qu'il n'y avait personne pour s'occuper de moi aujourd'hui.

Ben était intrigué.

— Alors vous partez demain soir ?

— Non, non, jeudi matin. Apparemment, ils ont une chambre pour moi demain soir.

— Mais pas ce soir.

— Pas ce soir, répéta Stepanski.

— On dirait que moi aussi je vais devoir attendre jusqu'à demain.

— Ça fait environ trente kilomètres aller-retour. Vous devriez peut-être téléphoner. J'ai eu tort de ne pas le faire.

— Je vais le faire.

— Si vous avez besoin d'un motel, le Quality Inn où je suis n'est pas plus mal qu'un autre.

— Merci, fit Ben en cherchant un moyen de prolonger la conversation. Hé, dites, si j'appelais mon contact chez Whitestone, pour voir si elle est là ? Sinon, on pourrait se trouver un bar de cow-boy, boire quelques bières et peut-être jouer aux fléchettes ?

Est-ce que je me mets à prendre l'accent texan ? se demanda Ben en posant un billet de vingt sur la table. Il se dirigea vers sa Rover, soi-disant pour prendre son téléphone et le numéro de Whitestone. Il se rappela que contrairement à ses héros préférés qui savaient parfaitement comment agir dans ce genre de situation, pour lui, chaque mouvement était une brasse dans des eaux inconnues.

*

Seth Stepanski était tout sauf intéressant. Ses passe-temps préférés semblaient être regarder la télé et « mater les nichons » dans les clubs, et son but principal dans la vie semblait être de trouver une remplaçante à une femme nommée Sherry, qui l'avait laissé tomber, lasse d'attendre une demande en mariage qui ne venait pas.

Ils buvaient leur troisième bière dans un bar mal éclairé qui s'appelait Charlie's et ils attaquaient leur deuxième heure ensemble.

— Les femmes aiment bien sortir avec un steward parce qu'elles peuvent avoir des billets d'avion pas chers pour n'importe quelle destination, dit-il avec une élocution qui commençait à devenir pâteuse.

— C'est sûr, ça peut être intéressant, dit Ben, qui s'était rendu compte qu'il n'avait pas besoin de faire la conversation et qu'il suffisait de la diriger un peu.

Malheureusement, après les quelques informations prometteuses chez Mother Molly's, Stepanski n'avait plus rien à dire. Il ignorait la destination de son vol et il n'avait absolument aucune idée des passagers qui seraient à bord. Il savait simplement qu'il avait besoin de son passeport et qu'une fois à destination, le séjour n'excéderait pas deux ou trois jours. Il ajouta également que la somme qu'il s'apprêtait à toucher équivalait à un mois de salaire chez Southwest.

Etant donné ce qu'avait appris Alice Gustafson sur Whitestone, Ben se demanda s'il pouvait s'agir de dirigeants qui repartaient en Angleterre. Il essayait de trouver autre chose à demander lorsque les yeux de Stepanski s'agrandirent et qu'il fit un geste en direction de la fenêtre.

— Putain ! Regarde ce camion !

Ben pivota et soupçonna que ses yeux aussi avaient dû s'écarquiller. Remontant lentement la rue, comme un vaisseau spatial fuselé, un Winnebago Adventurer gris métallisé – *le* Winnebago Adventurer, il en était certain, songea-t-il en se tordant le cou pour essayer d'apercevoir Vincent au volant.

— Bon Dieu, murmura-t-il.

— Deux cent mille, au moins ! s'exclama Stepanski, avec un sifflement d'admiration. Peut-être plus. Un hôtel roulant.

Presque, songea Ben. *Un autre mot qui commence par H.*

Ils regardèrent en silence l'impressionnant mobile home remonter Main Street en direction de l'ouest. Ben sut que l'alligator venait de sauter dans son filet. Désormais la balle était dans son camp.

Il fallut à Ben une bonne partie de l'après-midi et plusieurs heures loin de Seth Stepanski pour élaborer son plan, se convaincre que c'était une bonne idée, et mettre tout cela à exécution. Il se sentait concentré et motivé mais aussi empli d'appréhension. Mille choses pouvaient mal se passer, certaines pouvaient tout faire dérailler, et d'autres risquaient de le tuer.

Il eut du mal à se débarrasser de Stepanski, surtout qu'Alice Gustafson ne répondait pas au téléphone. Son plan de secours nécessitait qu'Althea Satterfield l'appelle sur son portable.

— Quoi que je dise, madame Satterfield, vous devez vous contenter de m'écouter, lui dit-il lentement, en allant à sa voiture sous prétexte de chercher une carte. Ne dites pas un mot. Pas un mot.

— J'écoute, répétait-elle. Je suis très douée pour écouter, mon petit.

— Je le sais bien. Bon, dans cinq minutes, vous m'appelez sur le portable.

— A ce numéro que j'ai là.

— Exactement. Comment va Pincus ?

— Oh, très bien. D'ailleurs, il n'y a pas quelques heures il a...

— Bon, madame Satterfield, appelez-moi exactement dans cinq minutes à partir de... maintenant.

Sa prestation au téléphone face à Stepanski, tandis qu'Althea, à Chicago, se contentait d'écouter, fut digne d'un Oscar. Au bout du compte, le steward crut que le supérieur de Ben avait contacté leur cliente chez Whitestone et arrangé un rendez-vous chez la cliente en question dans le quartier de Pullman Hills, à quinze kilomètres à l'est de Fadiman. Mais tandis qu'il vaquerait à ses préparatifs, Ben devrait éviter de se faire repérer par Stepanski en faisant des allées et venues dans la ville.

— J'irai m'enregistrer au Quality Inn à mon retour, dit Ben lorsqu'ils se séparèrent dans la rue devant le Charlie's. Gardez un peu d'appétit et si vous voulez on ira dîner ensemble.

Il était presque vingt heures quand Ben s'arrêta près du motel pour y prendre son nouvel ami. Tout était en place sauf la détermination de Ben, qui semblait fléchir de minute en minute. A vingt et une heures quarante-cinq, alors que la ville sombrait dans le sommeil, ils achevaient leurs énormes steaks texans au Rodeo Grill et se dirigeaient vers la Rover à travers un parking presque vide.

— Avant de nous séparer, dit Ben après avoir soutiré à l'homme le plus possible d'informations personnelles, il y a quelque chose que je voudrais te montrer.

Ils roulèrent vers le nord pendant près de vingt minutes. On pouvait soupçonner que la ville de Fadiman s'étendait dans cette direction, mais il faudrait des années, peut-être des décennies avant que la civilisation remplisse tout cet espace. Si Stepanski se posait des questions sur leur destination, cinq bières et un repas copieux l'empêchaient de les formuler.

Enfin, Ben arriva dans l'allée de Budget Self-Storage, le premier garde-meuble qu'il avait vu en arrivant de l'Oklahoma. L'enseigne en néon était éteinte, le petit bureau plongé dans l'obscurité.

— Qu'est-ce qu'il y a ici ? demanda Stepanski, qui ne semblait pas se méfier de l'homme avec qui il venait de passer une bonne partie de la journée.

Ils longèrent la rangée de cubes métalliques rouillés et arrivèrent à l'extrémité de la seconde rangée. C'est là que Ben se gara.

— Bon, Seth, dit-il, il faut qu'on parle.

— Mais qu'est-ce que... ?

Le steward s'interrompit brutalement lorsqu'il se rendit compte que Ben pointait calmement un pistolet entre ses deux yeux.

Chapitre 23

> *L'éducation n'est point ce que certains proclament qu'elle est ; car ils prétendent l'introduire dans l'âme, où elle n'est point, comme on donnerait la vue à des yeux aveugles.*
>
> PLATON, *La République*, Livre VII.

MALGRÉ SA PLACE EN PREMIÈRE, Natalie n'apprécia guère le vol vers Rio. A trois reprises, peut-être quatre, les images du trajet en taxi de l'aéroport aux bidonvilles – les *favelas,* comme les avait nommés sa mère – et l'agression assaillaient ses pensées. Qu'elle soit endormie ou éveillée ne changeait rien. La reconstitution de la scène, ou plutôt la « réexpérience », continuait en dents de scie, parfaitement vivace un instant, vague et mal définie le suivant, plus proche d'un cauchemar sous l'emprise de drogue que d'un mauvais souvenir.

A un moment, elle se réveilla le souffle coupé, en hyperventilation, le front et les lèvres recouverts d'un voile de transpiration.

— Vous vous sentez bien ? lui demanda le vieux monsieur brésilien assis à côté d'elle.

C'était un veuf jovial qui rentrait chez lui après avoir rendu visite à ses enfants et petits-enfants aux Etats-Unis, et qui en tant que professeur à la retraite parlait assez bien anglais.

— Je vais bien, répondit Natalie. Je récupère juste d'un virus, c'est tout.

— Tenez, lui dit l'homme en lui tendant une feuille qui semblait être un e-mail imprimé. Mon fils de Worcester m'a donné ça. Vous savez que nous, les habitants de Rio de Janeiro, nous sommes appelés les Cariocas. Eh bien ce texte humoristique a été écrit par un journaliste carioca pour une publication géniale qui s'appelle *Guide du Brésil à l'usage des Gringos*.

L'humour noir de la liste, qui aurait été drôle dans d'autres circonstances, ne constituait pas vraiment un remède adapté au « virus » de Natalie. Il y avait quatorze paragraphes en tout, dont :

Au centre-ville les émeutes entre vendeurs des rues sont spectaculaires, comparables peut-être aux saumons remontant le courant du Yukon.

Mangueria Hill de nuit est réservé aux braves qui aiment les feux d'artifice. Pas du genre feux de Bengale mais plutôt calibre .8.

Vous aimez regarder des films violents et choquants ? Aucun d'entre eux ne peut rivaliser avec un poste de police à Rio. Comme les policiers aiment à le dire : « Chez nous, si un enfant pleure, même sa mère ne l'entend pas. »

Ras-le-bol des cons et des fainéants de votre ville natale ? Essayez les nôtres. On les trouve en train de légiférer dans les salles de notre Assemblée.

Les toilettes de la Gare principale. Après 22 heures, c'est un no man's land, le plus grand bordel du monde. Choisissez un sexe.

Natalie esquissa un pâle sourire et rendit la feuille à l'homme.

— Je me sens déjà mieux.

Avant de quitter son appartement en direction de Logan, l'aéroport de Boston, Natalie avait envisagé puis rejeté rapidement l'idée de prendre un taxi ou un bus depuis l'aéroport de Rio jusqu'à son hôtel. Au lieu de cela, elle avait réservé en ligne une Jeep à toit amovible. A présent, alors qu'elle sortait de l'aéroport Jobim et se dirigeait vers le sud sur la voie rapide pour entrer dans la ville, elle essayait de garder une respiration régulière et de contrôler son pouls. En grande partie à cause de l'acuité des flash-backs de son agression, elle aurait pu croire que les six semaines qui s'étaient écoulées depuis ce trajet fatal n'avaient duré que six heures.

Les clients de la Maison de l'Amour vont t'adorer. Tu seras très heureuse là-bas...

On était au milieu de la matinée, le temps était déjà chaud et le ciel sans nuage. De temps à autre, tout en conduisant, Natalie jetait des coups d'œil en direction de la route que le taxi avait prise ce soir-là. Il y avait des baraquements entassés au pied des collines désolées. Beaucoup plus haut, se trouvaient des pelouses et des palmiers, ainsi que de superbes demeures qui devaient avoir une vue spectaculaire sur l'océan. Quelque part, dans l'une de ces lugubres *favelas* surpeuplées, elle avait été sortie de son taxi et on lui avait tiré dessus.

L'hôtel qu'elle avait choisi, le Rui Mirador, n'était gratifié que de deux étoiles par l'agence de voyages en ligne qu'elle avait appelée, mais il était qualifié de pittoresque, propre et sûr, trois choses qui plaisaient à Natalie. Il se trouvait dans le Botafogo, un quartier décrit comme à la fois traditionnel et vivant. Ce qui importait à Natalie, c'était que l'hôpital Santa Teresa se trouvait dans ce quartier.

La circulation sur la voie rapide était dense et les conducteurs peu courtois mais elle constata bien vite que ses années de conduite à Boston l'avaient bien préparée à cette expérience. Malgré son état de tension permanente, Nathalie se sentait attirée par ces collines escarpées, cette végétation luxuriante et l'architecture spectaculaire de la région. Botafogo était un couloir assez étroit entre le Centro et les plages de Copacabana et Ipanema. A l'aide d'une excellente carte, elle trouva son chemin, à travers les ruelles, jusqu'au belvédère de Pasmado, la seule attraction touristique qu'elle s'était promis de visiter. Après l'arrêt à Pasmado, elle se mettrait au boulot. Elle n'avait aucune envie de s'attarder à Rio malgré l'attrait que suscitait la ville et comptait reprendre l'avion pour les Etats-Unis dès que l'énigme qui la tourmentait serait résolue. Le reste lui resterait toujours inconnu.

Soudainement lasse du long voyage, Natalie se laissa tomber sur un banc du promontoire et regarda Guanabara Bay et la statue du Christ Rédempteur. C'est beau, pensa-t-elle. Mais elle se rendait compte que cette vue magnifique ne déclenchait en elle aucune émotion.

— Alors, qu'est-ce que vous pensez de notre petite statue ?

Sursautant, Natalie se retourna vers la voix qui lui avait parlé anglais avec un fort accent. Un policier en uniforme se tenait près d'elle, la main droite posée sur une matraque noire en caoutchouc. Il était basané et séduisant dans le genre bellâtre, avec des traits fins et des yeux ténébreux. La plaque épinglée sur sa poche poitrine indiquait VARGAS.

— C'est très beau, très émouvant, dit-elle. Comment avez-vous su que j'étais américaine ?

— Vous ressemblez à une Brésilienne, mais un indice vous a trahie : je vois que vous êtes une touriste, dit le policier avec un geste vers le plan posé à côté d'elle. Or, plus de la moitié des touristes sont américains.

Natalie esquissa un sourire.

— Ma famille vient du Cap-Vert. Vous êtes de la police locale ?

— De la Police militaire, en fait.

— Où avez-vous appris à parler si bien anglais ?

— Je suis flatté. J'ai passé un an dans le Missouri quand j'étais étudiant. Vous êtes à Rio depuis longtemps ?

Natalie secoua la tête.

— Je ne suis même pas encore passée à mon hôtel.

— Ah bon, quel hôtel ?

Peut-être était-ce à cause du cauchemar avec le chauffeur de taxi, peut-être à cause de l'insistance, réelle ou imaginée, dans la voix de l'homme, mais soudain Natalie devint méfiante. La dernière chose dont elle avait besoin en ce moment, c'étaient des avances de la part d'un flic.

— L'Intercontinental, mentit-elle en se levant rapidement. Bon, je ferais mieux d'y aller et de m'enregistrer. Passez une bonne journée.

— Vous connaissez le chemin ? Peut-être que je pourrais...

— Non, non, mais merci. Ce plan et moi, on est en train de devenir les meilleurs amis du monde.

Elle se refusa à regarder l'homme dans les yeux de peur d'y lire la déception, ou pire, la colère.

— Très bien, dit-il. Je vous souhaite un très bon séjour à Rio.

Le Rui Mirador, un édifice en grès brun de trois étages, était comme le décrivait l'agence de voyages en ligne, pittoresque et bien tenu. Quant à la sécurité, l'employé du petit bureau près de l'entrée assura Natalie qu'il y avait quelqu'un vingt-quatre heures sur vingt-quatre à la réception.

— Nous savons tous nous servir de ça, dit-il en portugais, brandissant fièrement un affreux pistolet à long canon, qu'il avait sorti d'un tiroir sous le comptoir.

Sans faire confiance au système de sécurité autant qu'elle l'aurait souhaité, Natalie s'enregistra néanmoins et monta les trois étages pour arriver à une petite chambre qui ne contenait presque rien d'autre que deux lits jumeaux. Deux étoiles, c'est deux étoiles, se dit-elle, mais elle savait aussi qu'elle aurait du mal à dormir. Comme elle ne voulait pas prendre de risque, elle décida qu'il serait avisé d'acheter une bouteille de bon whisky brésilien, ainsi que de rendre une petite visite à la pharmacie. Il était à peine plus de midi une fois qu'elle se fut douchée et changée pour revêtir un tailleur en lin beige et un chemisier à manches courtes turquoise. Il y avait un minuscule climatiseur encastré dans l'une des deux fenêtres de la chambre mais pour le moment ni la chaleur ni l'humidité n'exigeaient qu'elle s'en serve.

La Jeep était garée dans un parking non loin de l'hôtel mais elle pouvait gagner à pied ses cibles du jour, un ou deux postes de police et l'hôpital. La circulation, piétonne comme automobile, l'avait également dissuadée de prendre sa voiture, mais sa décision l'obligeait à affronter le relief escarpé. Comme toujours depuis l'incendie, sa respiration était rarement naturelle et discrète. Les profondes inspirations étaient les bienvenues mais elles demeuraient rares et très espacées. Elle aurait bien eu besoin encore de deux semaines de rééducation pulmonaire mais même après cela, son médecin et ses kinés lui avaient clairement laissé entendre que rien n'était sûr, à part peut-être un fléchissement de son quotient d'allocation pulmonaire.

Le réceptionniste était manifestement très curieux de savoir pourquoi elle voulait se rendre dans des postes de police, surtout qu'elle semblait ignorer totalement le fait qu'il y avait trois entités complètement distinctes, municipale, touristique et militaire. A l'aide de l'annuaire, il lui indiqua un poste de police de chacune de ces entités sur son plan et lui donna quelques indications. En fait, l'homme se trompait. Natalie avait appris autant de choses sur les différentes polices brésiliennes qu'elle avait pu en trouver au cours de recherches en ligne. Ce qu'elle avait glané la faisait hésiter à se fier entièrement à l'une d'elles et elle n'avait guère d'espoir que l'on fasse un jour une enquête sur son enlèvement raté dans l'une des *favelas* au nord-ouest du centre-ville.

Peu désireuse de rencontrer de nouveau le policier du Belvédère de Pasmado et songeant qu'il devait justement être encore en train de patrouiller, peut-être à la recherche d'autres touristes féminines à accueillir, elle décida de commencer par le poste de la Police militaire. C'était un bâtiment de plain-pied, moderne, en brique et verre, sur la Rua São Clemente. A peu près de la taille d'un demi-restaurant McDonalds de Boston, il était tout aussi bondé. Le policier à l'accueil, qu'elle pria de bien vouloir parler plus lentement, l'aiguilla vers l'inspecteur Peirrera, un homme petit avec au moins vingt kilos de trop, une moustache fine et un sourire froid. Son anglais était correct, bien que haché et teinté d'un fort accent, mais Natalie préféra ne pas lui dire qu'elle parlait sans doute mieux portugais que lui anglais.

— Bon, je vois que l'accueil dans notre ville était plutôt difficile, dit-il une fois qu'elle lui eut raconté son histoire et donné l'un des cent tracts qu'elle avait imprimés sur son ordinateur.

Cette page simple présentait une photo d'elle et un résumé, rédigé en portugais par sa mère, des circonstances de son agression telles qu'elle se les rappelait ou pouvait les reconstituer.

— Je ne peux pas vous décrire complètement combien cette expérience a été atroce, dit-elle. Le chauffeur a dit qu'il allait m'emmener dans un endroit appelé « La Maison de l'Amour ».

Perreira ne réagit aucunement mais se mit à taper sur son clavier d'ordinateur tandis que Natalie attendait en essayant de ne pas fixer des yeux son double menton.

— Et vous dites que cette crime a été rapporté à le police ? demanda-t-il enfin.

— J'étais dans un coma profond quand on m'a retrouvée mais

on m'a dit que c'était la police qui avait appelé l'ambulance pour me transporter à l'hôpital.

— L'hôpital Santa Teresa.

— Oui.

— Mais vous avez appelé à eux au téléphone et ils disent qu'ils n'ont aucune trace de vous là-bas comme patiente.

— Je vais aller de ce pas à Santa Teresa afin de voir si je peux faire corriger cette erreur.

— Vous étais sûre de me donner les dates correctes ?

— Oui.

Perreira soupira ostensiblement et joignit l'extrémité de ses doigts boudinés.

— Senhorita Reyes, dit-il, nous, la Police militaire, nous faisons une grande attention aux blessures par balles dans nos villes – surtout pour les touristes. Nous avons notre réputation.

A une époque où elle était plus cynique, Natalie lui aurait très certainement demandé de préciser de quelle réputation il parlait. Ses recherches lui avaient révélé le rôle de la Police militaire dans les escadrons de la mort que l'on tenait pour responsables du meurtre de centaines sinon de milliers de gamins des rues, dont le célèbre massacre de 1993 où cinquante enfants avaient été blessés par balles et huit tués devant l'église de Candelaria.

— Alors, qu'avez-vous appris au sujet de mon agression ? demanda-t-elle en faisant un geste vers l'ordinateur.

— Les bases de données de la Police militaire, j'ai recherché, et aussi celles de comment vous dites, la Police civile ou municipale et puis aussi la Police touristique.

— Oui ?

— Il n'y a aucune trace de votre nom ni de tout ce que vous avez écrit ici.

— Mais et...

— J'ai aussi vérifié les femmes inconnues blessées par balles à ces dates. Aucune.

— Ça n'a aucun sens.

— Peut-être que si et peut-être que non. Senhorita Reyes, vous dites que vous êtes une étudiante.

— Etudiante en médecine, oui.

— Dans notre pays, les étudiants sont souvent très pauvres. Est-ce que vous avez beaucoup d'argent ?

Natalie sentit où l'homme voulait en venir et commença à bouillir.

— Je suis plus âgée que la plupart des étudiants, dit-elle froidement. J'ai assez d'argent pour vivre. Inspecteur Perreira, s'il vous plaît, venez-en au but.

— Au but... voyons voir... je suis sûr que en tant qu'étudiante en médecine vous savez que dans des pays comme le nôtre, *des pays du tiers-monde* comme j'ai entendu les Américains nous appeler, certains personnes qui avaient désespéré besoin d'argent vendaient au marché noir un rein, une partie de leur foie ou même un poumon. Le prix pour cela, il paraît, est très souvent élevé.

— Et même si j'avais vendu mon poumon au marché noir, ce que je n'ai absolument pas fait, pourquoi serais-je revenue ici ?

Le sourire sans joie de Perreira était triomphant.

— La culpabilité, répondit-il. Par culpabilité de ce que vous avez fait, et aussi le déni. Pardonnez-moi pour vous dire cela, senhorita, mais après toute une vie à faire ce travail, j'ai vu des choses plus bizarres, beaucoup plus bizarres.

Natalie en avait assez entendu. Elle savait qu'elle n'avait rien à gagner en perdant son calme face à Perreira, bien au contraire. Les policiers au Brésil ne rendaient de comptes à personne d'autre qu'à eux-mêmes et la Police militaire était, à ce qu'elle avait vu, la force autonome la plus dangereuse.

— Croyez-moi, inspecteur Perreira, dit-elle en se levant et en ramassant ses affaires, j'accuserais dix fois une erreur dans votre système informatique plutôt qu'un trou de mémoire de ma part. Si vous avez une information, je suis à l'hôtel Rui Mirador.

Elle fit volte-face et se fraya un chemin dans la foule pour sortir du petit poste de police. C'est seulement une fois dehors qu'elle se rendit compte que sa brève tirade l'avait laissée complètement essoufflée.

Les quatre heures suivantes furent épuisantes et floues. Sur son plan, l'hôpital Santa Teresa semblait se trouver à six ou sept pâtés de maisons du poste de Police militaire. Si la carte avait été topographique, Natalie aurait probablement hélé un taxi. Les collines étaient pentues et la traversée de Botafogo, si pittoresque qu'elle soit, était pénible dans la chaleur croissante de l'après-midi. Lorsqu'elle pénétra enfin dans l'hôpital par l'entrée principale, elle sentait les gouttes de transpiration couler sous ses vêtements.

Le bâtiment principal de l'hôpital tentaculaire, composé de quatre blocs de pierre qui s'étendaient chacun vers un des points cardinaux, avait l'air d'avoir été construit par l'explorateur Pedro Cabral lorsqu'il avait découvert le Brésil au début du XVIe siècle. A ce noyau central, dont l'intérieur avait été modernisé, des ailes et des tours aux styles architecturaux hétéroclites avaient été ajoutées.

Natalie décida de se rendre d'abord dans la partie administrative, et toucha le jackpot immédiatement, au moins au sens figuré.

Une vice-présidente du nom de Gloria Duarte sembla s'intéresser à cette femme accomplie et intelligente et compatir à son malheur. Elles conversèrent en portugais, bien qu'un coup d'œil à sa bibliothèque bien fournie eût permis à Natalie de sentir que Duarte, chaleureuse, polie, vive et clairvoyante, était sans doute capable de communiquer en de nombreuses langues dont l'anglais.

— Ce qui me dérange le plus dans votre histoire, dit Duarte, c'est votre certitude, appuyée par celle de votre mentor, le docteur...

— Berenger. Douglas Berenger.

— Le Dr Berenger, que le médecin qui a pratiqué votre opération s'appelait Xavier Santoro. Nous n'avons aucun médecin de ce nom dans notre personnel et je n'en connais aucun dans la ville, mais peut-être pourriez-vous contacter le conseil de l'ordre ?

— C'est déjà fait. Vous avez raison. Il n'y a aucun médecin de ce nom.

— Je vois... Bon, procédons pas à pas.

— Pas à pas, répéta Natalie, chagrinée de voir que l'enthousiasme de Duarte s'était refroidi.

— J'aimerais pouvoir affirmer qu'il n'arrive jamais que les patients passent à travers les mailles du filet de notre hôpital, poursuivit la femme, mais ce n'est tout simplement pas le cas. En tout, nous avons plus de deux mille lits, qui sont pleins la plupart du temps. Il suffit d'une faute de frappe et tous vos dossiers peuvent exister sous un nom très proche du vôtre. Reprenez courage. Je suppose que cette partie du mystère sera bientôt éclaircie et que la solution se révélera toute bête.

Sur ce, elle envoya Natalie au poste de sécurité pour se faire faire un badge de visiteur qui lui donnerait accès à toutes les parties de l'hôpital y compris les archives et les services médicaux et chirurgicaux. Elle fit également faire des copies du tract de Natalie et demanda à sa secrétaire de les distribuer dans tous les services de l'hôpital, avec un addendum précisant qu'il fallait prévenir Duarte elle-même de toute information, ayant un lien même ténu avec l'affaire.

Après avoir avalé rapidement un espresso sur une terrasse de café à l'extérieur de l'aile administrative, Natalie se dirigea vers les archives. Reyes, Reyez, Reyas. Assise devant un terminal à une table, avec l'un des employés des archives, elle essaya sans succès toutes les permutations auxquelles elle pouvait penser, puis consulta les dossiers médicaux des femmes inconnues. Ensuite, elle se dirigea vers les unités de soins intensifs, en médecine puis en chirurgie. Elle se rappelait les visages de deux infirmières, ainsi que celui de Santoro, et elle espérait les croiser par hasard.

Même dans une grande ville comme New York ou Rio, une femme inconnue retrouvée blessée par balles et presque nue dans une ruelle, qui avait par la suite perdu son poumon, ça se remarque dans un hôpital. Normalement, tout le monde aurait dû entendre parler de son histoire tôt ou tard. Or, aucune infirmière des deux unités n'était au courant.

A dix-sept heures Nathalie, décontenancée et déboussolée, se sentait incapable physiquement de continuer. Six semaines plus tôt, elle était arrivée en avion au Brésil, elle avait été attaquée et blessée par balles dans une ruelle et elle avait perdu un poumon. Voilà quels étaient les faits. Quelque part, il devait exister une explication qui relierait ces vérités. Elle regarda son plan et choisit pour rentrer à son hôtel un itinéraire qui empruntait les routes les plus larges et, espérait-elle, les moins pentues. Le soleil de fin d'après-midi était un peu adouci par la brume et la température supportable.

Elle était arrivée au Brésil en avion. Elle avait été attaquée. Elle avait perdu un poumon.

Cette pensée, qui tournoyait dans son esprit, l'empêchait

d'apprécier l'incroyable beauté de la ville et le kaléidoscope coloré des piétons à l'heure de pointe. Malgré toutes les descriptions des guides de voyages dépeignant des Cariocas détendus, les coins de rue ressemblaient beaucoup à ceux de New York, avec des masses de gens, épaule contre épaule, souvent huit ou dix de front, qui jouaient des coudes pour traverser tandis que voitures et taxis essayaient de profiter jusqu'au dernier instant de chaque feu vert.

Natalie se trouvait à une intersection particulièrement bondée, serrée comme dans une boîte de sardines, peut-être dans la troisième ou la quatrième rangée de corps, lorsqu'elle entendit une voix de femme chuchoter en portugais non loin de son oreille.

— S'il vous plaît, ne vous retournez pas, docteur Reyes. S'il vous plaît, ne me regardez pas. Ecoutez-moi. Dom Angelo détient les réponses à vos questions. Dom Angelo.

A cet instant, le feu passa au rouge et la masse s'ébranla, entraînant Natalie malgré elle. Elle ne put se retourner qu'une fois sur le trottoir d'en face, pour étudier les visages autour d'elle et regarder ceux qui s'éloignaient vers le coin. Personne ne semblait s'intéresser le moins du monde à elle. Elle allait abandonner pour se concentrer sur l'étrange message lorsqu'elle aperçut une femme corpulente portant une robe à fleurs aux couleurs vives, qui s'éloignait à grandes enjambées, en boitant comme si elle avait un problème de hanche. Une voix d'homme lui demandant de s'écarter, détourna un instant l'attention de Natalie. Le temps qu'elle se retourne, la femme s'était envolée.

Natalie était de nouveau coincée au centre de la grappe de piétons et avec les voitures qui passaient à toute vitesse, elle n'avait aucun moyen de faire demi-tour avant que le feu soit redevenu rouge. Lorsqu'elle fut enfin revenue au pâté de maisons précédent, la femme à la robe colorée s'était envolée. Elle gagna rapidement le carrefour suivant et regarda dans les deux sens. Rien.

Légèrement essoufflée par ses efforts, Natalie s'adossa contre la vitrine d'une boutique de vêtements. Il n'y avait aucun doute que la voix qui lui avait parlé était celle de la femme qui boitait, aucun doute parce qu'elle était sûre qu'elle l'avait déjà rencontrée dans l'après-midi, bien que rapidement, dans le service de chirurgie de l'hôpital Santa Teresa.

Chapitre 24

La nécessité est la mère de l'invention.

PLATON, *La République*, Livre II.

— C*'EST STEPANSKI,* Seth Stepanski, le steward.

— Bienvenue chez Whitestone, monsieur Stepanski. Une fois la grille ouverte, veuillez avancer jusqu'au bâtiment 6 de l'Oasis et venez vous présenter. Vous avez votre propre uniforme ?

— Oui. Tout à fait.

— Parfait. A tout de suite.

La grille, surmontée de barbelés acérés, coulissa sans bruit vers la droite de Ben, s'ouvrant sur une allée droite comme un I qui semblait longue d'au moins quatre cents mètres. Au volant du Sebring décapotable de Stepanski, il s'approcha lentement des bâtiments. A l'emplacement de la roue de secours, il avait dissimulé sa mallette de détective et, en dessous, son .38.

La masse, constituée de huit ou neuf structures en adobe rose délavé, resplendissait dans le soleil de fin d'après-midi. Une vingtaine d'arbres de bonne taille, seule végétation et source d'ombre à des kilomètres à la ronde, et qui réduisaient grandement l'austérité des lieux, devaient constituer ce que la voix dans l'interphone avait appelé l'Oasis.

L'un des bâtiments, sans doute le plus vaste, hébergeait un laboratoire. Les techniciens qui travaillaient là n'étaient sans doute pas conscients du crime dont ils se rendaient complices en effectuant le groupage HLA et recensant électroniquement des millions de tubes à capsule verte, provenant de clients de tout le pays – peut-être même du monde entier – et qui ne se doutaient de rien.

Il en était malade.

A part le bruit de moteur du Sebring, le vrombissement des énormes climatiseurs montés sur le toit était le seul son qui troublait l'air chaud et immobile du Texas. Tandis qu'il approchait des deux arbres qui flanquaient l'allée comme des sentinelles, Ben aperçut l'Adventurer, garé à droite de l'Oasis vers l'arrière. Il ne pouvait se débarrasser du douloureux soupçon qu'un autre Lonnie Durkin était emprisonné à l'intérieur, terrorisé au-delà de toute imagination dans l'attente de savoir ce qu'il où elle faisait là.

Ben s'était foncé les cheveux et avait acheté une paire de lunettes à grosse monture, mais il n'avait pas fait d'autre tentative pour modifier son apparence. La photo du passeport de Stepanski était légèrement floue, usée, et elle datait de sept ans. Il avait cinq ans de moins que Ben mais un teint à peu près identique et une forme de visage qui rendait possible à Ben de se faire passer pour lui. La meilleure, c'est que le steward, qui résidait désormais dans l'unité 89 du garde-meuble Budget, avait clairement précisé que personne chez Whitestone ne savait à quoi il ressemblait.

Malheureusement, Ben ne pouvait pas en dire autant de lui-même. En s'approchant du bâtiment 6, il se remémora son altercation dans le garage de Laurel Way à Cincinnati. La bagarre tout entière avec l'homme nommé Vincent n'avait pas dû durer plus d'une demi-minute. L'éclairage était minime et à un seul moment, avant que le jet de peinture noire ne mette fin à la bagarre, son adversaire avait pu le voir de face. L'homme était-il devenu aveugle ? Peu probable. Etait-il au volant de l'Adventurer lorsqu'il avait traversé Fadiman ? Si c'était le cas, serait-il à bord de l'avion ? A ce moment-là, les questions que Ben se posait dépassaient de loin le nombre de réponses.

Le bâtiment 6 était un bureau assez petit, décoré par des affiches encadrées de monuments du monde entier. Debout derrière un comptoir, les yeux braqués sur lui dès qu'il fut entré, se trouvait une brunette mince d'âge moyen et d'allure militaire. Son tailleur bleu marine portait l'inscription Whitestone brodée en script juste au-dessus de la poche poitrine gauche.

Ben essayait d'avoir l'air nonchalant et de se comporter comme tel mais il était en état d'alerte maximale, avec le pouls qui battait à une allure fracassante. Il aurait désespérément voulu ressortir et retenter une entrée plus détendue. Au lieu de cela, il se présenta.

— Bienvenue, monsieur Stepanski, dit la femme sans ciller. Je m'appelle Janet, je suis la responsable administrative. Avez-vous votre passeport et notre lettre ?

Ben posa sur le comptoir les deux documents qu'il avait récupérés dans la chambre de Stepanski au motel. Janet les balaya assez rapidement du regard, avec peut-être une légère hésitation sur la photo. Puis elle les poussa sur le côté. Ben appuya les mains contre le comptoir pour les empêcher de trembler.

Vous savez Janet ? Vous savez ce qui se passe, ici ?

— Je suis venu hier pour savoir si je pouvais aider à préparer l'avion, dit-il histoire de se détendre un peu et de se mettre dans la peau du personnage.

— Je sais, dit-elle. C'est à moi que vous avez parlé. Notre politique est de s'en tenir exactement à ce qui est prévu.

— Je comprends.

Ni véritable explication, ni excuse de ne pas avoir pu le faire entrer. Janet la responsable administrative ne faisait pas dans la familiarité. Pour lui, maintenir le contact visuel était crucial. A partir de maintenant, il était en territoire ennemi. S'il se faisait prendre, il était peu probable qu'on le laisse en vie.

— Bon... Monsieur Stepanski, si la météo le permet, vous partirez à neuf heures du matin. Vous devrez vous présenter en uniforme dans ce bureau à sept heures avec des vêtements de rechange pour un voyage de quatre jours. Il est possible, comme nous vous l'avons écrit, que le voyage soit prolongé de quelques jours. Vous vous occuperez de six passagers et d'un équipage de trois personnes. Le vol transportera une patiente en Amérique du Sud pour une opération qui ne peut pas être pratiquée dans notre pays. La patiente sera accompagnée de ses médecins à l'arrière de l'appareil. Il vous est interdit d'y pénétrer à moins qu'on ne vous le demande spécifiquement. Si nos passagers souhaitent engager la conversation avec vous, ils le feront. Sinon, vous devrez respecter leur intimité. Des questions ?

— Aucune.

— Bon. Voici la clé de la chambre 7. Elle se trouve dans le bâtiment 2, un peu plus loin sur la droite. Il vous est interdit de pénétrer dans toutes les zones de l'Oasis à l'exception du patio près de votre chambre et de la cafétéria qui se trouve dans le bâtiment 3, juste à côté du 2.

— C'est noté.

Il prit sa clé et se tourna pour partir.

— Monsieur Stepanski ?

Ben se crispa, puis il se tourna lentement vers elle, son pouls remontant en flèche.

— Oui ?

Elle lui rendit son passeport.

— Il serait temps de changer la photo.

Ben décida de laisser son .38 là où il était. Il n'y avait aucune chance qu'il se trouve dans une situation d'où il pourrait se sortir grâce à une arme, étant donné surtout qu'il n'avait jamais tiré sur autre chose qu'une cible en carton, et qui plus est, sans grand talent. Si par malheur, il s'était trahi auprès de Janet, il s'en rendrait compte bien assez tôt et il ne pourrait sans doute rien y faire.

La chambre 7, petite mais propre, n'avait rien de plus que les chambres de motel bon marché où il avait l'habitude de descendre. Et pourtant, songea-t-il en défaisant son sac et en réglant son réveil sur six heures, Seth Stepanski aurait probablement donné sa chère collection de chopes de bières pour pouvoir passer la nuit ici plutôt que là où il se trouvait.

Ben avait honte d'avoir abusé ainsi de la confiance de cet homme et regrettait l'inconfort qu'il avait dû lui causer pour le maintenir immobile mais en vie. Il ignorait s'il aurait pu aller jusqu'à mettre en danger la vie de Stepanski, mais il savait qu'au moment où il avait sorti son arme, il avait sauté dans le vide. Désormais, quoi qu'il doive faire pour éviter de s'écraser sur les rochers en bas, il le ferait. Finalement, avec un peu d'imagination, un garde-meuble bien choisi, une douzaine de verrous et de chaînes et un peu de temps, il avait conçu un système dont Rube Goldberg aurait été fier.

La clé, c'était les supports en acier qui couraient au plafond et le long des murs du box de stockage, l'un des plus gros disponibles, mesurant quatre mètres sur six. Stepanski, nu à partir de la taille, était fixé au centre exact de la pièce, enchaîné aux murs et au plafond d'une manière qui lui donnait tout juste assez de mobilité pour passer malaisément d'un fauteuil pliant à la chaise percée que Ben avait achetée dans un magasin de fournitures pour hôpital. Il avait les mains menottées derrière lui et un adhésif lui entourait la tête pour lui masquer la bouche. Un trou découpé dans l'adhésif facilitait la respiration et lui permettait de boire à la paille l'une des douze bouteilles d'eau, de jus de fruits et de boissons protéinées disposées sur la table de bridge en face de lui. La chaleur pourrait poser problème mais Ben avait choisi l'unité 89 non seulement parce que c'était l'une des plus éloignées du bureau d'accueil, mais aussi parce qu'elle était ombragée.

A vingt-trois heures la veille au soir, Stepanski était installé et le dispositif vérifié et revérifié. Ben était retourné deux fois au garde-meuble pour voir son prisonnier et réapprovisionner le stock de boissons. A midi, juste avant de partir chez Whitestone, il s'était assis par terre et, les bras enroulés autour des genoux, il avait expliqué au steward en détail ce qui se passait au laboratoire et ce qu'il espérait faire. Stepanski l'avait supplié de le libérer en promettant de rentrer chez lui sans rien dire à personne, mais Ben était déjà allé trop loin.

— J'ai envoyé un colis à une amie, dit-il, professeur à l'Université de Chicago. Il contient les clés de ces verrous et une lettre d'explication. Dans trois jours, soit elle enverra le colis en express à la police de Fadiman, soit elle viendra elle-même vous délivrer. J'espère que ce laps de temps me suffira pour découvrir ce qui se trame chez Whitestone et pour rassembler assez de preuves afin de mettre hors d'état de nuire celui qui dirige tout ça. Je suis vraiment désolé de vous faire subir ça, Seth, mais je crois que ce que font ces gens nous dépasse de très loin.

Il sortit un casque, le passa autour du cou de Stepanski et posa une radio de poche derrière lui.

— J'ai essayé moi-même, dit-il. Avec un peu d'entraînement, vous pouvez modifier le volume et changer les stations. Vous capterez trois ou quatre stations, mais j'espère que vous aimez la musique country.

Enfin, il posa trois mignonnettes de Jack Daniel's et de tequila Jose Cuervo Gold sur la table de bridge, avec des pailles dans chacune.

— Comme vous voyagez avec nous en première classe, dit-il, ces boissons ne vous seront pas facturées.

Il mit les écouteurs en place, puis tapota l'homme sur l'épaule et sortit.

Dès l'instant où il ouvrit la porte de la chambre 7, Ben fut tourmenté par le dilemme de savoir si cela valait ou non la peine d'essayer de faire le tour de l'Oasis pour arriver au Winnebago. S'il y allait, il faudrait qu'il emporte son microphone de contact. Il disposait d'un modèle bas de gamme, mais qui suffisait à écouter à travers les murs. S'il était pris à se balader avec, aucune excuse ne pourrait le sortir de là. Espérant la joindre, il essaya d'appeler Alice Gustafson de son portable pour discuter de la situation. Mais il n'y avait pas du tout de réseau.

Pendant quelques heures, en attendant que l'obscurité se soit bien installée, il se reposa et essaya de lire un *People* posé sur sa table de chevet. Habituellement, la lecture de *People* était pour lui comme la dégustation d'un chocolat frappé, absolument sans effort. Ce soir, les articles sur les célébrités lui restaient dans la gorge comme du verre pilé. Quelque part, non loin de là, un avion se préparait à partir pour l'Amérique du Sud. A la fin de ce voyage, Ben en était certain, une personne riche, peut-être même l'une des stars de ce magazine, serait sauvée aux dépens de quelqu'un comme Lonnie Durkin ou la femme de chambre Juanita Ramirez.

Vêtu de vêtements sombres, il sortit dans le petit patio devant sa chambre. L'air était toujours tiède et humide mais le vaste ciel noir était sans étoiles et un vent chaud se levait à l'ouest. La chambre 7 se trouvait à l'extrémité du bâtiment 2, à moins de quinze mètres de la clôture grillagée. Ben traversa une bande de pelouse pour se rendre à la clôture. A l'extérieur, la noirceur du désert ne se distinguait pas de celle du ciel mais au loin, des éclairs déchiraient la nuit.

L'Oasis elle-même n'était pas bien éclairée et les bâtiments étaient assez rapprochés pour offrir une certaine protection. Ben étudia les murs les plus proches pour voir s'il décelait des caméras, sachant pertinemment qu'elles seraient sans doute invisibles. Puis il se dirigea prudemment vers le Sebring pour y prendre son microphone de contact, et, finalement, son pistolet. A cette heure-ci, il pouvait rencontrer un problème avec un seul vigile. Si l'arme pouvait l'aider à atteindre sa voiture, il avait une chance de pouvoir défoncer la grille au bout de l'allée. L'idée que sa vie pourrait dépendre de la survie à la collision suffit à lui envoyer une remontée acide dans la gorge. Ses héros de fiction n'avaient jamais eu de problème pour défoncer ce genre de grille et s'en sortaient toujours indemnes mais il supposait que celle-ci pourrait bien se révéler plus coriace.

Tout en continuant à chercher des yeux les caméras de sécurité, il se dirigea vers la cantine dans le bâtiment 3 et prit un Coca Light. Puis, essayant de rester à couvert, il se déplaça dans l'ombre d'un bâtiment, puis d'un autre. Les éclairs s'étaient rapprochés et il lui semblait entendre le tonnerre. Le bâtiment le plus grand, le 5, était faiblement éclairé à l'intérieur. A travers les fenêtres, il distinguait seulement de nombreuses rangées de matériel de laboratoire sophistiqué. Il était aussi facile que désagréable d'imaginer un tube de sang portant son nom, ouvert et analysé par un technicien à l'un de ces postes de travail.

Les rues de l'Oasis semblaient désertes, bien que par endroits, la lumière de quelques fenêtres éparses illumine la nuit. Sur les nerfs, agrippant le sac qui contenait le microphone de contact et tendant l'oreille entre chaque pas pour déceler une éventuelle présence, Ben se dirigea vers le Winnebago. Sous son tee-shirt noir à manches longues, il était désagréablement moite.

Les cinq minutes qu'il lui fallut pour atteindre le Winnebago lui semblèrent durer une heure. Il y avait une faible lueur autour du store de la partie repas sur le côté gauche et du rideau tiré sur le pare-brise avant. Respirant lourdement à cause de la tension plus que de l'effort physique, Ben s'agenouilla juste devant la roue arrière gauche et ouvrit sans bruit la fermeture à glissière de l'étui du micro, qui contenait de petits écouteurs, un amplificateur et un épais capteur cylindrique, de la taille d'un rouleau de pièces de monnaie. Il mit les écouteurs en place et posa le capteur contre la paroi du Winnebago. La qualité de la réception n'était pas géniale mais il entendait les voix et distinguait à peu près les paroles.

— S'il vous plaît, laissez-moi partir ! Je ne vous ai rien fait !

La voix de femme qui semblait venir de l'arrière était assez claire.

— Il a encore fait le pli ! Bordel, Connie, tu sais jouer à ce jeu ou pas ?

Vincent ! Ben en était presque certain.

— Ecoute Rudy, j'ai un enfant, un garçon qui s'appelle Teddy. Je t'ai parlé de lui. S'il te plaît, il a besoin de moi. Laisse-moi partir ! Trouvez quelqu'un d'autre, quelqu'un qui n'a pas d'enfant !

— Putain Connie, espèce d'abrutie ! Il fallait que tu ramasses deux cœurs quand tu avais l'occasion ! Maintenant il va tout rafler. Tu ne voyais pas qu'il n'avait que des piques ? Ecoute Sandy, soit tu arrêtes de pleurnicher, soit je viens te mettre une chaussette dans la bouche. Et arrête de m'appeler Rudy. Je déteste ce prénom. Je ne sais même pas pourquoi je l'ai inventé, putain.

L'oreillette gauche était douloureusement serrée. Ben la retirait pour l'ajuster lorsqu'il entendit un crissement de graviers sur sa droite. Sortant le .38 de sa ceinture, il s'aplatit sur le sol et se faufila rapidement sous le mobile home. Quelques secondes plus tard, des bottes de cow-boy apparaissaient à cinquante centimètres de son visage, tout près de là où il avait laissé tomber le micro.

Pendant dix interminables secondes, rien ne bougea à part le pouce de Ben qui ôtait silencieusement la sûreté de son arme. Puis les bottes firent demi-tour, passant si près du micro que l'une sembla l'effleurer, et l'homme se dirigea vers l'avant. Toujours figé sur place, Ben regarda les bottes passer sous le pare-chocs avant et s'approcher de la porte du côté opposé. Un moment après, deux coups retentirent dans le silence.

— Vincent, Connie, c'est moi Billy ! lança une voix jeune.

La porte de l'Adventurer s'ouvrit en grand, baignant le sol de lumière. Immédiatement, à l'intérieur, Sandy se mit à hurler.

— Au secours ! Aidez-moi ! Pour l'amour de Dieu, ils vont me tuer ! Je suis dans une cage. Je m'appelle Sandy. Je vous en supplie, aidez-moi. Je suis maman ! J'ai un petit garçon. Il n'a que huit ans !

— Oh, j'en ai ma claque !

Il y eut un bref bruit de pas directement au-dessus de Ben, puis, instantanément, les cris s'arrêtèrent. Ben en était malade. Il fallait qu'il fasse quelque chose. Devait-il entrer dans le fourgon d'un seul coup, l'arme au poing ? Il lui faudrait tuer le dénommé Billy, Vincent, Connie et un autre. Tuer quatre personnes. Y avait-il une chance pour qu'il y arrive ? Ne serait-il pas mieux d'attendre ?

Agrippant son pistolet, détaché presque comme en rêve, il sortit de sous le véhicule centimètre par centimètre. Il se demandait à quoi pensait le soldat John Hamman et ce qu'il éprouvait au moment où il avait chargé le nid de mitrailleuse ou toute autre action qui lui avait valu cette médaille posthume et l'honneur d'une route à son nom au milieu de nulle part.

Ben se redressa. S'il devait agir, c'était maintenant, pendant que la porte était ouverte. Y avait-il un moyen de faire machine arrière et revenir à sa chambre en les laissant faire ce qu'ils voulaient, au moins pour le moment, de cette pauvre femme terrorisée nommée Sandy ? S'il partait, il préserverait au moins son espoir de pouvoir dévoiler les horreurs commises par Whitestone. Il soupesa le .38 dans sa main et se dirigea vers l'arrière.

— Salut Billy, ça boume ? demanda une autre voix à l'intérieur comme si l'appel au secours n'avait jamais existé.

— Salut Paulie, quoi de neuf ?

— Pas grand-chose. Je joue à la Dame de Pique avec Vincent et Connie pour passer le temps.

Ben se dirigea silencieusement vers le coin du fourgon. Il n'avait jamais fait feu sur autre chose qu'une cible en carton et, une fois, quelques bouteilles. A présent, il allait falloir qu'il élimine le garde sur le seuil, puis qu'il passe par-dessus son corps pour abattre trois tueurs avant qu'ils aient le temps d'atteindre leurs armes. Avait-il une chance ? Au fond de lui, il sentait bien que la réponse était non, mais il était incapable de renoncer.

— Vous faites partie du voyage en avion demain ? demanda le garde.

— Oui, tous les quatre.

— Oh, salut Smitty, je ne t'avais pas vu.

— Salut Billy. C'est tranquille dehors ?

Et de cinq.

Ben abaissa son arme, subitement dégrisé.

— Ça doit être un gros truc, disait Billy. Si tu peux me recommander, Vincent ? La sécurité ici, c'est franchement lassant. Au cas où t'aurais pas remarqué, il se passe jamais rien.

— J'te comprends. On fera ce qu'on pourra. Bon, on retourne à nos cartes.

— Salut les gars.

— A plus, Billy !

La porte se referma et fut verrouillée de l'intérieur. Dix minutes plus tard, encore ébranlé de constater à quel point il avait été près de tuer et de se faire tuer, Ben était en sécurité dans sa chambre.

A minuit, un violent orage s'abattit sur l'Oasis, puis il disparut aussi rapidement qu'il était venu. A trois heures, encore bien trop énervé pour s'endormir, il se tenait près de la fenêtre quand soudain, dans le désert bien au-delà de la clôture, les lumières bleues d'une piste d'atterrissage s'allumèrent dans l'immensité, s'étendant aussi loin qu'il pouvait voir. Quelques minutes plus tard, accompagné d'un grondement qui ébranla le bâtiment 2, un énorme avion, peut-être un 727, atterrit en douceur, roula jusqu'au bout de la piste et s'arrêta.

L'uniforme de Stepanski avait été réajusté par un tailleur hors de prix à Fadiman. Ben le sortit de son placard et épousseta quelques pellicules sur le revers de sa veste.

L'alligator était dans le filet.

Chapitre 25

Aux femmes, par conséquent, il faut apprendre ces deux arts ainsi que ce qui concerne la guerre, et exiger d'elles les mêmes services.

PLATON, *La République*, Livre V.

DOM ANGELO.

Avec seulement ces deux mots, Natalie commença une recherche désespérée dans tous les annuaires qu'elle put trouver. Rien. Elle s'entretint avec l'employé de la réception à l'hôtel, qui lui demanda si elle était sûre d'avoir bien compris et s'il n'était pas possible que la femme ait plutôt dit Don Angelo.

— Est-ce que cela aurait plus de sens ? demanda-t-elle, tout de suite intéressée par cette possibilité.

— Non, répondit l'homme.

Son dictionnaire anglais-portugais indiquait que *dom* signifiait cadeau ou personne douée et que c'était également un titre de noblesse, équivalent à seigneur.

A présent, plus trop sûre de ce qu'avait dit exactement l'infirmière en robe à fleurs, anxieuse, Natalie remonta à pas lourds dans sa chambre, épuisée par cette longue journée, la marche dans les collines de Rio et sans doute un peu par le vol. Elle se sentait plus isolée et plus seule que jamais. Don ou Dom Angelo, même si elle réussissait à le trouver, ne pourrait rien changer à cela.

Elle n'eut pas besoin de whisky brésilien pour s'endormir ce soir-là, ni de rien d'autre que du ronronnement de la climatisation. Le lendemain, elle rendrait deux visites à Santa Teresa, l'une au bureau de la vice-présidente Gloria Duarte et l'autre aux soins intensifs en chirurgie. Si cela ne donnait rien, elle retournerait voir la police.

Don Angelo... Dom Angelo...

Tandis qu'elle sombrait dans le sommeil, les noms se mirent à défiler en un ruban interminable de questions. L'un d'eux était-il un titre quelconque ? Un prénom ? Pourquoi la femme n'avait-elle pas essayé d'expliquer davantage ? Cela lui paraissait-il évident à deviner pour Natalie ?

Cette brève rencontre avait clarifié au moins une chose pour elle. Il y avait des aspects inexpliqués dans son agression et la perte de son poumon.

Au bout d'un moment, le ronronnement de la climatisation la berça et la fit basculer dans un sommeil agité, mais deux fois au cours de la nuit, sa fatigue perdit la bataille contre les visions familières de l'agression. Comme de nombreuses fois auparavant, l'horreur était plus intense que dans un souvenir et bien plus réelle et détaillée qu'un cauchemar. Après le deuxième épisode, elle était trop secouée pour se rendormir. Elle avait été piégée par le chauffeur de taxi à l'aéroport, on lui avait tiré dessus, elle avait été opérée, on lui avait retiré un poumon, elle avait été bien soignée et rapatriée dès que son identité avait été établie. Tout cela était complètement et absolument vrai... sauf que ça ne l'était pas.

Au bout d'un moment, Natalie sombra de nouveau dans le sommeil. Il était presque onze heures du matin lorsqu'elle se réveilla. Le temps de se doucher, de s'habiller et de retourner à l'hôpital, il était plus de midi. Duarte se trouvait en réunion, lui dit-on, et elle ne serait pas de retour avant le lendemain matin. A tout hasard, elle demanda à la secrétaire de Duarte si le nom Don ou Dom Angelo lui disait quelque chose. La femme sourit poliment et suggéra que sa chef, qui savait presque tout sur tout, saurait certainement mieux la renseigner.

Certaine qu'au train où allaient les choses, l'infirmière aurait déjà quitté l'hôpital, Natalie monta au deuxième étage du service de chirurgie, en soins intensifs. Suite à l'ablation de l'un de ses poumons dans l'un des vingt et un blocs chirurgicaux de Santa Teresa, elle aurait en toute logique dû séjourner là.

Faites qu'elle soit là, implora Natalie en passant la porte vitrée automatique. *Faites qu'elle soit là...*

Elle balaya du regard le service bondé et sentit son moral fléchir. L'unité de soins intensifs était flambant neuve, dix cubes de verre avec du matériel perfectionné étaient disposés autour du poste de surveillance central des infirmières. Lentement, nonchalamment, adressant signes de tête et sourires à tous ceux qui croisaient son regard, Natalie se mit à déambuler dans cet espace circulaire. Elle n'aurait pas dû venir à l'heure du déjeuner, songea-t-elle. Elle n'aurait pas dû...

Vêtue d'une tenue stérile bleue et en train d'écrire dans un bloc-notes rouge à feuillets mobiles, la femme qu'elle cherchait venait de sortir du dernier cube et s'éloignait en lui tournant le dos. Sa corpulence et sa claudication prononcée ne laissaient aucun doute à Natalie sur le fait qu'il s'agissait bien de la même femme. Le cœur battant à tout rompre, Natalie rattrapa la femme au poste des infirmières. Son visage de chérubin était assez joli. Elle portait un fin collier en or mais ni autre bijou ni alliance. Sa plaque disait DORA CABRAL.

— Excusez-moi, senhorita Cabral, dit doucement Natalie en portugais.

La femme, souriante, leva les yeux vers elle. Immédiatement, son visage se crispa. Elle fouilla nerveusement la pièce du regard. Pour Natalie, cette réaction suffit à dissiper les éventuels doutes qui subsistaient.

— Oui ? demanda Dora.

— Je suis désolée de venir comme cela, senhorita, mais je suis désespérée, dit Natalie en craignant de ne pas parler assez bien portugais. Je crois que vous êtes la personne qui m'avez parlé dans la rue hier après-midi. Si c'est vous, je vous en prie, aidez-moi à trouver qui est Dom Angelo. J'ai essayé de le découvrir, mais je n'ai pas réussi.

— Pas qui, chuchota vivement Dora. Où. C'est un village. Il se trouve...

L'infirmière s'interrompit d'un coup, gribouilla quelque chose dans la marge de sa feuille de papier, la poussa de quelques centimètres vers Natalie, puis elle se leva avec peine et se hâta de rejoindre en boitant la cabine où elle travaillait juste avant.

Très troublée, Natalie s'apprêtait à attraper le papier lorsque quelque chose la fit se retourner vers l'entrée. Un policier vêtu de l'uniforme de la Police militaire était entré dans le service et venait de se tourner vers elle. C'était manifestement son arrivée qui avait fait fuir Dora.

Natalie n'osa pas prendre le papier mais elle y jeta un œil.

20 H 16 R. D.FELIX # 13

Le temps qu'elle se retourne, le policier marchait déjà vers elle, un grand sourire aux lèvres. Elle eut la nausée en le reconnaissant. C'était Vargas, l'homme-comité d'accueil qui l'avait abordée au belvédère de Pasmado.

Bien qu'ils se soient croisés dans le Botafogo, le même quartier que l'hôpital, et qui devait être le secteur de Vargas, Natalie fut pratiquement certaine que cette seconde rencontre n'était pas une coïncidence. Elle voulut à tout prix éloigner le policier du bureau des infirmières où Dora avait écrit son adresse.

— Oh, vous êtes l'agent Vargas, n'est-ce pas ? lança-t-elle de façon exubérante en se précipitant vers lui. Le policier qui parle si bien anglais ! Je vous ai tout de suite reconnu.

— Du parc à Pasmado, c'est bien ça ?

— Exactement. Merci de vous en être souvenu.

Il lui demanda son nom et elle le lui donna, tout en étant persuadée qu'il le connaissait déjà. Avait-il vu Dora écrire ? Le bureau se trouvait à un mètre cinquante derrière eux. Il fallait qu'elle se débrouille pour détourner son attention.

— Senhorita Natalie, dit-il d'une voix charmeuse, excusez-moi, mais l'hôpital Santa Teresa ne fait pas partie de l'itinéraire touristique habituel.

Natalie avait l'esprit en ébullition. Que faisait-il là ? S'il la suivait depuis Pasmado, il savait qu'elle avait menti sur l'hôtel où elle séjournait. S'il la suivait depuis son atterrissage à l'aéroport Jobim, quelque chose de terrible se tramait.

Natalie n'avait jamais vraiment apprécié les dragueurs, les hommes comme les femmes, et elle était très fière de ne pas exceller dans ce domaine. Cependant, c'était l'occasion de s'y essayer.

— La dernière fois que je suis venue dans votre ville, dit-elle, j'ai eu le malheur de tomber sur un chauffeur de taxi peu scrupuleux.

— Malheureusement, nous en avons un certain nombre, répondit Vargas, même si nous autres de la Police militaire, nous essayons de les éradiquer.

— Eh bien, cet homme m'a conduite dans une ruelle et... je ne peux pas parler de ça très facilement. Je suis venue dans cet hôpital pour régler quelques détails d'assurance et pour remercier le personnel d'avoir si bien pris soin de moi lorsque j'ai été hospitalisée ici.

— Je vois.

Natalie fit un petit pas en avant et le regarda avec une expression qu'elle espérait douce et vulnérable.

— Agent Vargas, si j'étais hors d'ici, je crois que je pourrais vous raconter ce qui m'est arrivé.

— Oh ?

— Est-ce que vous avez quelques minutes, le temps de prendre un café ?

— Pour vous, je trouverai le temps avec joie.

— Merci.

Elle lui toucha le bras avec un soupir.

— Il m'est arrivé quelque chose d'horrible et je ferais n'importe quoi pour arriver à comprendre. N'importe quoi. Peut-être est-ce un miracle de vous avoir rencontré non pas une mais deux fois.

— Peut-être, dit le policier en sortant en direction du café. Ou peut-être que c'est moi qui ai de la chance.

Dom Angelo, Etat de Rio de Janeiro, 213 habitants.

La bibliothèque du quartier de Botafogo détenait ces informations sur le village, mais guère plus. Sur certaines cartes, il était situé à cent vingt kilomètres au nord-ouest de la ville et la bibliothécaire l'informa que cela se trouvait dans la partie est de la forêt tropicale de Rio de Janeiro. Sur d'autres cartes, il n'apparaissait même pas. Au bout d'une heure et demie de recherches, Natalie avait dessiné une carte, dont elle espérait qu'elle la mènerait au but, ou au moins près du but. Avec un peu de chance, à vingt heures ce soir, Dora Cabral serait en mesure de lui donner plus d'informations sur cet endroit et quel genre de réponses elle pouvait espérer y trouver.

Il lui avait fallu plus d'une heure pour se débarrasser de Rodrigo Vargas, un vétéran décoré, disait-il, après quinze années dans la Police militaire, séparé de sa femme depuis longtemps mais présent dans la vie de ses deux enfants. Il connaissait bien l'inspecteur Perreira et le décrivit comme un homme qui passait bien trop de temps assis. Au cours de leur conversation, durant laquelle Natalie ne souffla mot de Dora Cabral ni de Dom Angelo, le policier ne dit rien qui puisse laisser croire que son apparition dans le service de chirurgie alors qu'elle s'y trouvait était autre chose qu'une coïncidence.

Finalement, il lui affirma qu'étant donné le premier contact de Natalie avec Rio, il comprenait qu'elle n'ait pas voulu donner le nom de son hôtel à un inconnu, sous prétexte qu'il portait un uniforme et se prétendait policier. Il lui promit ensuite de travailler sur ce qu'elle avait donné à Perreira et lui donna rendez-vous le lendemain midi dans un bistro, pour qu'ils puissent se faire un compte rendu de leurs progrès.

— J'espère que nous entamons une belle amitié, senhorita Natalie, dit-il avec sincérité lorsqu'ils se séparèrent.

— Moi aussi, Rodrigo, répondit-elle en essayant un sourire charmeur et retenant sa main une seconde de plus que nécessaire. Moi aussi.

Ils se séparèrent à l'intérieur de l'hôpital et Natalie demanda à l'accueil où se trouvait la bibliothèque. Elle partit en priant pour que Dora eût saisi l'occasion offerte de détruire ce qu'elle avait écrit. Une fois dans la rue, elle se déplaça en s'évertuant à déterminer si elle était suivie, employant toutes les manœuvres qu'elle avait vues dans les films, plus quelques-unes qu'elle improvisa. Elle disposait de quatre heures avant son rendez-vous chez Dora, quatre heures et une longue liste de choses à acheter si elle voulait se rendre dans la forêt tropicale en voiture.

A dix-huit heures trente, elle était allée à la bibliothèque, dans des magasins de bricolage, d'équipement sportif et de vêtements. Elle n'emporta que quelques achats avec elle et s'apprêta à aller chercher le reste en voiture. Si quelqu'un surveillait la Jeep, elle n'aurait aucun moyen de la récupérer sans être vue et probablement suivie, mais elle n'avait pas le choix. Sa plus grande crainte était que la voiture ait disparu ou bien ait été neutralisée mais elle se trouvait bien là où elle l'avait laissée, dans un petit parking à proximité de son hôtel.

16 R.D. FELIX #13

Avec l'aide de la bibliothécaire, elle avait situé Rua de Felix dans le quartier de Gávea, à cinq kilomètres à l'ouest du Botafogo. Elle chargea la Jeep, recouvrant le tout avec une toile. Puis, regrettant qu'il ne fasse pas nuit, elle se lança dans un grand trajet, faisant des allers-retours sinueux entre le bord de mer et les collines en grillant les feux rouges, empruntant des ruelles et des parkings, et fit un certain nombre de demi-tours, toujours avec un œil sur le rétroviseur.

Lorsqu'elle fut raisonnablement certaine de ne pas être suivie, elle gara la Jeep verrouillée dans un endroit bien éclairé, et, avec une désagréable sensation de tension dans la poitrine, elle héla un taxi. Heureusement, le chauffeur était une femme ridée qui mâchonnait du chewing-gum, et qui ne lui rappela pas du tout l'homme de l'aéroport. A l'aide d'un plan, et en improvisant à son gré, elle guida la femme dans le dédale de rues en multipliant les tours et détours. Finalement, elle lui demanda de la laisser à un pâté de maisons de Rua de Felix. Son soulagement fut indescriptible lorsque la conductrice s'exécuta sans problème.

Le quartier de Dora était plus délabré que Natalie ne l'avait imaginé d'après sa profession. De petits immeubles d'habitations de deux étages pour la plupart, et dont peu étaient bien entretenus, étaient entassés le long de rues pentues, étroites et mal éclairées, ainsi que quelques immeubles plus grands. Le crépuscule tombait rapidement, mais il y avait beaucoup de monde dans la rue donc Natalie n'avait pas à redouter de se retrouver seule.

Il était exactement vingt heures lorsqu'elle arriva devant un immeuble banal de trois étages flanqué de deux ruelles, chacune d'environ trois mètres de large et toutes deux jonchées de journaux, de cartons et de canettes. Le numéro 16 était peint en blanc sur la façade en briques.

Le hall d'entrée abritait deux rangées de boîtes aux lettres récentes et une colonne de sonnettes. D. Cabral se trouvait vers le haut de la liste. Natalie pressa le bouton une fois, puis une autre. Elle regarda à travers la vitre. Un petit escalier montait au premier étage. Elle sonna une troisième fois. Puis, éprouvant une première bouffée d'appréhension, elle appuya sur la poignée de la porte, qui s'ouvrit en grand sans résistance. *Bravo pour la sécurité.* Le numéro 13, identifié par des chiffres dorés cloués au milieu de la porte en bois sombre, se trouvait au bout du couloir. Natalie colla son oreille à la porte, puis frappa, d'abord doucement et ensuite plus lourdement. Silence.

20 H 16 R. D.FELIX #13

Elle ne doutait pas d'avoir bien interprété le message. Il était maintenant vingt heures dix. Son inquiétude augmentait à chaque seconde. Les précautions de Dora dans la rue et sa réaction à l'hôpital lors de l'irruption de l'officier de Police militaire soulignaient la peur de cette femme, mais le fait d'avoir livré le nom de Dom Angelo et d'avoir griffonné ce message suggérait qu'elle était prête à aider.

Allez, ouvrez...

Natalie frappa encore, puis elle retourna dans le hall et essaya la sonnette une dernière fois. Son esprit bouillonnait à la recherche de toutes les explications possibles à ce dernier retournement de situation. Une chose était certaine : elle ne partirait pas avant d'avoir fait tout son possible pour s'assurer que Dora Cabral était saine et sauve.

Vingt heures quinze.

Natalie hésita à sonner chez des voisins pour demander si quelqu'un avait une clé de l'appartement 13. Au lieu de cela, elle sortit et soudain méfiante, marcha jusqu'au bout du pâté de maisons et tourna au coin avant de rebrousser chemin. Rien ne lui sembla louche, elle se rendit au bord de la ruelle et s'y engouffra. En supposant que les appartements mesuraient à peu près la même taille, la cinquième et la sixième fenêtre sur sa gauche étaient celles de Dora, mais comme le rez-de-chaussée était surélevé de quatre marches, elles se trouvaient à une cinquantaine de centimètres au-dessus de la tête de Natalie. Chacune était éclairée d'une faible lueur.

Vingt heures vingt.

Les lumières ne plaisaient guère à Natalie. Un appartement plongé dans l'obscurité aurait pu suggérer que Dora avait été retardée. Les lumières rendaient cette hypothèse moins probable. Avec détermination, Natalie courut le plus vite possible dans la ruelle jusqu'à une poubelle en métal galvanisé à demi remplie. Elle la rapporta, la retourna et grimpa dessus, si bien que l'appui de la fenêtre se retrouva au niveau de sa poitrine.

Elle découvrit une chambre bien rangée avec deux lits jumeaux. La lumière venait de derrière, sans doute de la cuisine. Elle cligna les yeux deux fois pour s'accoutumer à la pénombre. A présent, elle distinguait l'évier de la cuisine, le dossier d'une chaise et une partie de la table de la cuisine. Il lui fallut quelques secondes pour se rendre compte que ce qui pendait sur le côté de la table était un bras.

— Oh, mon Dieu, non ! s'écria-t-elle doucement.

Sans hésitation, elle donna un violent coup de coude dans la vitre, faisant exploser presque tout le verre dans la chambre. Plusieurs échardes dépassaient encore du cadre. Plutôt que d'essayer de les enlever, elle ouvrit la fenêtre et trouva la force de se hisser à l'intérieur. Sans se soucier du sang qui coulait d'une entaille juste au-dessus de son coude, elle s'élança vers la cuisine.

Dora Cabral était affalée sur la table, morte. Sa joue reposait paisiblement sur la nappe. Elle avait la bouche ouverte et les lèvres retroussées en un rictus choquant qui découvrait ses dents. Natalie vérifia son pouls sur la carotide et au poignet, tout en sachant qu'elle ne percevrait rien. Puis elle remarqua la seringue sur la table, près d'un flacon vide de plusieurs doses injectables d'un narcotique probablement très puissant.

Le peu qu'elle savait de cette femme ne la portait pas à croire qu'elle soit consommatrice de drogue, mais elle savait aussi que dans ce domaine les impressions ne suffisent pas. Au fond d'elle-même, elle sentait que la mort de Dora était un meurtre et, pire, que cela avait quelque chose à voir avec leurs deux points communs, le village de la forêt tropicale de Dom Angelo et l'officier de la Police militaire Rodrigo Vargas.

Encore sous le choc et les idées embrouillées, Natalie baissa les yeux et remarqua son sang qui gouttait et formait une petite flaque sur le sol en linoléum. L'entaille près de son coude mesurait bien cinq centimètres et elle était assez profonde mais elle savait qu'un garrot suffirait à arrêter l'hémorragie et qu'avec un peu de temps, pourvu qu'il n'y ait pas d'infection sérieuse, elle se retrouverait simplement avec une autre cicatrice en souvenir de Rio. Elle prit un torchon près de l'évier et parvint à le serrer autour de son bras. A ce moment-là, elle entendit le bruit des sirènes qui se rapprochaient. Etait-ce un piège ?

Survoltée par un flot d'adrénaline, elle retrouva ses esprits. Il fallait partir. Se servant de son tee-shirt pour actionner la poignée de la porte, elle se précipita dans le couloir et décida immédiatement de ne pas prendre l'escalier menant au hall d'entrée. Elle choisit plutôt de descendre par l'escalier étroit vers le sous-sol plongé dans le noir. A l'aveugle, elle tâtonna contre le mur à la recherche d'un interrupteur. Au moment où elle s'apprêtait à abandonner et à revenir vers le rez-de-chaussée, elle en découvrit un et alluma. Devant elle, à trois mètres, quelques marches en béton menaient à une porte. Avec prudence, Natalie l'ouvrit et sortit à l'arrière du bâtiment, dans une ruelle encore plus étroite que les autres et imprégnée d'une âcre odeur d'urine.

Les sirènes étaient maintenant toutes proches et elle était certaine d'entendre quelqu'un courir lourdement sur sa droite. Elle avait bel et bien été piégée. Il n'y avait aucun doute. Ce devait être Vargas. Bientôt, très bientôt, elle se ferait tuer en essayant d'échapper à son arrestation, et Dom Angelo garderait son secret.

Sans se soucier de sa respiration, elle courut vers le fond de la ruelle, le plus loin possible du bruit de pas, puis elle s'aplatit contre un mur tandis qu'un policier en uniforme passait en courant.

Finalement, elle traversa la rue et coupa par une autre ruelle. Au bout de quelques pâtés de maisons, elle fut bloquée. Elle se trouvait dans un quartier résidentiel bourgeois, avec des maisons individuelles et des jardins luxuriants. Essoufflée, elle se laissa tomber sur le sol derrière un bosquet dense de palmiers, de fougères et d'énormes yuccas, et elle s'autorisa à fondre en larmes, pas tant par peur pour elle-même ni même d'horreur pour la mort de Dora Cabral, qu'à cause du choc, tout simplement.

Il fallait qu'elle réussisse par tous les moyens à trouver des réponses, quitte à en mourir.

Sa quête devait commencer et s'achever, du moins l'espérait-elle, à Dom Angelo.

Chapitre 26

N'as-tu pas remarqué que la colère est quelque chose d'indomptable, et qu'elle rend l'âme intrépide et incapable de céder au danger ?

PLATON, *La République*, Livre II.

NATALIE PASSA LA NUIT à l'arrière de la Jeep, garée dans un parking public au nord de la ville, en se servant d'un sac marin comme oreiller et d'une bâche comme couverture. Pendant six heures, la tension et la confusion d'une part et l'épuisement physique et mental de l'autre se livrèrent bataille pour l'empêcher de dormir. A la fin, ce combat se termina par un match nul et elle estima qu'elle avait dormi deux heures et peut-être même trois.

A cinq heures et demie, ankylosée et les yeux rouges, elle sortit de la Jeep et fit les cent pas dans le niveau 2 du parking. A sa connaissance, elle se trouvait à vingt-cinq ou trente kilomètres au nord de Rio, à une bonne quinzaine de kilomètres de l'embranchement de la Route 44, qui continuait vers le nord-ouest, loin de la côte. D'après sa carte, cette route à deux voies faisait place à une route secondaire sinueuse et sans doute non goudronnée qui serpentait dans les montagnes de la forêt tropicale pendant au moins trente kilomètres avant de rejoindre la route qui desservait le village de Dom Angelo. Cela allait être un sacré voyage, à l'image de sa vie depuis qu'elle avait embarqué à bord du premier vol pour Rio.

Son cœur saignait pour Dora Cabral et ce que la femme avait pu subir avant sa mort. Son corps ne présentait aucune trace de torture mais Natalie ne doutait pas que Rodrigo Vargas excelle dans l'art d'obtenir des réponses sans laisser de traces.

Natalie se sentait totalement seule – peut-être plus qu'à aucun moment de sa vie. Elle hésita un instant à téléphoner à Terry ou même à Veronica pour leur demander de la rejoindre et de l'aider dans sa quête, mais la seule personne qui lui avait déjà tendu la main était morte. Non, cette bataille serait la sienne, quelle qu'en soit l'issue. D'ailleurs, s'avoua-t-elle avec amertume, elle avait déjà perdu. La cicatrice de sa thoracotomie l'attestait. Donc maintenant, les règles avaient changé. L'enjeu n'était plus de gagner ou perdre, mais plutôt d'obtenir des réponses et si possible, une vengeance.

Des réponses et une vengeance.

Le deuxième niveau du parking était encore quasi vide et le quartier s'éveillait lentement. Natalie prit quelques profondes inspirations et fit quelques étirements. Son opération et l'incendie avaient affaibli sa vitalité, mais elle était toujours souple, filiforme et, comme toujours, plus forte qu'il n'y paraissait.

Un peu de callisthénie dans un parking minable.

Il était pathétique qu'une vie si prometteuse en soit réduite à cela, mais c'était ainsi. La plupart de ses projets et de ses rêves de devenir un grand médecin et la championne des défavorisés de ce monde avaient été arrachés de sa poitrine ou étaient partis en fumée. Désormais, tout ce qui restait pour elle était le puissant désir de savoir ce qui s'était passé et pourquoi, et la volonté passionnée de retrouver et de punir les responsables.

Des réponses et une vengeance.

Un petit café de l'autre côté de la rue lui fournit un petit déjeuner et des sanitaires pour se rafraîchir, ainsi qu'un exemplaire du *Rio O Globo*. A première vue, le journal ne parlait pas de Dora Cabral. Bientôt pourtant, elle le soupçonnait, un rapport soigneusement rédigé porterait le nom de la suspecte principale.

La femme ratatinée derrière le bar avait l'air de ne pas avoir pris un jour de congé depuis des décennies. Natalie laissa un pourboire énorme sous sa tasse vide et revint vers le parking. Au moins, si elle ne revenait jamais de son voyage dans la forêt tropicale, quelqu'un profiterait de son argent.

Elle rangea son équipement et hésita un moment à appeler sa mère ou Doug Berenger. Même si elle leur racontait des histoires, tous deux étaient assez intuitifs pour sentir qu'elle avait des problèmes. Ils avaient déjà traversé une fois le cauchemar de croire qu'elle avait disparu, avant de la voir resurgir. A quoi servirait-il de les appeler hormis les inquiéter ? De plus il n'était pas encore sept heures et Rio avait deux heures d'avance sur Boston.

Elle décida d'écrire plutôt une longue lettre à Hermina en lui demandant de la montrer à Doug. Elle résuma les événements qui s'étaient produits depuis son retour au Brésil, incluant tous les noms dont elle se souvenait. La serveuse du café essaya d'abord de restituer à Natalie une partie du pourboire, croyant qu'il s'agissait d'une erreur. Lorsqu'elle sut que cette aubaine n'était pas un accident, elle lui fournit une enveloppe pour sa lettre et accepta avec joie de la timbrer et de la poster.

L'heure était venue.

La jauge de carburant de la Jeep indiquait que le réservoir était aux trois quarts plein et sous la bâche à l'arrière se trouvaient une réserve de quinze litres d'essence et de l'eau purifiée. Lors de sa carrière d'athlète internationale, elle avait toujours voyagé dans des conditions confortables et elle pouvait sans doute compter sur les doigts d'une main les nuits passées sous la tente. A présent, elle avait survécu à sa première nuit à l'arrière d'une voiture. Quoi que l'avenir lui réserve, elle savait qu'il y aurait beaucoup d'autres premières fois.

La matinée était lumineuse et la chaleur agréable, promesse d'une nouvelle journée de grand beau temps. Natalie s'engagea sur la voie rapide vers le nord, en essayant de s'adapter au mode de conduite des Cariocas, qui n'impliquait pas souvent l'utilisation des clignotants ni du rétroviseur pour les changements de file, pas plus que l'usage du frein, dans aucune situation. Sur le siège à côté d'elle se trouvait la carte grossière qu'elle avait dessinée pour se rendre à Dom Angelo. Des questions au sujet de cet endroit continuaient à affluer à son cerveau à la vitesse des bolides qui la doublaient en trombe des deux côtés. La plus frustrante de ces questions était la possibilité que Dora Cabral se soit tout simplement trompée en pensant que ce village avait un lien avec l'agression de Natalie et la perte de son poumon. Il était même trop cruel d'envisager que cette pauvre femme ait été tuée par erreur. Mais si elle savait vraiment quelque chose, quel pouvait bien être le lien entre une étudiante en médecine de Boston, une infirmière de Rio et un minuscule village de la forêt tropicale brésilienne ?

La Route 44 Ouest, située à peu près là où elle s'y attendait, lui offrit une agréable surprise : une route à deux voies récemment goudronnée avec des marquages au sol, des accotements stabilisés et pas trop de circulation. Si ses estimations étaient justes, il y aurait une route à une vingtaine de kilomètres sur sa gauche, sans doute non goudronnée, qui serpenterait dans les montagnes en direction de Belo Horizonte, la vaste capitale de l'Etat de Minas Gerais. Cent cinquante kilomètres avant, ce qui ressemblait sur les cartes à une petite route à une seule voie plongerait sur la gauche. Et quelque part sur cette route-là, se situait Dom Angelo. Elle avait peu de chances d'y arriver sans difficulté, mais avec de la détermination, elle trouverait l'endroit.

Huit kilomètres avant l'intersection avec la route qui devait la mener vers Dom Angelo, elle ralentit et commença à inspecter chaque tournant. Elle se trouvait dans les contreforts raides de la partie la plus orientale de la forêt tropicale. La route à deux voies, à présent criblée de nids-de-poule, montait presque continuellement et tournait vivement sans prévenir. Il y avait peu de circulation et il s'écoulait souvent une minute ou deux sans qu'aucune voiture passe ni dans un sens ni dans l'autre.

Natalie ralentit encore et ouvrit sa fenêtre. Peut-être était-ce le fruit de son imagination, mais l'air riche en oxygène lui procurait une sensation différente dans son poumon. Elle arrivait à inspirer de longues bouffées d'air. Son pouls semblait même battre plus lentement. La forêt encadrait de près la route, l'abritant du soleil de fin de matinée. A plusieurs reprises, un large torrent apparut, qui courait le long de la route pendant quelque temps avant d'obliquer sous le couvert dense des arbres et du sous-bois.

La route goudronnée était plate au moment où Natalie vit l'embranchement. C'était une route en terre et graviers visiblement fréquentée, dont la largeur ne semblait pas permettre à deux véhicules de se croiser. Sur un arbre, un panneau peint grossièrement indiquait CAMPO BELLO souligné d'une flèche. D'après ses estimations, Campo Bello était la ville la plus proche de Dom Angelo mais il était impossible d'évaluer la distance entre les deux. Bien qu'elle soit presque certaine d'avoir trouvé la bonne route, Natalie vérifia le kilométrage et consulta de nouveau sa carte. Enfin convaincue, elle tourna à gauche et entama une longue montée en montagnes russes à travers une forêt de plus en plus épaisse.

Elle se sentit soudain revigorée et se laissa aller à croire qu'elle réussirait à atteindre Dom Angelo sans problème majeur. La progression était lente et six cylindres au lieu des quatre de la Jeep auraient sans doute fait une grosse différence, mais elle allait y arriver.

La première fois qu'elle décela un problème, ce fut lorsqu'elle se gara sur le côté pour s'étirer et manger rapidement une tranche de viande et une demi-barre de chocolat, arrosées d'un jus de fruits. Elle se trouvait sur cette route depuis vingt ou vingt-cinq minutes et n'avait croisé qu'une seule voiture, mais dès qu'elle coupa le contact, juste avant que le lourd silence de la forêt l'engloutisse, elle entendit quelque chose. On aurait dit le dérapage d'une voiture sur les gravillons, accompagné d'un bref bruit de moteur. Puis, tout à coup, il n'y eut plus rien. Cela pouvait-il être un écho de sa propre voiture ? Probablement, songea-t-elle. C'était sans doute cela.

Elle mangea rapidement, aux aguets, cherchant à déceler d'autres bruits que ceux des oiseaux et des insectes. Puis elle mit son couteau suisse dans sa poche et sortit son couteau de chasse de son sac de sport pour le poser sur le siège avant. Rien qu'un écho. C'est tout.

Au cours du kilomètre suivant, la route sembla se rétrécir et devenir encore plus raide. Sur la gauche, une pente presque verticale et densément boisée s'élevait à partir de la route, tandis que sur la droite, s'ouvrait un précipice de plus en plus profond. Si une voiture arrivait maintenant, il leur serait impossible de se croiser, et l'une des deux devrait reculer. Natalie conduisait en partageant son attention entre la route qui s'étirait devant elle et le vide en dessous. Elle avait la mâchoire serrée, et ses mains étaient blanches à trop serrer le volant, en partie à cause de la tension provoquée par la conduite, mais aussi à cause du bruit qu'elle avait entendu.

C'est à ce moment-là qu'elle fut percutée par-derrière.

Elle avait dû quitter des yeux le rétroviseur arrière, parce que la secousse, assez brutale, fut une surprise totale. Instinctivement, elle appuya sur le frein, ce qui fit déraper la Jeep vers le précipice. Elle aurait basculé dans le vide si elle n'avait pas appuyé sur l'accélérateur à fond en braquant le volant vers la gauche. L'aile de la Jeep se frotta au flanc de la montagne, déracinant des buissons et éraflant un tronc d'arbre.

Natalie sut, avant même de jeter un regard au chauffard pardessus son épaule, qu'il s'agissait de Rodrigo Vargas. Au moment où leurs regards se croisèrent, il lui fit un sourire et un signe de la main.

Puis sa voiture, une grosse Mercedes, recula de quelques mètres et fonça de nouveau. Cette fois il n'y avait absolument aucune échappatoire. La Jeep fut projetée dans le vide avant même que Natalie ait pu réagir, dévalant entre les arbres et la végétation du sous-bois pendant une éternité. Elle percuta le sol, avec une force qui fit s'entrechoquer ses mâchoires. Le pare-brise vola en éclats, les portes s'ouvrirent et celle du conducteur fut immédiatement arrachée. La Jeep rebondit assez haut et faillit se renverser, évitant de justesse un arbre. Maintenue par sa ceinture et agrippée au volant de toutes ses forces, Natalie était impuissante.

Enfin, la voiture reçut un choc violent sur le pare-buffle avant gauche, puis elle pirouetta en avant en un tonneau disgracieux ; elle finit sa course sur le côté passager, face à la pente. Seules les roues étaient encore en mouvement.

La première chose que Natalie sut avec certitude, c'est qu'elle n'était pas morte. Elle était attachée à son siège dans une position atrocement inconfortable, et elle saignait quelque part au-dessus de l'œil gauche. La voiture était remplie d'un brouillard chimique, sans doute à cause de l'airbag qui s'était déployé puis dégonflé. Sa hanche droite l'élançait, mais ses bras, mains et pieds réagirent tous lorsqu'elle les mit en mouvement. Que cela vienne du réservoir ou du bidon de quinze litres, il y avait une odeur d'essence de plus en plus forte.

Elle détacha sa ceinture et se hissa par l'ouverture sans porte, réprimant un cri dès qu'elle eut bougé la hanche droite. Une contusion ou une déchirure musculaire sans doute, mais pas de fracture. Cela la ralentirait mais ne l'arrêterait pas. Elle remarqua son couteau de chasse coincé dans la poignée de la portière passager. Elle se pencha avec peine, mais réussit à le récupérer et le glissa dans la ceinture élastique de son pantalon. Elle ne voyait même plus la route à travers l'épais feuillage, mais elle savait que là-haut quelque part, Vargas s'apprêtait à descendre pour vérifier son travail et le finir le cas échéant.

Elle s'éloigna en boitillant du bidon d'essence puis s'agenouilla, tête baissée, et écouta. Pas très loin en dessous d'elle, elle entendait le bruit du torrent, mais au-dessus, rien. Puis les moustiques attaquèrent, attirés par sa sueur, sa respiration et le sang, qui bourdonnaient dans ses oreilles et son nez.

Pas un mouvement ! s'ordonna-t-elle à elle-même, restant recroquevillée tandis que la première vague commençait à la piquer.

Pas un mouvement, pas un bruit !

— Natalie ! cria Vargas d'une voix perçante qui résonnait dans la forêt. Natalie, tu vas bien ? Je suis désolé d'avoir fait ça. Si tu es blessée je veux t'aider.

Natalie scruta la pente raide et densément boisée, mais elle ne détecta aucun mouvement. Dix centimètres par dix centimètres, à quatre pattes, s'efforçant de chasser de son esprit l'intense douleur de sa hanche, elle se fraya un chemin à flanc de colline. Elle savait que Vargas avait une arme à feu sur lui. Elle avait le couteau, mais sa mobilité était limitée et sa vitesse proche de zéro. Chacun de ses mouvements sur le sol détrempé laissait des fougères écrasées et des branches cassées. Bientôt, Vargas suivrait cette piste. Sa seule chance, et encore était-elle mince, c'était une embuscade par le dessus. Bien sûr, au moment de vérité, il lui faudrait être prête à utiliser sa lame de dix-huit centimètres.

— Natalie ! Je suis sûr que tu es blessée et que tu as besoin d'aide. Je peux t'aider. Je peux tout t'expliquer. Je peux te parler de Dom Angelo.

Il était un peu essoufflé, comme s'il progressait en direction de la Jeep. Soufflant pour faire sortir des insectes de ses narines, Natalie continua, cherchant l'endroit adéquat. En dessous, le bruit du ruisseau ou de la rivière s'intensifiait. Soudain sur sa droite, la forêt s'arrêtait. Le saut de sept ou huit mètres jusqu'à l'eau tourbillonnante n'était pas tout à fait vertical mais il était sacrément raide.

— Natalie, je vois où tu vas. Si tu veux que je t'aide, reste où tu es. J'ai vu le sang dans la voiture. Je sais que tu es blessée.

Elle n'avait plus beaucoup de temps. Toujours à quatre pattes, elle progressa encore de cinq ou six mètres, puis remonta vers le haut, et obliqua dans la direction de la Jeep. Si Vargas suivait sa piste, comme il l'avait dit, il passerait juste en dessous d'elle. A ce moment-là, elle aurait une chance et une seule.

Elle s'arc-bouta contre le tronc épais et trapu d'un palmier. Il n'y avait aucune position qui ne lui fasse pas mal à la hanche. Elle avait lu quelque part que la forêt tropicale abritait plus de deux millions et demi d'espèces d'insectes, et en cet instant elle le croyait sans peine.

A sa droite, elle vit des buissons bouger. Elle ôta le couteau de chasse de sa ceinture et le fit glisser hors de son étui. La lame, jamais utilisée si ce n'était pour couper une feuille de papier dans le magasin, était effrayante, intimidante. Elle soupesa l'arme et décida de viser le cou ou la poitrine de Vargas. L'image qu'elle avait en tête était la mère de Norman Bates attaquant le détective privé dans *Psychose*. Tout en entendant le policier se rapprocher, elle songea à Dora Cabral, affalée sur la table de sa modeste cuisine. Rodrigo Vargas, en dépit de son charme, était un tueur impitoyable. Elle devait se montrer forte et déterminée.

Forte et déterminée.

Quelques secondes plus tard, elle vit le haut de la tête de l'homme approcher à travers la végétation. Il se déplaçait lentement, sur le qui-vive. Elle n'avait pas droit à l'hésitation. Elle se baissa et prit appui dans le sol, agrippant l'énorme couteau et essayant d'ignorer la douleur électrique dans sa hanche. Vargas arrivait. Dans trois ou quatre pas, il se trouverait directement entre elle et le précipice. Le bruit du torrent jouerait en faveur de Natalie, couvrant son mouvement de dernière seconde. Il tenait un pistolet devant lui, souple et professionnel. Encore deux pas.

Ne regarde pas. Ne...

Natalie s'élança maladroitement et se jeta sur l'homme, plantant l'arme un peu au hasard. Elle le blessa juste sous l'omoplate droite et eut l'impression d'avoir touché l'os. L'homme hurla et tira en vain des coups de feu. Mais l'élan de Natalie les projeta par-dessus le précipice et ils roulèrent inexorablement vers le torrent, comme deux poupées de chiffon, se cognant contre les arbres et passant au-dessus des buissons.

A trois mètres de la rive, Natalie s'agrippa à un arbuste et réussit à s'arrêter, les bras déchirés par les branches. Vargas continua presque en chute libre et s'immobilisa enfin, le visage contre terre sur la rive boueuse, le bas du corps dans l'eau. Sa chemise en toile était détrempée par le sang de l'entaille juste derrière et au-dessous de son aisselle droite. Et l'arme de Vargas avait disparu, tout comme le couteau de Natalie.

Natalie resta où elle se trouvait, le corps endolori et meurtri. En bas, Vargas demeurait immobile, les jambes ballottées par les eaux du torrent. S'était-il brisé la nuque lors de la chute ? Ou accidentellement tiré dessus ? Ou bien la blessure qu'elle lui avait infligée était-elle mortelle ? Des trois possibilités, seule la troisième semblait improbable. Le couteau n'avait pas eu l'air de s'enfoncer si profondément, mais en revanche la chute avait été vertigineuse.

Avec des grognements de douleur, elle roula sur le côté et s'assit, serrant autour d'elle ses bras qui avaient l'air d'avoir été attaqués par des chauves-souris. Dans l'eau, les jambes de Vargas continuaient leur danse macabre. C'était une ordure, se dit-elle, qui méritait son sort. Pourtant au fond d'elle-même, elle se sentait malade d'avoir donné la mort.

Elle essaya de se servir d'un arbre pour se redresser, puis regarda encore le policier, tout en essayant de décider ce qu'elle devait faire à présent. Rodrigo Vargas et la Jeep de location avaient probablement trouvé leur lieu de repos pour l'éternité. Sa mission était d'arriver à Dom Angelo, et le moyen le plus sûr pour cela était la Mercedes.

Où pouvaient se trouver les clés ?

Remonter la pente ne serait pas facile et cela ne valait pas la peine si les clés se trouvaient, comme il était probable, dans la poche de Vargas. L'idée de les récupérer sur son cadavre lui donnait la nausée, mais remonter la pente pour la redescendre si elles ne se trouvaient pas dans la voiture était absurde.

Descendant prudemment vers le corps, Natalie chercha une grosse pierre en guise d'arme au cas où il ne serait pas mort. Ce qu'elle trouva était bien mieux : celle du policier. Elle reposait sur la boue à la base d'une énorme fougère, à quelques mètres de l'eau. C'était un revolver à long canon avec une crosse en bois sombre, une arme que Jesse James aurait pu porter. *Pas tellement surprenant.*

Elle nettoya le canon sur son pantalon et s'approcha avec prudence du corps de Vargas. De là où elle était, Natalie ne pouvait voir son visage tourné de l'autre côté, la joue appuyée dans la boue, les bras écartés. Prudemment, elle s'agenouilla à côté de lui, puis hésita avant de fouiller dans sa poche. Elle prit d'abord son pouls. Il était bien vivant !

Avant que Natalie ait eu le temps de réagir, un hurlement guttural sortit de la gorge de Vargas, qui se tordit comme une vipère et agrippa le poignet de Natalie qui tenait le revolver. Sa lèvre supérieure était entaillée et le sang coulait abondamment sur le masque de boue qui recouvrait son visage. La folie furieuse rendait ses yeux vitreux et ses lèvres laissaient voir des dents couvertes de boue et de sang.

Natalie lui martela frénétiquement le visage avec sa main libre et lui donna des coups de pied de toutes ses forces, espérant l'atteindre à l'aine. Il pesait au bas mot vingt-cinq kilos de plus qu'elle et malgré tous ses efforts, il prenait lentement le dessus. Il l'attrapa à la gorge de sa main libre et resserra fermement sa prise.

Au moment où elle sentait qu'elle allait perdre connaissance, l'un de ses coups de pied atteignit son but et pendant un bref instant, il relâcha son étreinte sur le poignet de Natalie. Par pur réflexe, Natalie libéra sa main, pointa l'arme dans la direction de son assaillant, et fit feu.

Dans une explosion de sang, la silhouette de Vargas s'affaissa instantanément. Le haut de son crâne, sur lequel elle avait tiré à bout portant, avait été emporté.

Presque en état de choc, hurlant à chaque souffle, les oreilles bourdonnantes à cause de la détonation féroce du revolver, Natalie essuya les tissus et le sang de ses paupières avec le revers de sa main. Puis elle se détourna et plongea son visage dans le ruisseau froid et limoneux.

Chapitre 27

Et relativement à la tempérance, au courage, à la grandeur d'âme et à toutes les parties de la vertu, il ne faut pas mettre moins d'attention à discerner le sujet bâtard du sujet bien né.

PLATON, *La République*, Livre VII.

LE DR SANJAY KHANDURI, un bel homme passionné au teint sombre, se frayait un passage dans les rues grouillantes de la métropole d'Amritsar, vantant fièrement ses mérites à Anson.

— Nous sommes dans l'Etat du Penjab, docteur Anson, dit-il avec son accent indo-britannique haché. Amritsar est ma ville natale. C'est l'une des plus belles villes de notre pays et c'est un centre spirituel et un lieu de pèlerinage sikh. Vous connaissez cette religion ?

D'après Saint-Pierre, qui les accompagnait, Khanduri était l'un des meilleurs spécialistes en transplantation pulmonaire dans le monde. Deux mois après le succès remarquable de son opération, Anson n'avait aucune raison d'en douter.

— Je connais un petit peu, dit-il. Très mystique ; profondément spirituelle. Un seul Dieu, pas d'idoles, l'égalité de tous, cinq symboles. Voyons si je m'en souviens : ne pas se couper les cheveux ni la barbe, porter quatre signes distinctifs : un peigne, un bracelet en acier, un sous-vêtement spécial et... et une sorte de petit poignard. C'est ça ?

— Le poignard représente une épée et les sous-vêtements sont ceux des soldats, qui symbolisent l'aptitude des Sikhs à se battre pour leurs croyances. Excellent, docteur ! Je suis très impressionné.

— Mais vous êtes rasé, donc je suppose que vous n'êtes pas sikh.

— C'est vrai, docteur. Bien que j'adhère à la philosophie des Sikhs, je ne la partage pas entièrement.

— Sanjay, demanda Saint-Pierre, sommes-nous encore loin de chez Mme Narjot ?

— Pas trop loin, docteur Elizabeth, mais comme vous voyez, la circulation est épouvantable. Nous sommes sur Court Road, qui est toujours embouteillée. Nous devons aller jusqu'à Sultan Road. Cinq kilomètres, je dirais. Cela ne prendrait pas très longtemps si n'étions pas à l'arrêt.

Khanduri s'esclaffa à sa propre blague. L'azur s'étendait à l'infini et le soleil du milieu d'après-midi était brûlant. Comme la Toyota du chirurgien était quasi immobile, des mendiants, qui déblatéraient sans fin, étaient attirés vers les vitres du côté de l'homme blanc et de la belle femme africaine.

— Je voudrais donner quelque chose à chacun d'eux, dit Anson.

— Vous êtes un homme très bon, docteur. Hélas, il y a bien plus de mendiants que vous n'avez d'argent à leur donner.

— Oui, bien sûr.

— Rien que dans ce quartier. Je suis ravi de constater que vous respirez à peu près naturellement. A présent je peux voir de mes propres yeux que les comptes rendus que m'a envoyés le docteur Elizabeth disaient vrai.

— Vous avez fait un travail magnifique.

— Merci. J'avoue que j'ai été très anxieux quand l'épidémie de pneumonie *Serratia marcescens* s'est déclarée à l'hôpital et que nous avons dû vous transférer si rapidement après l'opération.

— A dire vrai, je me souviens très peu des quelques jours qui ont suivi mon opération. En fait, mon premier souvenir date de l'hôpital de Cape Town où vous m'avez transféré.

— L'épidémie de *Serratia* était dangereuse, Joseph, dit Elizabeth, surtout avec le traitement immunosuppresseur, même s'il était réduit au minimum.

— Je n'étais pas tranquille à l'idée de vous transférer dans un autre hôpital d'Amritsar, ajouta Khanduri. La *Serratia* s'était déjà déclarée chez certains de leurs patients immunocompromis et de plus ils avaient subi des réductions d'effectifs.

— Tout est bien qui finit bien, dit Anson.

— Tout est bien qui finit bien, répéta Khanduri en écho.

Les voitures avaient recommencé à avancer et les mendiants s'étaient écartés. Anson s'émerveillait en silence du kaléidoscope architectural d'Amritsar – un pâté de maisons luxueux et chic, le suivant en carton-pâte et décrépit. C'était un miracle qu'au milieu de cette incroyable marée humaine de plusieurs millions de personnes rien que dans cette ville, juste au moment où il le fallait, un cadeau soit apparu pour lui sauver la vie, sous la forme d'un homme en état de mort cérébrale et dont le poumon était parfaitement compatible avec le sien.

« Whitestone a mené des recherches dans le monde entier, lui avait expliqué Elizabeth lorsqu'ils avaient discuté de la détérioration de sa santé. Nous sommes déterminés à protéger notre investissement à tout prix », avait-elle déclaré, ponctuant cette phrase d'un clin d'œil.

En effet, grâce à l'homme charmant et sans prétention qui leur servait à présent de guide, l'investissement de Whitestone avait été protégé et garanti. Ensuite, dès qu'il aurait retrouvé la paix après avoir vu la veuve et les enfants de T.J. Narjot, Anson remplirait sa part du marché et livrerait les derniers secrets de la synthèse du Sarah-9.

Khanduri fit un petit détour pour les faire passer devant les murs, le dôme et les immenses minarets du Temple d'Or.

— L'étendue d'eau devant le Temple d'Or s'appelle le Bassin au Nectar, dit-il. Les Sikhs n'ont cessé d'embellir et d'améliorer ce monument depuis le XVe siècle.

— Vous semblez très fier des Sikhs, dit Anson. Pourquoi n'avez-vous pas embrassé leur religion ?

— Je suis hindou, répondit simplement Khanduri. Je crois fermement dans le système des castes, or les Sikhs ne le reconnaissent pas.

Anson contemplait toujours le temple, sans quoi il aurait vu Elizabeth croiser le regard de Khanduri dans le rétroviseur et lui faire un signe de tête ferme et insistant.

Au bout de trois quarts d'heure de voiture, le chirurgien se gara devant une modeste maison à un étage dans une rue résidentielle moins grouillante que les autres.

— T.J. Narjot était contremaître d'une équipe de réparations pour la compagnie d'électricité, expliqua-t-il. Sa femme, Narendra, comme c'est souvent le cas ici en Inde, restait à la maison pour s'occuper des enfants. Elle ne parle pas anglais, donc il faudra que je fasse l'interprète pour vous. L'Etat du Penjab a sa propre langue mais elle et moi parlons principalement hindi. Elizabeth, voulez-vous venir avec nous ?

— Oui, répondit-elle après une brève hésitation. Cela ne te dérange pas, Joseph ?

— Absolument pas. Docteur Khanduri, veuillez dire à Mme Narjot que nous n'abuserons pas de son temps.

Ils furent accueillis à la porte par une jolie femme élancée d'une trentaine d'années, sans bijoux, et portant un sari de ton neutre. Sa tête n'était pas couverte et ses cheveux noirs d'ébène tombaient sur ses épaules. Elle n'eut pas de fausse pudeur et serra la main de ses trois visiteurs en les regardant dans les yeux. Le petit salon était joliment meublé, avec très peu d'objets d'art sur les murs ou sur les guéridons. Il y avait plusieurs photos d'un homme mince à moustache, de belle allure et au sourire engageant ; Narendra confirma plus tard qu'il s'agissait bien de son mari décédé. Quelque part à l'arrière de la maison, on entendait des rires d'enfants.

Une fois qu'Anson eut exprimé ses condoléances et remercié son hôtesse de les avoir reçus, il l'interrogea sur son mari.

— T.J. et moi étions mariés depuis douze ans, dit Narendra par l'intermédiaire de Khanduri. Nos enfants ont neuf ans et six ans, ce sont deux garçons. Leur père leur manque terriblement et ils sont encore bouleversés quand on parle de ce qui s'est passé.

— Je ne les dérangerai pas, déclara Anson.

— C'est gentil à vous. Jusqu'à cette hémorragie, il était en parfaite santé. L'attaque a été très soudaine et massive – une hémorragie, m'a-t-on dit à cause de vaisseaux enchevêtrés depuis la naissance.

— Ce devait être une malformation artério-veineuse ! s'exclama Elizabeth.

— Sans doute, déclara Anson.

— Mon mari et moi avions parlé dans le vague de ce que nous souhaiterions s'il se produisait quelque chose de ce genre. Bien sûr, nous ne pensions pas... (Narendra se mit à pleurer et Khanduri lui fit signe qu'il pouvait attendre qu'elle reprenne) que l'un de nous aurait à prendre une telle décision.

— Je comprends, dit Anson.

— Au bout du compte, les poumons, les cornées et les deux reins de T.J. ont été donnés. Ensuite il a eu un merveilleux Shradda, une cérémonie funéraire, expliqua Khanduri, puis il y a eu une crémation.

— Les Narjot ne sont pas sikhs ? demanda Anson, qui se rendit compte en même temps qu'il posait la question, que T.J. n'avait ni la barbe ni le turban des Sikhs.

— Non, répondit Khanduri. Comme moi, ils sont hindous.

— Mais les hindous ne croient-ils pas que le don d'organes est une mutilation du corps et qu'il est à proscrire ? demanda Anson.

Khanduri ne se tourna pas vers Narendra pour la réponse.

— Autrefois, c'était sans doute le cas, dit-il, mais aujourd'hui il y a un nombre croissant d'hindous qui comprennent que le don d'organes est utile aux autres et donc tout à fait honorable. Heureusement pour vous et pour les autres bénéficiaires de ces organes, c'est le cas des Narjot.

En tout, la conversation dura un peu plus d'une heure, au cours de laquelle Anson posa des questions sur T.J. Narjot, sa personnalité, ses goûts et son histoire personnelle.

— On dirait que c'est un homme hors du commun, dit Anson lorsque Narendra eut terminé.

— Oh ! oui, en effet, fut la réponse transmise par l'interprète. Il était unique et il nous manquera à tout jamais.

Finalement, Narendra fit faire le tour de la maison à ses invités qui saluèrent ses fils d'un signe de la main. Dans le couloir, Anson sortit une enveloppe de sa poche. Narendra, qui comprit immédiatement de quoi il s'agissait, refusa avec véhémence, mais Khanduri intervint et au bout d'une longue explication, la femme accepta, puis elle se mit sur la pointe des pieds et déposa un baiser sur la joue d'Anson.

— Prenez soin de vous, docteur Anson, dit-elle. Mon mari vit en vous.

— Mon corps sera un temple à sa mémoire, madame Narjot, dit Anson.

— Alors, docteur Joseph, demanda Khanduri alors qu'ils repartaient vers l'aéroport, cet entretien avec la veuve de votre bienfaiteur s'est-il passé comme vous vous y attendiez ?

— J'essaie toujours de ne m'attendre à rien, dit Anson, mais c'était certes une expérience qui m'a ouvert les yeux. Je ne l'oublierai jamais.

Les poings d'Anson, collés contre ses cuisses là où ni Khanduri ni Elizabeth ne pouvaient les voir, étaient serrés si fort que ses ongles entaillaient presque la peau de ses paumes.

Il était presque trois heures trente du matin quand Anson s'éclipsa par la fenêtre de son appartement. La jungle, nettoyée par une légère pluie, était aromatique et mystique. Se baissant pour éviter les caméras, Anson décrivit un long arc de cercle à travers la végétation dense, puis il se dirigea sur la droite, vers la route d'accès à l'hôpital. Les gardes faisaient des patrouilles sur cette route la nuit, mais peu fréquemment.

Le vol de retour, avec deux escales, avait pris toute une journée. Anson avait demandé à Francis Ngale, en qui il avait toute confiance, d'organiser les choses pour lui. Puis il s'était douché, reposé et avait mis des vêtements propres et sombres, avant de sortir par la fenêtre. Au bout de vingt minutes, il arriva à la route, goudronnée par l'Etat en signe de gratitude pour le travail accompli par le dispensaire. Il lui fallut quelques secondes pour s'orienter et déterminer que Ngale devait l'attendre à une faible distance vers le sud.

Anson était un homme brillant qui aimait résoudre les énigmes en tout genre. Celle qui l'intriguait à présent, pourtant, continuait à défier toute logique. Il savait que le voyage qu'il allait entreprendre pour le village d'Akonolimba lui fournirait un indice crucial.

Certains, dont Elizabeth, le trouvaient trop sur ses gardes et soupçonneux. A présent il se demandait s'il n'avait pas été insuffisamment parano.

Les nuages annonciateurs de pluie maintenaient dans l'obscurité la route sans éclairage mais une faible lueur étincelait sur l'asphalte humide.

— Francis, appela-t-il doucement en arrivant à un tournant.

— Ici, docteur ! répondit le garde. Continuez droit devant.

L'homme aussi noir que la nuit attendait près de la route, tenant le vélo à quatorze vitesses qui avait autrefois appartenu à Anson et qui aujourd'hui était à qui voulait s'en servir au sein du dispensaire ou du labo. Pour Anson, ce serait la première fois en près de deux ans, mais son opération ayant si bien réussi, cela ne devrait pas lui poser de problème.

— Vous vous souvenez comment on fait ? demanda Ngale.

— Je suppose que ça ne s'oublie pas, c'est comme... le vélo.

— Très drôle. J'ai huilé les chaînes et les axes, ainsi que les vitesses et les freins. Si vous tombez, vous ne pourrez blâmer que vous-même.

Anson tapota sur l'épaule de son ami et commença à pédaler. Ngale trottina à côté de lui pendant quelques pas, inquiet, puis il se mit en retrait sur le côté de la route.

— Je dirai bonjour au maire pour vous, lança Anson par-dessus son épaule.

— Je l'ai déjà fait moi-même. Platini vous attend.

Comme d'habitude, les parfums et les bruits de la jungle étaient hypnotiques et Anson dut se concentrer sur la route. Les sept kilomètres jusqu'au village d'Akonolimba, sur les rives du Nyong, lui prirent un peu plus d'une demi-heure. La route en terre qui coupait le village en deux était trop boueuse pour pouvoir y passer à vélo, donc Anson mit pied à terre sur les derniers quatre cents mètres. De nombreuses cases étaient construites en parpaings et tôle rouillée, mais certaines étaient encore en roseaux avec un toit de chaume. Le village disposait de l'eau courante et de l'électricité, comme du téléphone, mais peu nombreux étaient les habitants qui avaient les moyens de s'en servir, et parmi eux certains n'en avaient simplement pas envie.

Platini Katjaoha, le maire du village, tenait une épicerie et vivait dans la plus belle maison, en stuc et parpaings, à un étage, avec un abri à voiture, plusieurs pièces et une citerne. Il y avait aussi une parabole satellite qui dépassait de l'un des murs extérieurs. Anson frappa discrètement et Platini vint lui ouvrit pieds nus, vêtu d'un bermuda rouge et d'une chemise hawaïenne tendue sur sa panse royale. Son sourire découvrit des dents parfaitement blanches qui semblaient presque fluorescentes sur l'ébène de sa peau.

— Monsieur le maire, chuchota Anson, merci beaucoup d'avoir accepté de faire cela pour moi.

— Vous êtes toujours le bienvenu chez moi, docteur, s'exclama Katjaoha d'une voix tonitruante, ponctuant sa salutation par une poignée de main et une franche accolade. La porte d'en haut est fermée, donc vous ne réveillerez personne. Ma femme dort comme un loir de toute façon et les enfants sont fatigués à force de faire des bêtises toute la journée. Puis-je vous servir du vin, du thé, autre chose ?

— Juste le téléphone.

— J'ai entendu dire que votre opération avait été un succès. Nous sommes heureux.

— Merci mon ami. J'ai un nouveau poumon.

— Donné par quelqu'un en Inde, c'est bien ça ?

— En fait, c'est ce que j'essaie de découvrir. Francis vous a-t-il prévenu que j'allais passer un appel international ?

— Après tout ce que vous avez fait pour les gens de notre village, vous pouvez bien appeler la lune si ça vous chante.

— Merci. Pouvez-vous m'écrire votre numéro, afin que je demande à mon ami de me rappeler ?

— Pas de problème.

— Et il faudra peut-être que j'attende un peu son appel.

— Pas de problème non plus.

— Vous êtes un homme merveilleux, Platini Katjaoha.

— Dans ce cas vous êtes l'idole des hommes merveilleux. Je serai là-haut. Appelez-moi si vous avez besoin de moi.

Anson le remercia encore, puis il s'installa dans un fauteuil élimé près du téléphone et sortit de sa poche un papier plié. Il y avait un décalage de cinq heures entre le Cameroun et New Delhi, et il ignorait donc si Bipin Gupta serait chez lui ou au bureau. Connaissant l'éditorialiste du journal de référence *Indian Express*, Anson composa d'abord le numéro de son travail. Fidèle à lui-même, Gupta répondit dès la première sonnerie.

— Salutations du Cameroun, mon cher et vieil ami, lança Anson dans un hindi presque courant.

— Joseph, Joseph, quelle agréable surprise ! Mais il faut que tu m'appelles plus souvent, ton accent sud-africain devient de plus en plus prononcé.

Tous deux avaient partagé une chambre pendant deux ans au cours de leurs études à l'université de Cape Town. Bien que Gupta parlât couramment anglais, Anson avait insisté depuis le premier jour pour qu'ils ne discutent qu'en hindi. Il avait toujours eu un don pour les langues et la langue maternelle de Gupta était rapidement venue s'ajouter à celles qu'il parlait déjà : l'anglais, l'afrikaans, le français, l'espagnol et l'allemand. Lors du voyage à Amritsar, il s'était rendu compte avec surprise qu'il n'avait jamais révélé à Elizabeth qu'il parlait couramment hindi. Au début il avait été un peu embarrassé d'écouter Sanjay Khanduri traduire une langue qu'il maîtrisait parfaitement, mais cela l'amusait aussi et il ne comptait pas faire durer trop longtemps cette petite plaisanterie. Toutefois, il avait soudain entendu Narendra Narjot, si c'était bien son nom, demander : « Alors, ma petite comédie vous plaît jusqu'ici ? » et il avait été soufflé d'entendre Khanduri répondre : « Continuez à donner des réponses simples et directes et je me charge du reste. »

— Bipin, déclara Anson après quelques salutations d'usage, j'ai besoin que tu vérifies deux choses pour moi. Si c'est possible, j'attendrai ici que tu me rappelles. La première concerne un homme du nom de T.J. Narjot, résidant à Sultan Road à Amritsar. Environ quarante ans. Il est censé être décédé au Central Hospital au cours de la semaine du 18 juillet.

— Et la deuxième ?

— Aux environs de cette date, il y aurait soi-disant eu une épidémie au Central Hospital et dans d'autres hôpitaux d'Amritsar, d'une bactérie nommée *Serratia marcescens*. J'ai besoin de savoir si c'est le cas.

Le journaliste lui fit épeler le nom de la bactérie.

— Tu sais, lui dit-il ensuite, il est toujours plus difficile de prouver qu'une personne n'existe pas ou qu'un événement n'a pas eu lieu, que le contraire.

— Ce que je sais, c'est que mon vieil ami Bipin Gupta est capable de tout.

— Donne-moi un numéro où te joindre, dit Gupta, et une heure.

Chapitre 28

S'ils doivent affronter le danger, [...] le succès les rendra meilleurs.

PLATON, *La République*, Livre V.

LA MERCEDES NOIRE DE Rodrigo Vargas était une berline cinq portes puissante qui sentait le cigare. Endolorie et ralentie par son essoufflement et son gros hématome à la hanche, Natalie conduisit environ quatre cents mètres avant de trouver un étroit chemin de terre qui pénétrait dans la forêt dense. Après s'être assurée que la voiture était invisible depuis la route, elle fit quatre allers-retours à la Jeep pour remonter son matériel sur la route. Lorsqu'elle eut enfin transféré sa tente de randonnée, son sac à dos, l'eau et la nourriture dans la Mercedes, l'après-midi touchait déjà à sa fin. Pendant ce temps, aucune voiture n'était passée sur la route, ni dans un sens ni dans l'autre.

Ignorant totalement à quelle distance elle se trouvait de Dom Angelo, elle décida d'y aller en voiture, mais doucement. Une demi-heure plus tard, elle vit un panneau cloué sur la fourche d'un arbre indiquant : DA 2 KM.

Elle poursuivit donc sa route et à moins d'un kilomètre, elle découvrit cette fois une piste qui pénétrait sous le couvert de la végétation. Elle y engagea la Mercedes jusqu'à ce que le tracé ait presque disparu, au bas d'une colline. Cette fois, elle fit de son mieux pour recouvrir l'arrière de la voiture avec des branches, puis elle coinça la clé derrière le pneu avant droit.

Pendant le trajet, elle avait élaboré une histoire à peu près satisfaisante d'une naturaliste américaine qui faisait une randonnée dans la forêt tropicale et en profitait pour chercher une parente qui, aux dernières nouvelles, travaillait en tant qu'infirmière à Dom Angelo. Elle intégrerait également à son histoire une mauvaise chute au bord d'un précipice qui s'était effondré.

Son sac à dos, sur lequel était attachée sa tente, était plus lourd qu'elle n'aurait voulu, mais en voyageant trop léger, elle aurait éveillé les soupçons. La douleur à la hanche était gênante mais restait supportable et lui rappelait constamment que sa survie constituait une menace pour une ou plusieurs personnes. Elle devait simplement trouver un moyen de maintenir la pression.

Ce début de soirée en forêt était splendide – riche en oxygène et embaumant de mille parfums. En marchant, elle essayait d'imaginer quel pouvait être le lien entre elle et cet endroit, à des milliers de kilomètres de chez elle. La route épousait une longue pente douce, avant de s'incurver vers la droite. La forêt disparut soudain et la route descendit plus raide. Au-dessous et devant elle, niché dans une large vallée, s'étendait le village qui devait être Dom Angelo.

Pendant un instant, Natalie s'assit contre le tronc d'un épais palmier et étudia la scène en contrebas, qui à cette distance ressemblait à une maquette. Il y avait un certain nombre de bâtiments – pour la plupart des maisons, semblait-il – alignés sur des rues en quadrillage. Les constructions étaient primitives, en terre et métal rouillé. La fumée s'élevait en panache de nombre d'entre elles. A sa gauche, c'est-à-dire au nord, calcula-t-elle, apparaissait l'entrée d'une mine, creusée dans une montagne qui surplombait la vallée. A sa grande surprise, il y avait des lampadaires dans le village. En dessous, les enfants jouaient. Natalie estima qu'il pouvait y avoir deux cents ou deux cent cinquante habitants.

Cent mètres au-delà de l'entrée de la mine, une étroite cascade, de six mètres de haut, alimentait un petit étang, qui se vidait à son tour dans un cours d'eau traversant rapidement le village. Natalie se demanda si quelque part en aval, cette eau balaierait le corps dansant de Rodrigo Vargas. Il y avait des enfants dans le petit lac, et au moins deux femmes qui lavaient du linge dans le cours d'eau. Plus bas, deux hommes passaient du sable sur des tamis, à la recherche d'or ou de pierres précieuses.

Idyllique, songea Natalie, *pittoresque et calme absolu.* Pourtant, à cause de cet endroit, elle avait été mutilée et une autre femme assassinée.

Avec un léger grognement, elle se releva et descendit vers le bassin. Des poulets furent les premiers à l'accueillir, suivis de deux chiens marron bâtards. Il y eut ensuite trois femmes, toutes indiennes brésiliennes. La plus grande mesurait moins d'un mètre cinquante. Toutes trois lui sourirent franchement et sans la moindre méfiance.

— *Boa noite*, dit-elle.

— *Boa noite*, répondirent-elles.

Natalie déambula nonchalamment dans les rues étroites et s'arrêta dans une minuscule boutique pour y acheter de la viande en conserve, du ginger ale et une sorte de petit melon. La propriétaire, une autre Indienne, secoua la tête lorsqu'elle l'interrogea sur Dora Cabral. Plusieurs autres habitants du village lui donnèrent des réponses similaires, y compris deux mineurs qui venaient de terminer leur journée de travail dans le ventre de la montagne.

L'altitude et la longue journée commençaient à avoir raison de l'énergie de Natalie. Elle songeait à trouver un endroit dans la forêt pour y planter sa tente lorsqu'elle repéra une chapelle – en terre blanchie à la chaux avec un toit de tuiles rouges et un robuste clocher surplombé d'un crucifix rustique. Les stores en toile qui formaient la moitié supérieure des murs ainsi que la porte étaient roulés et attachés, dévoilant deux rangées de dix bancs grossièrement taillés. L'autel était nu à l'exception d'un crucifix en céramique peinte fixé au mur du fond.

Même si elle vivait dans une admiration constante de l'immensité de l'univers, des merveilles de la nature et même si elle estimait nécessaire de traiter les autres avec respect et une forme d'amour, Natalie n'avait jamais appartenu à une religion établie. Pourtant, elle ressentit une profonde sérénité dans ce simple édifice et elle y répondit en s'asseyant sur l'un des bancs.

Malgré ses tentatives pour purifier son esprit, l'horreur de l'attaque de Vargas et sa mort violente, ajoutées à l'énigme de la mort de Dora Cabral, ne la laissaient pas en paix. Elle était dans la chapelle depuis peut-être quinze minutes quand un homme arriva derrière elle et lui parla en portugais courant mais avec un accent.

— Bienvenue dans notre église.

Sa voix était éraillée et grave mais assez apaisante. Avant même de s'être retournée, Natalie avait senti l'odeur ô combien familière de cigarettes.

Debout derrière elle se trouvait un prêtre vêtu d'une simple soutane noire éclaboussée de boue, avec un col romain et des sandales. Plutôt maigre, la cinquantaine, avec de courts cheveux bruns, une barbe grisonnante d'un jour ou deux, et des yeux bleus électriques. Une lourde croix pendait sur sa poitrine, suspendue à une épaisse chaîne en argent.

— C'est un très bel endroit, répondit-elle.

— Vous êtes américaine ? demanda le prêtre dans un anglais parfait – ou au moins aussi parfait que pouvait l'être celui de quelqu'un qui avait sans doute grandi à Brooklyn ou dans le Bronx.

— De Boston, répondit Natalie en passant à l'anglais et tendant la main. Natalie Reyes.

— Reyes, alors vous êtes brésilienne ?

— Ma mère est cap-verdienne.

— Je suis le père Francisco Nunes, Frank Nunes, de Brooklyn.

Natalie sourit tandis que l'homme s'asseyait sur un banc en face du sien. Il avait une présence magnétique qui lui plut immédiatement mais aussi une aura de mélancolie non sans rapport avec la raison de son exil si loin de New York, pensa-t-elle.

— C'est une paroisse pittoresque que vous avez là !

— En fait, je dessers plusieurs villages de la forêt tropicale, mais je suis principalement ici. Une sorte de pénitence si vous voulez.

Natalie déclina le silence offert pour creuser le sujet. Le père Francisco semblait désireux de parler.

— Et comment s'appelle ce village ?

— Dom Angelo, un village minier, où on exploite surtout des émeraudes, mais aussi de la tourmaline verte, de la topaze, de l'ambre et des saphirs. Je suis devenu un expert sur la pureté de ces pierres. Et vous ?

— Je suis étudiante et je fais un break pour réorganiser mes priorités dans la vie, et aussi faire une randonnée dans la forêt tropicale avant qu'elle ait disparu.

— Elle ne va pas disparaître du jour au lendemain, mais je comprends.

— J'ai remarqué que la plupart des gens ici sont indiens.

Le prêtre se mit à rire.

— Beaucoup de nos habitants sont des indigènes de ces vastes forêts, dit-il, mais il y a aussi un certain nombre d'autres gens qui apprécient l'anonymat d'un lieu comme celui-ci, où toutes les transactions se font en liquide et où les gens ne donnent leur nom de famille que s'ils le souhaitent.

— Les Indiens sont-ils propriétaires de la mine ?

De nouveau un rire ironique.

— Ces gens pauvres et purs ne possèdent pratiquement rien, dit-il, et ils n'en sont sans doute que meilleurs. Les pierres précieuses qu'ils extraient sont une source de profit importante et au Brésil qui dit profit dit souvent Police militaire. C'est un petit groupe de policiers qui possède la mine. Voyez-les comme les shérifs et Dom Angelo comme le Tombstone du Far West d'antan.

Natalie eut une brève vision du visage hideux de Rodrigo Vargas au moment où il avait sorti de la boue son visage ensanglanté pour l'attaquer. Involontairement, elle frissonna.

— C'est aussi pour une autre raison que je suis venue dans ce village, dit-elle au bout d'un moment. Une parente éloignée, une femme qui s'appelle Dora Cabral, originaire de Rio. Elle a écrit à ma mère qu'elle travaillait ici comme infirmière. C'est possible ?

— Fort possible, oui, répondit le père Francisco. Il y a un hôpital près d'ici, qui emploie des infirmières venues de Rio, même si personnellement je n'en connais aucune du nom de Dora Cabral. Je peux toutefois poser la question au village.

— J'ai déjà interrogé certaines personnes mais sans succès. Il est difficile de croire que vous avez un hôpital ici.

— Un hôpital très moderne, en fait. Ils pratiquent des opérations chirurgicales hautement spécialisées, bien que je n'aie jamais eu le privilège de savoir lesquelles.

— Fascinant. Alors vos paroissiens se font soigner là-bas ?

— Pas pour des opérations. Elles sont pratiquées par des infirmières et des médecins venus de Rio en avion, et seulement sur leurs propres patients. Si un de nos habitants a besoin d'une hospitalisation, ils nous prêtent une ambulance.

— Qui dirige cet hôpital ?

— Les mêmes qui dirigent Dom Angelo.

— La Police militaire ?

— Essentiellement. Lorsqu'ils ont besoin d'aide, ils font venir des villageois comme cuisiniers ou pour le ménage, parfois même pour les assister au bloc. Une fois par semaine ou tous les quinze jours, un dispensaire est ouvert à l'hôpital et une infirmière ou un médecin donne des consultations gratuites aux habitants du village.

— C'est très gentil de leur part.

— C'est une question de contrôle. Les soins que reçoivent les villageois, ils ne pourraient pas les obtenir ailleurs. Leur reconnaissance peut les pousser à réfléchir à deux fois avant de voler une pierre précieuse. D'ailleurs ils risqueraient gros à le tenter. La police a tout un réseau d'espions et d'informateurs et administre la justice d'une main de fer. Si vous avez parlé à certains villageois, il y a une chance pour que le policier actuellement de garde à l'hôpital sache déjà que vous êtes là.

— Eh bien, il saura vite que je ne fais que passer.

Le père Francisco tapota son paquet ratatiné pour en faire tomber une cigarette à moitié fumée et la ralluma en inhalant avec bonheur.

— J'ai décidé que je faisais déjà assez pénitence comme ça, dit-il. Le droit d'apprécier la clope, je le garde.

— C'est votre droit.

Le prêtre hissa le sac à dos de Natalie sur son épaule.

— Venez, je vais vous montrer un endroit plat et protégé avec vue sur le village, où vous pourrez planter votre tente.

— C'est très gentil à vous, mon père. Je me demandais si je pourrais par hasard aller à l'hôpital. Je suis tombée d'un talus il y a quelques heures et je me suis fait mal à la hanche.

— Je peux nettoyer et bander vos égratignures et coupures, et demain je pourrai me renseigner à l'hôpital, mais je ne peux pas garantir qu'ils vous recevront.

— Ce serait très gentil à vous. Dites-moi, où est-il, l'hôpital ?

— A un kilomètre au sud. Pas plus. Je suis sûr que s'il n'y a aucune opération spéciale de programmée, le Dr Santoro sera ravi de vous soigner.

Natalie sentit son sang se glacer.

— Qui cela ? demanda-t-elle en essayant désespérément de maintenir une nonchalance de façade.

— Le Dr Santoro, répéta le père Francisco. Le Dr Xavier Santoro.

Chapitre 29

Lors donc que tu voudras distinguer l'âme philosophe de celle qui ne l'est pas, tu observeras, dès les premières années, si elle se montre juste et douce, ou insociable et farouche.

PLATON, *La République*, Livre VI.

AVEC L'OMBRE DES MONTAGNES et des grands arbres, la nuit tombait très rapidement. La petite étendue d'herbe que le père Francisco avait indiquée à Natalie se trouvait au-dessus du cours d'eau, non loin de la cascade. Elle déclina poliment son offre de l'aider à monter sa tente de peur qu'il se demande pourquoi elle était parfaitement neuve. Le lendemain, si elle se sentait toujours à l'aise avec lui, elle lui confierait la véritable raison de son voyage à Dom Angelo.

En attendant, elle avait soutiré le plus possible d'informations au prêtre concernant le Dr Xavier Santoro. Elle n'apprit que peu de chose. Francisco soupçonnait que Santoro devait avoir, comme beaucoup d'autres dans cette région de la forêt, un passé qu'il préférait oublier. Huit ans plus tôt, quand Francisco s'était établi à Dom Angelo, l'hôpital et la piste d'atterrissage étaient déjà là, tout comme Santoro.

— Un homme bon, avait-il dit, qui semble se soucier sincèrement des indigènes de la forêt.

Alors dans ce cas, Natalie avait envie de hurler, *comment se fait-il qu'il m'ait retiré un poumon* ?

Au crépuscule, monter la tente était une corvée qui aurait pu être comique dans une situation moins tendue. Finalement, trempée de sueur et couverte de produit antimoustique, mais victorieuse, elle s'assit devant sa nouvelle maison, déconcertée par son curieux manque d'émotion alors qu'elle avait tué un homme quelques heures auparavant. D'après Francisco, les policiers qui contrôlaient la mine et le centre médical étaient quatre, dont au moins un toujours présent à l'hôpital. C'étaient eux qui entretenaient l'église et le rémunéraient maigrement, autant, soupçonnait-il, pour ses talents de lapidaire que de prêtre.

Le lendemain, décida Natalie, elle lui apprendrait sans doute que les effectifs de la Police militaire avaient été réduits de vingt-cinq pour cent. Pour le moment, tout ce qu'elle voulait, c'était rester tranquille et se demander comment elle avait pu passer d'une ruelle dans une favela en banlieue de Rio à un hôpital au milieu de la jungle.

La perspective qui s'offrait à elle depuis son campement embrassait la cascade et le lac, ainsi que la ville en contrebas. Et au sud, dans une vallée qu'elle apercevait par-dessus la cime des arbres, le prêtre lui avait indiqué une grappe de lumières.

L'hôpital.

— C'est là que nous irons demain pour essayer d'obtenir de l'aide pour votre hanche, avait dit Francisco. Je pense que le Dr Santoro aura la solution à votre problème.

Espérons, songea Natalie avec un air farouche.

Il était presque vingt-trois heures lorsque le petit verre de cachaça, la liqueur de sucre de canne, fit son effet et que Natalie se retira à l'intérieur de sa tente igloo. Elle glissa le revolver de Vargas dans son mince sac de couchage, et s'autorisa à somnoler, s'attendant à ce que la proximité du Dr Xavier Santoro déclenche encore un autre flash-back. Cependant, ce qu'elle entendit au bout de quelques minutes, ce fut un léger bruit de pas, juste à côté de la tente. Natalie sortit silencieusement son arme, retint son souffle et écouta.

Rien.

Stupéfaite de se sentir aussi calme, elle pointa le canon vers l'endroit d'où elle avait entendu le bruit.

— Je vous entends et je suis armée ! dit-elle en portugais. Allez-vous-en ou je tire.

— Pas la peine de faire ça, répondit un chuchotement rude d'homme. Si je voulais vous tuer, vous seriez déjà morte. C'est mon métier.

— Qui êtes-vous et que me voulez-vous ?

— Je m'appelle Luis Fernandes. Dora Cabral est ma sœur.

Gardant l'arme de Vargas au poing, et une lampe-torche très puissante dans l'autre main, Natalie se tourna et sortit de la tente la tête en avant. Luis Fernandes était assis en tailleur et levait les mains pour montrer qu'il n'était pas armé. Il était mince, avec des traits d'Indien, mais plus grand, bien plus grand que les hommes qu'elle avait aperçus en ville. Un bandeau noir, maintenu par un élastique, lui couvrait l'œil gauche. Globalement, il avait l'air assez menaçant.

— Parlez un peu plus lentement, dit Natalie en abaissant à la fois son arme et sa lampe-torche. Je ne parle pas bien portugais.

— Mais si. Vous êtes de Lisbonne ?

— Du Massachusetts aux Etats-Unis, mais ma famille est cap-verdienne. Vous êtes vraiment un tueur professionnel ?

— Je fais ce que j'ai à faire et parfois on me paie pour ça. Ma sœur est infirmière à l'hôpital Santa Teresa de Rio. C'est elle la Dora Cabral que vous recherchez ?

Pendant un instant, Natalie scruta le visage étroit et profondément marqué de l'homme. Il pouvait avoir aussi bien trente que cinquante ans, même si elle lui donnait la trentaine. Il était rasé de près, avec des favoris qui descendaient plus bas que ses oreilles, et il avait sans doute été beau avant que la vie le malmène. Maintenant il avait seulement l'air rude. Natalie sentait qu'elle n'avait aucune raison de ne pas se montrer directe avec cet homme.

— Je crains d'avoir de mauvaises nouvelles pour vous, dit-elle enfin.

Il était temps, songea-t-elle, de partager son histoire. Le lendemain ce serait sans doute avec le père Francisco, peut-être sous la forme d'une confession. Ce soir, ce serait avec cet homme qui, elle le sentait profondément, ne représentait pas une menace pour elle. Luis écouta attentivement tandis qu'elle racontait ses deux voyages dans son pays et l'enchaînement des événements depuis qu'elle avait été abordée par sa sœur à ce croisement du centre-ville de Rio. Extérieurement, il semblait calme, presque détaché, mais Natalie voyait malgré l'obscurité que sa mâchoire était crispée et ses lèvres fermement serrées l'une contre l'autre.

— Croyez-moi ou non, autrefois j'ai été professeur, dit-il lorsqu'elle eut terminé. J'enseignais la musique aux écoliers. Puis, une nuit, il y a peut-être dix ou onze ans, j'ai pris la défense du père d'un de mes élèves qui avait été tabassé par la police. Pendant la bagarre, un des policiers est tombé, s'est cogné la tête et il est mort. Après quelques années à fuir et oui, à tuer, j'ai échoué ici. Même si la police contrôle le village et l'hôpital, on ne pose jamais de questions ici.

— Je comprends, dit Natalie.

— Donc maintenant, après avoir été un fuyard pendant des années, je suis le chef de la sécurité de l'hôpital. C'est mon travail de faire venir des gens du village lorsqu'il y a une opération prévue. J'avais appris par une des infirmières combien elles étaient payées et j'ai persuadé ma sœur de se faire engager par le Dr Santoro. Elle n'est venue que deux fois, puis elle a soudain décidé d'arrêter. Elle ne m'a jamais dit pourquoi.

— Peut-être qu'il se passait quelque chose à l'hôpital qui ne lui plaisait pas. Quand est-elle venue pour la dernière fois ?

— Il y a deux mois, peut-être un peu moins. Vous êtes sûre que c'est Vargas qui l'a tuée et que vous avez bien tué Vargas ?

— Je suis sûre. Voici son arme.

Luis prit le pistolet, l'inspecta et le soupesa d'une main experte.

— Elle est à Vargas. C'était un homme extrêmement dur, qui avait très peu de respect pour moi, et pour ceux qui lui étaient inférieurs en général.

— Votre sœur le craignait beaucoup.

— Ce n'est pas facile de démissionner de cet hôpital – peut-être est-ce impossible. J'ai une grande dette envers vous pour l'avoir vengée.

— Je suis persuadée que votre sœur a été tuée parce qu'elle essayait de m'aider. Elle savait ce qui se passait dans cet hôpital. Maintenant, j'ai besoin de savoir si j'ai vraiment été opérée ici et si c'est le cas, ce qui m'est arrivé.

Luis réfléchit un instant.

— Nous sommes tenus au secret concernant l'hôpital et ce qui s'y passe. Le sort de la ville en dépend.

— Le père Francisco m'a dit que la mine était très productive et pourrait suffire à faire vivre Dom Angelo.

— Peut-être, dit Luis. Il doit le savoir mieux que moi.

— Dites-moi, Luis. Vous êtes au courant de ce qu'ils font ici, n'est-ce pas ?

Le tueur fixa le sol. Natalie se doutait de ce à quoi il réfléchissait. Ces gens exigeaient une loyauté totale et n'étaient pas de ceux qui accordent une deuxième chance. S'il se tournait contre eux maintenant, s'ils apprenaient qu'il avait livré le moindre de leurs secrets, il n'y aurait plus pour lui de retour en arrière possible.

— Ils font des transplantations, dit-il dans un souffle, des transplantations d'organes. Bien souvent les donneurs des organes transplantés ne survivent pas. Dans ces cas-là, nous recevons l'ordre de brûler les sacs contenant leurs corps.

— Mais... on m'a tiré dessus, dit Natalie. Comment ont-ils pu prendre mon poumon s'il avait été endommagé ?

— Je ne sais pas. Je ne vois pas souvent les patients – quand ils sont en vie, je veux dire.

— Luis, je suis sûre que vous risquez gros en me disant tout cela. Sachez à quel point je vous suis reconnaissante. Vous avez de la famille ici ?

— Une femme, Rosa. C'est la seule personne de Dom Angelo qui soit plus coriace que moi. Elle connaît – connaissait – ma sœur et elle sera bouleversée d'apprendre qu'elle a été assassinée. Elle sera aussi d'accord pour vous aider autant qu'il lui est possible. Vous devez savoir qu'il y a quelque chose de prévu à l'hôpital dans les prochains jours. J'ai reçu l'ordre de rassembler un groupe de huit gardes – deux équipes de quatre, pour monter la garde dans l'hôpital à partir de demain matin.

— Dans ce cas, demanda Natalie, y aurait-il un moyen de s'introduire sur place dès ce soir ?

Luis Fernandes ne réfléchit que quelques secondes.

— Eh bien, dit-il, oui.

Chapitre 30

Mais il est temps que nous nous quittions, moi pour mourir et vous pour vivre. Qui de nous a le meilleur partage ? Personne ne le sait excepté Dieu.

PLATON, *Apologie de Socrate*.

— VOUS POUVEZ EMPORTER votre torche, dit Luis, mais ne l'allumez pas avant que je vous aie dit que c'est sans danger. A ma connaissance, il n'y a que le Dr Santoro et le policier Oscar Barbosa à l'hôpital en ce moment. Si c'est une soirée comme les autres, ils seront chacun avec une femme.

— Je suivrai vos ordres.

C'était une nuit sans lune et la forêt était aussi noire que bruyante. Au début, bien qu'aucun sentier ne soit visible et qu'il ne voie que d'un œil, Luis se déplaçait dans la végétation dense des sous-bois avec la vision et l'agilité d'un jaguar. Pourtant, Natalie réussit à tenir le rythme. Mais bientôt, l'altitude et ses blessures la gênèrent et elle dut lui demander de ralentir. Il s'exécuta sans commentaire. Il était armé d'au moins une arme de poing et d'un long couteau effilé, placé dans un fourreau juste au-dessus de sa cheville droite.

Ils allèrent vers le sud, puis vers l'ouest, et encore vers le sud, sur un terrain accidenté qui était globalement en descente. L'air était frais et incroyablement pur. *Quelle ironie du sort de perdre un poumon dans un endroit comme celui-ci !* songea Natalie.

Il était bien minuit passé quand ils gravirent la pente la plus raide de leur voyage. En haut de la montée, alors que Natalie respirait lourdement, Luis porta un doigt à ses lèvres et tendit la main vers l'avant. En dessous d'eux, bien plus près qu'elle ne s'y attendait, baignée dans la lumière d'une demi-douzaine de projecteurs installés sur de hauts poteaux, s'étalait une structure de plain-pied en terre blanchie à la chaux d'un blanc immaculé, qui s'étendait sur un plateau entouré par une clôture de quatre rangées de barbelés. Une longue aile courait vers la droite.

— Comme vous le voyez, le bâtiment est en forme de L. La clôture ne fait pas le tour complet, dit Luis. Maintenant il faut que je vous pose une question sérieuse. Etes-vous certaine de vouloir entrer à l'intérieur ?

— Tout dépend du temps dont je disposerai une fois entrée.

— Vingt minutes, pas plus. Peut-être moins. Disons dix-huit minutes.

L'hôpital n'était pas petit. Dix fenêtres s'alignaient sur la façade devant eux.

— Combien de salles d'opération y a-t-il, Luis ? Parlez lentement, s'il vous plaît.

— Deux. Au milieu. Ces fenêtres que vous voyez donnent sur un long couloir qui dessert toutes les pièces. Il y a aussi deux chambres d'hôpital au niveau de la troisième fenêtre à partir de la droite. Je crois que ce sont des salles de repos pour ceux qui ont subi une opération. Ensuite, là où l'aile se détache, se trouvent la salle à manger et la cuisine, et derrière, dans l'aile elle-même, deux salles de consultations et des logements de fonction, peut-être dix pièces en tout, mais je ne sais pas exactement. Dans un coin de la salle à manger, il y a un espace avec un canapé et des fauteuils, c'est là que les familles attendent pendant l'opération.

— Et de l'autre côté, près des blocs opératoires ?

— Le bureau du Dr Santoro et un autre pour les chirurgiens qui viennent par avion.

— Savez-vous si ces bureaux sont fermés à clé ?

— Je ne sais pas. Je les ai toujours vus ouverts, mais généralement ça grouille de médecins.

— C'est tout ?

— Oui. Non, attendez. Il y a encore une pièce, à l'extrémité gauche. C'est une grande salle, au moins aussi vaste que les blocs opératoires, remplie d'équipement électronique. Au milieu de cette pièce se trouve un fauteuil assez sophistiqué, un peu comme un fauteuil de dentiste. Et des écrans, plusieurs écrans de télévision sur le mur. Je n'y suis entré qu'une fois ou deux. Ils n'aiment pas que mes agents ou moi nous trouvions dans l'hôpital, sauf quand il y a un problème. Ils n'ont pas d'uniformes pour nous, et nous ne sommes pas assez propres à leur goût.

Natalie examina le bâtiment, essayant de visualiser l'intérieur et d'imaginer comment, en vingt minutes ou moins, elle pourrait partir à la pêche aux informations. Le lendemain, des gens arrivaient. La rumeur pourrait parvenir aux oreilles de Santoro ou d'un policier qu'une étrangère posait des questions dans le village au sujet de Dora Cabral. Alors, il serait peut-être trop tard.

— Vous m'avez posé une question Luis, si j'étais certaine de vouloir pénétrer à l'intérieur.

— Oui ?

— La réponse est oui et je suis prête à tout risquer.

— Par tout, vous voulez dire même votre vie ? Parce qu'Oscar Barbosa est un porc, très puissant, qui a plus de muscles que de cervelle et qui a vraiment été perverti par le pouvoir.

Natalie se demanda ce qu'elle aurait fait au bout du compte si le coup de téléphone de sa compagnie d'assurances ne l'avait pas conduite à s'interroger sur Santa Teresa. A ce moment-là, tout comme maintenant, il lui semblait qu'elle n'avait pas grand-chose à attendre de la vie, à part des réponses.

— Comme je l'ai dit, je suis prête à tout risquer.

— Vous êtes une femme courageuse, senhorita Natalie, mais je le savais déjà. A l'arrière de l'hôpital, un peu après l'endroit où se rejoignent l'aile résidentielle et la salle à manger, se trouve une piscine. A côté de la piscine, il y a un abri métallique sous le plancher duquel se trouve une trappe, couverte par un tapis en roseau. Le tunnel au-dessous a été construit pour constituer une sortie de secours en direction de la piste d'atterrissage. Je ne sais pas trop pourquoi. Quand vous remonterez l'escalier de l'autre côté, vous vous trouverez dans une arrière-cuisine. Compris ?

— Oui.

— Il y a une surveillance électronique à l'arrière de l'hôpital, là où vous serez. La diversion dont vous avez besoin se produira au moment où je tirerai sur le tableau électrique pour neutraliser cette surveillance. Un seul coup de feu. Dès l'instant où la détonation se fera, une alarme résonnera et ce sera à vous de jouer. Barbosa et Santoro auront peut-être encore des femmes dans leur chambre, à moins qu'ils ne les aient déjà renvoyées au village, mais peu importe. Les femmes resteront dans les chambres quoi qu'il arrive pendant que les hommes iront voir ce qui se passe. Vingt minutes, c'est le maximum absolu pour les tenir occupés. Pour sortir, vous devrez passer par là où vous êtes entrée. Le compteur ne pourra pas être réparé rapidement, donc la surveillance électronique ne posera pas de problème. Attendez à dix mètres derrière la piscine jusqu'à ce que vous entendiez le coup de feu. On se retrouve là-bas. Vous pensez pouvoir trouver l'endroit ?

— Oui.

— Je vais vous laisser le temps de vous mettre en position. Contournez l'hôpital de loin.

— Merci Luis. Merci de faire ça pour moi.

— Je le fais pour ma sœur.

Suivant les indications de l'Indien, Natalie emprunta une piste bien à l'est de l'hôpital. La forêt était tellement dense que parfois elle perdait totalement de vue les projecteurs. Toutefois, au bout d'un moment, elle vit la piscine – un petit rectangle sombre entouré de tous les côtés par un patio en béton, et distant d'une vingtaine de mètres de l'hôpital. Les lumières de plusieurs fenêtres illuminaient la vaste cour. Le local technique rouillé se trouvait exactement là où Luis l'avait dit.

Je suis prête à tout risquer.

La déclaration impétueuse de Natalie émaillait ses pensées alors qu'elle se mettait à plat ventre derrière les broussailles à une dizaine de mètres de la cabane. Si elle se faisait attraper, elle mourrait. Rien n'était plus certain. Est-ce que cela changeait quelque chose ? Dans tous les cas, elle vivrait avec des infirmités, sans doute à cause de sa combinaison rare d'antigènes et de son quotient d'allocation pulmonaire trop bas, ou bien alors à cause des effets secondaires du traitement antirejet.

Je suis prête à tout risquer.

Etait-ce vraiment ce qu'elle éprouvait ? se demandait-elle à présent. Se moquait-elle vraiment de mettre sa vie en danger pour apprendre son destin ?

Avant qu'elle soit parvenue à une réponse plus claire, une sirène retentit non loin de là. Sans hésiter, Natalie appuya sur le chronomètre de sa montre et s'élança vers la cabane, se glissa à l'intérieur et mit un genou à terre, en respirant lourdement. En quelques instants, la sirène s'arrêta. Elle avait eu le temps de repérer la trappe et de l'ouvrir. Huit marches menaient à un tunnel en béton.

Elle suivit le faisceau de sa lampe-torche jusqu'à l'extrémité du tunnel, monta l'échelle de meunier jusqu'à une trappe et la poussa, sans bruit. Au-dessus d'elle, espérait-elle, Santoro et Barbosa avaient quitté l'hôpital, arme au poing, pour fouiller attentivement le terrain et la forêt environnante.

Les odeurs d'épices et de nourriture lui apprirent que Luis avait été précis une fois de plus. Elle éteignit sa torche et se hissa dans un espace assez vaste, mais encombré d'étagères chargées de provisions et de fournitures. Après avoir refermé et recouvert la trappe sous un tapis, elle s'élança furtivement vers la salle à manger-salon. Cette pièce était spacieuse et confortable, suffisante pour vingt-cinq personnes assises, dix de plus en comptant le salon, éclairée par la lueur du couloir qui s'étendait vers l'hôpital au-delà d'une grande arche qui donnait sur la partie médicale du bâtiment. Quand elle atteignit cette arche, elle attendit un instant et tendit l'oreille, avant de poursuivre. D'après ce que Luis avait dit, il ne servait à rien de fouiller les petites salles de consultations sur sa droite, aussi se dirigea-t-elle vers le couloir principal. Les deux salles de réveil, identiques, étaient petites mais bien équipées de moniteurs muraux et de pompes à perfusion électroniques de dernière génération. Un regard au crucifix au-dessus de la porte de la première pièce et à l'horloge juste à côté, suffit à Natalie pour savoir qu'elle s'était déjà trouvée dans cette pièce. Elle n'avait sans doute jamais mis les pieds à Santa Teresa. Toutefois, comme elle s'y attendait, cette pièce ne contenait aucun placard d'archives.

Quatre minutes.

Le premier bloc chirurgical était immense et bien équipé, avec une machine de circulation extracorporelle pour la dérivation cardiopulmonaire, et un superbe microscope opératoire. Entre cette pièce et la suivante se trouvait la salle de préparation dans laquelle les chirurgiens et les infirmières revêtaient leur tenue stérile. Dans le deuxième bloc il n'y avait pas de grosse machine, et l'équipement était moins sophistiqué. Natalie était certaine que c'était là qu'on lui avait retiré son poumon. Les questions se pressaient dans sa tête. Comment était-elle arrivée ici depuis Rio ? Et, peut-être encore plus déconcertant, pourquoi l'avait-on laissée en vie ?

Sept minutes.

Les lourdes portes des deux bureaux à gauche du second bloc étaient toutes deux fermées à clé. L'une portait une plaque indiquant DR XAVIER SANTORO et l'autre DEPARTAMENTO DA CIRURGIA. Natalie sentit son moral fléchir. Il lui restait onze minutes, treize au plus, avant que Luis craigne de ne plus pouvoir maintenir sa diversion ; or, les dossiers qu'elle recherchait, à supposer qu'ils existent, se trouvaient presque certainement derrière l'une de ces deux portes fermées. Cela valait-il la peine d'essayer d'entrer par effraction ? Elle hésita, consciente que les secondes s'écoulaient. Finalement, presque malgré elle, elle passa à la dernière salle du couloir, la salle d'électronique décrite par Luis. La porte, comme les autres, était fermée. La plaque en cuivre disait simplement DR D. CHO.

Dix minutes.

S'attendant au pire, et prête à revenir en courant à l'arrière-cuisine, Natalie essaya la poignée. La porte s'ouvrit en grand. Elle entra et referma derrière elle avant d'allumer sa lampe. Un balayage rapide lui révéla qu'il n'y avait pas de fenêtre, donc elle trouva un interrupteur sur le mur près de la porte et l'actionna. Instantanément, une lumière fluorescente aveuglante emplit la pièce, qui n'aurait ressemblé à rien de ce qu'elle avait déjà vu, si elle n'avait pas été soudain absolument convaincue qu'elle y était déjà venue, à plusieurs reprises, par le passé.

Des écrans, du matériel électronique et des haut-parleurs tapissaient tous les murs. En plus, il y avait une grande vitrine contenant des médicaments. Au centre de la pièce se trouvait le fauteuil décrit par Luis, en cuir, avec plusieurs rabats amovibles. Au-dessus du fauteuil, un épais casque carré métallique était suspendu à un gros bras réglable. Le casque avait une lourde visière en plastique noir fumé. Plusieurs câbles, pendant du plafond, étaient connectés à chacun de ces éléments. Natalie se vit transportée d'un brancard à ce fauteuil. Elle imagina, non, elle se rappela le casque qu'on lui mettait, et la visière qu'on abaissait.

Réalité virtuelle. Natalie en était certaine. Cette pièce avait été conçue pour créer et implanter chez des patients des situations qui ne s'étaient jamais vraiment produites. Et puisque sa cicatrice, la radio et sa capacité pulmonaire diminuée étaient bien réelles, ce qui avait dû être fabriqué, c'était le scénario qui avait mené à cette opération.

Quatorze minutes.

Natalie se précipita vers le bureau, plein de papiers et de lettres, toutes adressées au Dr Donald M. Cho, dans des boîtes postales à Rio ou New York. Elle plia les documents qui semblaient les plus intéressants et les fourra dans sa poche. Soudain, une lettre attira son regard. C'était en fait un fax adressé à Cho, rédigé en anglais, par Cedric Zhang, PhD, psychopharmacologue, spécialiste en implantation audiovisuelle.

Hypnotisée, malgré le chronomètre qui tournait, Natalie lut :

Cher Dr Cho,

J'ai été ravi d'apprendre que vous avez adapté avec succès mes méthodes d'implantation de scènes virtuelles dans l'esprit de vos sujets. Comme vous l'avez découvert, le potentiel de mes théories et de ce matériel est infini. Nous sommes clairement des génies, vous et moi, désormais en possession d'une technique qui pourrait littéralement changer le monde. Après un bref traitement, des témoins peuvent être programmés à témoigner de ce qu'ils ont vu ou non selon ce que nous souhaitons. Des agents et des soldats peuvent craquer sous la torture et révéler des informations implantées qu'ils croient absolument vraies. Les modifications que vous avez effectuées et testées, surtout l'ajout des électrodes qui procurent une sensation de douleur, et de chaud et froid, sont tout simplement géniales. J'espère que nous aurons l'occasion de nous rencontrer dès que possible quand vous serez de retour à New York.

Avec mon plus grand respect,

Cedric Zhang, PhD.

Dix-sept minutes.

Le cercle commençait à se refermer. Natalie savait maintenant qu'on ne lui avait jamais tiré dessus. La dernière chose réelle qui lui soit arrivée était l'injection dans le cou. Les cauchemars récurrents n'étaient rien de plus que des bugs du système créé par ce Cédric Zhang et modifié par le Dr Donald Cho. Elle se posait toujours des questions, des tonnes, mais quelques-unes des plus dérangeantes venaient de trouver une réponse. Quelque part dans cette pièce, elle en était certaine, se trouvait un DVD ou un film quelconque montrant, de son point de vue, l'attaque et enfin les coups de feu qui l'avaient abattue, des coups de feu qui ne s'étaient jamais produits, à part à travers l'objectif d'une caméra.

Dix-neuf minutes.

Agrippant sa lampe-torche, les poches remplies de documents pliés en hâte, l'arme de Vargas coincée dans l'élastique de son pantalon, elle éteignit la lumière et se glissa dans le couloir. Elle était inconsciente d'être restée si longtemps. Si elle se faisait prendre maintenant, elle craquerait sûrement sous la torture et les drogues et dénoncerait Luis Fernandes. Elle avait été égoïste et stupide de rester.

Se baissant pour ne pas être vue par la fenêtre, elle traversa rapidement le couloir vers la salle à manger. Elle venait d'y arriver lorsque la porte principale de l'hôpital s'ouvrit. Sans regarder en arrière pour vérifier s'il s'agissait de Barbosa, Santoro, ou des deux, elle plongea sur sa droite juste derrière la zone d'attente pour les familles et s'aplatit derrière un canapé. Le revolver était coincé sous son ventre, mais elle n'osait pas bouger pour l'atteindre. Quelques instants plus tard, les deux hommes entrèrent dans la pièce. Ils parlaient rapidement – trop rapidement pour que Natalie puisse saisir tout ce qu'ils disaient.

Essoufflée d'avoir couru, et certaine que les hommes pourraient l'entendre si seulement ils tendaient l'oreille, Natalie plaqua son tee-shirt devant sa bouche et respira à couvert, se forçant à s'arrêter quelques secondes après chaque respiration. Elle se poussa fermement contre le dossier du canapé tandis qu'ils passaient juste devant, à moins de trois mètres. D'après ce qu'elle saisissait, ils essayaient de deviner qui avait bien pu tirer sur le tableau électrique de l'hôpital. Elle entendit une fois le nom de Luis, mais elle ne comprit pas dans quel contexte.

Les lumières de la salle à manger étaient toujours éteintes, mais elle voyait les deux hommes clairement, et elle savait que s'ils se tournaient dans sa direction, ils la verraient aussi.

S'il vous plaît, non... ne regardez pas... ne regardez pas...

Barbosa était un vrai taureau, courtaud et fort, avec une voix étonnamment haut perchée. Santoro était bien tel qu'elle se le rappelait, glabre, menu, avec des lunettes et un front proéminent. Il fit signe au policier de venir vers le salon et à la grande horreur de Natalie, Barbosa se laissa tomber dans le canapé derrière lequel elle était cachée. Heureusement, sa respiration s'était calmée, et celle du policier, conforme à sa corpulence, était un grognement bruyant. Natalie pressa encore un peu plus son tee-shirt sur sa bouche. Elle n'avait aucun moyen d'atteindre son arme.

— Qui oserait nous tirer dessus ? demanda le taureau.

— Sans doute... whisky, répondit Santoro parmi d'autres mots que Natalie ne saisit pas.

Elle s'était roulée en position foetale. Le dos de Barbosa, à travers le dossier, était à moins de trente centimètres d'elle. Le gros revolver dans sa ceinture appuyait douloureusement sur sa hanche blessée.

Allez-vous-en ! S'il vous plaît, partez !

La conversation se poursuivit, au cours de laquelle Natalie ne saisit que quelques bribes. Puis finalement, au bout d'une éternité, les deux hommes se relevèrent.

— Demain on va se marrer, dit Barbosa. J'aime bien cet endroit quand il y a de l'action.

— Ça, on devrait en avoir très bientôt.

— Dis-moi Xavier, tu as eu des nouvelles de Vargas ? Il devait arriver tard ce soir.

— Rien.

— Ça doit être encore une femme. Célibataire, mariée, jeune, vieille, vierge, pute, consentante ou réticente. Elles parsèment son paysage comme des bouses de vache. C'est moi qui te le dis, Santoro, un jour, une de ces femmes va avoir sa peau.

Chapitre 31

Ils n'ont jamais vu autre chose d'eux-mêmes et de leurs voisins que les ombres projetées par le feu sur le mur de la caverne qui leur fait face.

PLATON, *La République*, Livre VII.

BOUGEANT LE MOINS POSSIBLE, Natalie attendit encore deux interminables minutes avant de s'étirer et, non sans difficulté, de regagner discrètement l'arrière-cuisine. S'attendant à moitié à se faire surprendre, elle reprit le tunnel, passa la piscine et pénétra dans la forêt, en se demandant si Luis serait toujours en train de l'attendre sur la colline au nord de l'hôpital. Se raccrochant à sa mémoire, elle fit à rebours le même chemin qu'à l'aller. Alors qu'elle gravissait la pente, elle craqua à cause de l'altitude, de sa hanche, de la pente et de la tension de l'heure écoulée, et s'affaissa sur le sol, en manque d'air.

Luis était sans doute déjà rentré au village, songea-t-elle en s'apitoyant sur son sort. Cet hôpital de Dom Angelo n'était qu'une façade – une opération de vol d'organes. Elle avait eu la malchance de héler le mauvais taxi à l'aéroport Jobim. Comme d'habitude, le mal était purement et simplement une question d'argent. *Un poumon O positif! Eh bien, vous avez de la chance. Cette semaine, ils sont en promo. La semaine prochaine, les foies.* Le quatuor de policiers, désormais au nombre de trois, était dans les pierres précieuses et les organes – émeraudes et reins, opales et poumons. Achetez l'un, achetez l'autre. Répugnant.

Natalie se releva et avança péniblement, sans vraiment se soucier de retrouver Luis ou Dom Angelo. Au sommet de la crête, sans aucun signe de Fernandes, elle se retourna et regarda vers le bas l'hôpital qui brillait sous les projecteurs et les premières lueurs de l'aurore.

Combien de poumons ? se demanda-t-elle. *Combien de cœurs ? Combien de morts ?*

Ce n'était pas du trafic d'organes, c'était du vol : voler les organes et implanter des scénarios dans le cerveau des pauvres victimes. Quand Luis avait parlé des sacs contenant les corps des donneurs qu'il enterrait, elle s'était demandé pourquoi elle avait échappé à ce destin. Maintenant, elle savait. On la gardait en vie afin de tester la technique développée par Donald Cho et Cedric Zhang, un nouveau business lucratif à lancer pour ces policiers-entrepreneurs. En toute probabilité, quelqu'un l'avait surveillée à Boston, peut-être en fouillant dans les archives de sa psy.

Tout se tenait parfaitement.

— Avez-vous eu des problèmes ?

Natalie sursauta et tourna sur elle-même. Malgré l'épaisseur de la végétation, Luis était arrivé derrière elle sans bruit.

— Mon Dieu ! Ne vous pointez pas comme ça en douce, surtout quand j'ai une arme !

L'expression narquoise de Luis fut éloquente. Elle n'aurait même pas eu le temps de dégainer.

— Venez, dit-il. J'ai un meilleur endroit pour discuter.

En silence, ils marchèrent vers le nord-ouest, grimpant dans l'une des forêts les plus denses que Natalie ait jamais rencontrées. Cette fois, Luis sembla plus attentif et aida même Natalie dans les endroits difficiles. Au sommet d'un raidillon, la forêt s'ouvrait soudain, révélant un grand rocher plat en granit, de cinq mètres de large et deux mètres cinquante de long, niché à flanc de colline. On y avait une vue dégagée au sud-est de l'hôpital et des alentours. Le panorama spectaculaire, dans la lumière du soleil levant, rendait difficile à croire que le mal résidait en cet endroit.

— J'ai failli me faire prendre, dit-elle une fois qu'elle eut repris son souffle.

— C'est ce que j'ai cru et j'ai même fait une prière pour vous. Est-ce que vous avez besoin de vous allonger ?

— Non, non, ça va.

Natalie raconta brièvement son équipée à l'hôpital.

— Alors, on vous a fait un lavage de cerveau pour vous faire croire qu'on vous avait tiré dessus ? fit Luis quand elle eut terminé.

— Les techniques qu'ils sont en train de développer pourraient être une source de profits immenses une fois perfectionnées. Je ne connais pas les détails exacts du fonctionnement mais je soupçonne que d'abord ils m'ont administré des drogues hypnotiques pour me rendre plus réceptive. Puis, à l'aide d'une visière semblable à une télé et posée directement au-dessus de mes yeux, qui diffusait une scène en caméra subjective, ils ont implanté une réalité dans mon cerveau. Ils ont même utilisé des électrodes pour ajouter la douleur aiguë dans mon dos au moment où les balles m'ont transpercée.

— Impressionnant.

— C'est terrible. Je me demande combien de pauvres gens ont perdu des organes ici.

— Ils font environ une opération toutes les deux semaines.

— C'est épouvantable.

— Donc, Vargas est mort et vous avez les réponses à vos questions, je suppose que vous et moi en avons terminé.

Pendant un moment, Natalie resta assise, les bras autour des genoux, à regarder la végétation luxuriante en dessous, essayant de voir clair dans ses sentiments. Luis avait raison. Elle avait combattu sa dépression et ses démons et était revenue à Rio à cause de ces questions sans réponse. Désormais, il n'y avait plus rien d'autre à faire que retourner à Boston, poursuivre sa rééducation pulmonaire, et surveiller sa position sur le tableau de l'allocation pulmonaire.

Elle s'était trouvée au mauvais endroit au mauvais moment, et sa vie avait été détruite. Pourtant, fière de ce qu'elle avait accompli, elle ne brûlait plus du désir de mettre fin à ses jours, au moins pour le moment.

— Luis, à votre avis, que se passerait-il si je contactais l'ambassade américaine ou la police brésilienne pour les prévenir de ce qui se passe ici ?

— Vous voulez que je vous dise la vérité ?

— Oui.

— Des capitaux énormes financent cet hôpital. Vous pouvez détruire le bâtiment, mais à moins que les dirigeants de l'organisation qui se cachent derrière ne soient morts, il sera tout simplement reconstruit ailleurs. Et puis, je ne sais pas comment vous procédez aux Etats-Unis, mais ici il nous faut la preuve qu'un crime a été commis avant de pouvoir inculper les gens. Pour l'instant, la seule preuve que nous avons c'est cette Jeep que vous avez louée, et le cadavre d'un policier dans la rivière juste au-dessous. Ah oui, et je crois aussi que vous êtes en possession de la voiture de ce policier.

Natalie fit signe qu'elle avait compris. Pendant un moment, alors que la lumière de l'aube se faisait de plus en plus vive, on n'entendit que la forêt. Lorsque Natalie prit la parole, elle était redevenue la femme qui avait tenu tête à Cliff Renfro et Tonya Levitskaya.

— Luis, s'entendit-elle dire, ces gens ont tué beaucoup de monde et détruit la vie de je ne sais combien d'autres, dont la mienne. Je ne suis pas satisfaite de ces réponses, je veux me venger. Si je meurs en essayant d'obtenir cette vengeance, eh bien soit. La seule chose positive, si on peut dire, dans tout ce que j'ai vécu, c'est que je n'ai plus grand-chose à craindre. Je compte faire tout ce qui est en mon pouvoir pour faire fermer cet endroit pour de bon, et le réduire à néant. Et je veux que Santoro et Barbosa se retrouvent derrière les barreaux, ou bien qu'ils meurent.

— Tu sais, dit Luis qui se mit à la tutoyer, plus je pense à ce que ma sœur a subi, plus j'éprouve la même chose que toi. Si ce n'était pas Vargas qui l'avait assassinée, Barbosa ou un des autres l'aurait fait.

— Je suis d'accord.

— Mais tu dois être bien sûre que tu es prête à tout risquer pour ta vengeance. Le seul avantage que nous ayons repose sur cette certitude.

— J'en suis certaine, Luis. Même en étant optimiste, je n'ai rien à attendre de la vie.

— Dans ce cas nous allons essayer.

Luis lui offrit sa main et Natalie la serra.

— Alors, que faisons-nous ? demanda-t-elle.

— Peut-être rien, dit Luis en glissant ses doigts sous son bandeau pour frotter ce qui se trouvait en dessous, peut-être tout. D'abord il nous faut des armes, et ensuite un peu d'aide.

— On commence par où ?

— On commence par là.

Luis s'avança vers le flanc de la montagne derrière eux et arracha quelques bosquets du sol. Derrière, mesurant un mètre cinquante de haut comme de large, se trouvait l'ouverture d'une grotte.

— Je n'avais pas remarqué ! s'exclama Nathalie.

— C'est fait pour. Très peu de gens connaissent cet endroit. A l'intérieur, nous avons des armes à feu, des explosifs, et une cachette au cas où.

— Mais pourquoi vous...

— Dans mon métier, ça paie toujours d'être prudent et de s'organiser à l'avance...

— Je peux regarder à l'intérieur ?

— Bien sûr, mais regarde d'abord par ici.

Natalie se tourna dans la direction indiquée par Luis, vers le sud-est, mais elle ne vit ni n'entendit rien de nouveau.

— Tiens, dit Luis en lui tendant une paire de jumelles qu'il venait de récupérer à l'entrée de la grotte. Regarde derrière l'hôpital, puis écoute.

Natalie vit immédiatement de quoi il s'agissait. Une longue piste d'atterrissage, très longue, équipée d'une ligne de lumières blanches et bleues, avait été creusée d'est en ouest dans la forêt à quelque distance de l'hôpital. Quelques instants plus tard, elle entendit ce que Luis avait déjà perçu, le bourdonnement d'un avion qui approchait, puis elle vit l'appareil arriver depuis l'est en volant à faible altitude.

Luis et Natalie s'allongèrent côte à côte sur le rocher et se passèrent les jumelles, pour observer, tour à tour, l'avion exécuter un atterrissage parfait, puis tourner dans une impasse sans doute prévue à cet effet. Il roula enfin jusqu'au milieu de la piste. Barbosa et Santoro surgirent tout à coup des arbres, accompagnés de quatre personnes armées de mitrailleuses semi-automatiques, pour accueillir les arrivants.

Un ascenseur hydraulique descendit du ventre de l'avion, portant une femme inconsciente sur un brancard, ainsi qu'un homme et une femme en tenue de chirurgien. Au voyage suivant, la plateforme portait trois hommes, dont un blond costaud avec une queue-de-cheval, et une femme. Ils furent suivis de deux membres d'équipage en uniforme. Tandis que les premiers approchaient de l'hôpital, l'ascenseur fit un dernier trajet et déposa au sol un homme vêtu comme le commandant de bord, portant sa casquette d'uniforme, et un autre homme en manches de chemise, peut-être, songea Natalie, le steward.

Enfin, Barbosa et deux de ses hommes entrèrent dans l'avion et commencèrent à décharger les bagages et autres fournitures.

— Ça fait huit hommes et deux femmes, dit Luis. Plus Santoro, Barbosa, et les quatre gardes du village.

— On dirait que nos chances de succès viennent d'en prendre un coup.

— Pas forcément.

— Explique-toi.

— L'un des hommes de Barbosa donnerait sa vie pour moi et l'autre garde, avec la casquette rouge, c'est ma Rosa.

Chapitre 32

Telle est l'origine et l'essence de la justice : elle tient le milieu entre le plus grand bien qui est le pouvoir d'opprimer avec impunité, et le plus grand mal qui est l'impuissance à se venger de l'oppression.

PLATON, *La République,* Livre II.

BEN ÉTAIT CONTENT DE LUI – très content. Il avait lancé le dé et fait un sept. Près de vingt heures dans le camp ennemi, à se faire passer pour un autre homme et à pratiquer un métier qu'il ne connaissait pas, et il avait réussi. En fait, il devait s'avouer qu'il était assez doué pour servir les gens avec entrain et obséquiosité, et très doué aussi pour ne pas les gêner le reste du temps.

Le vol avait été long mais calme, avec une escale au Venezuela pour prendre du carburant, et une autre quelque part au Brésil, peut-être pour faire affaire avec un homme des services d'immigration. Il ne vit pas l'ombre d'un agent de la douane. C'était fou comme tout peut être aplani par un bon matelas de pognon. A la fin, il avait regardé par un petit hublot de la porte avant, tandis que l'avion passait au-dessus d'une forêt touffue qui s'étendait sur des kilomètres, virait légèrement sur la droite, puis descendait sur une piste d'atterrissage bien éclairée qui semblait taillée dans la végétation.

L'atterrissage fut parfaitement maîtrisé.

Les moments les plus pénibles du voyage avaient de loin été les visites effectuées dans le compartiment arrière de l'avion, là où la femme qui avait été prisonnière de l'Adventurer était plongée dans un coma sans doute médicamenteux. La nuit précédente, elle avait hurlé qu'elle s'appelait Sandy et qu'elle avait un enfant. Maintenant, elle semblait sur le point de mourir. Dans un sacrifice horrible et étrange, elle perdrait malgré elle un organe vital pour qu'un autre – sans doute un parfait étranger – puisse vivre.

Un homme et une femme en tenue chirurgicale et portant des stéthoscopes autour du cou s'occupaient d'elle. L'homme, basané et au cou épais, avait plus l'allure et la voix d'un docker que d'un médecin mais la femme aux cheveux argentés, d'une soixantaine d'années, avait des manières et une voix cultivées qui collaient mieux avec la blouse blanche. Ils avaient commandé des boissons sans alcool, puis à deux reprises un repas. La femme sur le brancard avait un masque à oxygène, ainsi qu'une perfusion et un moniteur cardiaque. C'était une rousse d'une quarantaine d'années, plutôt jolie, et elle avait l'air serein et paisible mais Ben fut presque déstabilisé par le souvenir de ses cris pathétiques.

Les chances étaient minces, mais il fallait qu'il essaie de trouver le moyen de l'aider à s'échapper.

Le dénommé Vincent était plus grand et plus large d'épaules que dans le souvenir de Ben. Dès l'instant où le tueur était monté dans l'avion, Ben avait guetté une réaction de sa part, et il s'était rejoué dans sa tête, du mieux qu'il le pouvait, leur combat à Cincinnati. Il faisait tellement sombre dans le garage, et tout s'était passé si vite, qu'il était peu plausible que l'homme l'ait vraiment bien regardé. Au bout de quelques heures de vol, l'inquiétude de Ben s'était dissipée.

De son côté, Vincent avait passé une grande partie du voyage assoupi sur l'épaule de sa petite amie. Connie n'était vraiment pas la femme des rêves de Ben. Elle avait un visage de furet, un tatouage de barbelé sur le haut du bras et un tee-shirt blanc moulant qui faisait ressortir son énorme poitrine. Elle avait fumé cigarette sur cigarette, tandis que les autres gardes jouaient aux cartes.

— Comment ça se passe, Seth ? Tu as bientôt fini de nettoyer ?

Le commandant de bord, un homme de forte carrure du nom de

Stanley Holian, était aussi détendu et inoffensif que Vincent et les autres étaient menaçants. Ben avait passé le plus de temps possible dans le cockpit et avait été heureux de chaque minute de « Sportscenter » qu'il avait pu regarder avec lui. Il lui avait suffi de donner quelques statistiques sur ses batteurs préférés et son opinion sur l'équipe favorite pour la ligue nationale et voilà, il était intégré.

— Encore une minute, Stan.

Tandis que Holian terminait dans le cockpit, Ben fit un dernier passage dans la cabine principale, à présent déserte, puis il entra dans la zone à l'arrière, séparée du reste par un rideau. Il cherchait quelque chose, n'importe quoi qui puisse lui servir d'arme. Il ne trouva rien d'utile, ce qui valait peut-être mieux. Il n'avait plus affaire à Seth Stepanski désormais, mais à un trio de tueurs professionnels. Son succès contre Vincent à Cincinnati ne faisait que réduire les probabilités d'une deuxième victoire. A moins de trouver de l'aide dans la forêt tropicale, c'était un rêve fou de croire qu'il pourrait libérer l'agneau sacrificiel plongé dans le coma et revenir sain et sauf à la civilisation.

Donc, que faire ?

Les seules choses qui jouaient en sa faveur étaient le fait d'être accepté et l'élément de surprise, mais c'était à peu près tout. Il lui faudrait simplement jauger la situation au fur et à mesure et élaborer un scénario – n'importe lequel – qui ait une chance de succès, même minime. Etait-il prêt à laisser Sandy à son destin ? Peut-être y serait-il obligé, reconnut-il. Ce n'est pas en mourant qu'il aiderait à démasquer cette organisation. L'idée de préparer l'avion pour le retour aux Etats-Unis, alors qu'un petit garçon de huit ans ne reverrait plus jamais sa mère, le rendit malade.

Stan Holian l'attendait près de l'ascenseur. Y avait-il une arme quelque part dans le cockpit ? Ben se posait la question. Il jeta un regard dans l'allée centrale. La porte de cette pièce était fermée et certainement verrouillée.

— Mais où on est, Stan ? demanda-t-il.

— Au Brésil.

— Très drôle.

— Au nord-ouest de Rio. A cent, peut-être cent cinquante kilomètres.

— Je n'étais jamais venu au Brésil.

— Bel endroit. Des femmes vraiment magnifiques. Je ne pense pas que tu auras l'occasion de faire beaucoup de tourisme cette fois-ci. Après-demain, ou peut-être le jour d'après, on repart.

— Depuis combien de temps tu fais ça ?

Holian ignora la question délibérément et fit signe à Ben de passer derrière les Brésiliens qui déchargeaient des cartons sur la plate-forme hydraulique. Alors qu'ils descendaient du ventre de l'avion, Ben eut un aperçu d'un bâtiment blanc tentaculaire niché dans la forêt. Puis il disparut entre les arbres. Une fois au sol, il ne vit plus rien d'autre que la forêt autour d'eux. Ce début de matinée était frais, et après tant d'heures dans l'avion, l'air saturé d'humidité, bruissant du son des insectes, lui semblait particulièrement agréable.

Vincent les attendait au bord d'un large sentier de terre qui partait de la piste. Tous trois, le pilote, le steward et le tueur, cheminèrent en silence jusqu'à ce que le sentier débouche sur une route, celle-ci bien plus large et plus caillouteuse, portant des traces de pneus bien nettes.

— Allez-y commandant, vous pouvez continuer, dit Vincent au pilote. Même chambre que d'habitude. Votre sac arrivera bientôt. J'ai quelque chose à voir avec Seth.

Holian s'exécuta. Dès que l'homme eut disparu derrière un tournant, Ben, seul avec Vincent pour la première fois, commença à ressentir une appréhension.

— L'hôpital est juste derrière, déclara Vincent. C'est un établissement incroyable. Vous allez être épaté.

— J'en suis sûr, dit Ben en cherchant un indice dans la voix du tueur.

— Vous savez ce qui va arriver à la femme que nous avons amenée ici ?

Son appréhension grandit.

— Non.

— Eh bien mon pote, on va lui arracher le cœur. Et toi, Seth, tu sais ce qu'on va faire de toi ?

— Je ne...

Avant que Ben ait pu prononcer un autre mot, un pistolet à long canon se matérialisa dans la main de Vincent et le gifla au visage, l'envoyant rouler au sol.

— Tu croyais vraiment que tu allais t'en tirer comme ça, espèce de petite merde ? fit Vincent. J'ai dû me faire opérer pour m'enlever cette saleté de peinture de l'œil ! Tu croyais que j'allais pas me souvenir de toi ? Janet, au bureau, elle ne t'a pas cru une seconde. Elle m'a transmis une photo de toi avant même que tu aies ouvert ta valise.

Il donna un méchant coup de pied à Ben dans le dos.

— Et toi, dans combien de temps tu vas y passer, sur le billard ? (Nouveau coup de pied) Je pense qu'il faut qu'on voie ça.

Recroquevillé en position fœtale sur les gravillons, Ben était incapable d'articuler un son. Il n'avait que peu mangé, mais tout ce qui se trouvait dans son estomac resurgit soudain de manière incontrôlable par sa bouche et son nez.

— Debout ! lui ordonna Vincent avec un nouveau coup de pied, cette fois derrière le genou. Je vais te montrer la chambre d'ami. Quand j'en aurai fini avec toi, tu envieras notre passagère.

Chapitre 33

Mais comment nous persuaderez-vous, si nous ne voulons pas vous entendre ?

PLATON, *La République*, Livre I.

— BON, *ON RECOMMENCE.* Qui êtes-vous ?

— Callahan. Benjamin Michael Callahan.

— Profession ?

— Détective. Je... je suis détective privé. Pitié, je vous en prie, ne...

Vincent appliqua la matraque électrique sur la poitrine de Ben. Le choc, plus intense qu'aucune douleur jamais éprouvée, explosa jusque dans son bras et tout son dos, provoquant d'atroces spasmes musculaires.

Ben hurla et hurla encore.

Il était absolument sans défense.

Il n'y avait nulle part où aller, personne pour intervenir, et aucun moyen d'arrêter Vincent.

Démuni.

L'interrogatoire avait duré des heures, au cours desquelles la matraque électrique avait été la principale source de douleur, ainsi qu'un appareil qui lui écrasait les ongles. Après avoir été passé à tabac, on le traîna dans une pièce du sous-sol de l'hôpital, déshabillé entièrement et attaché sur un fauteuil en bois à haut dossier. Au bout d'une douzaine d'électrochocs, il était trempé et s'était souillé, et apparemment il avait perdu connaissance plus d'une fois.

A deux reprises, un aborigène brésilien, petit mais extrêmement musclé, l'avait traîné jusqu'à une douche et l'avait laissé se laver à l'eau froide. Puis, la torture et l'interrogatoire avaient repris, avec Vincent qui revenait encore et toujours à leur rencontre à Cincinnati, se délectant de chaque cri.

— Comment as-tu su pour le camping-car ?

— Qu... quelqu'un à Soda Springs avait relevé le numéro d'immatriculation.

— Me raconte pas de conneries !

— Je vous en prie, arrêtez ! Je dis la vérité, je le jure !

De nouveau la matraque, cette fois sur l'intérieur de la cuisse. Et de nouveau, la terrible douleur nerveuse et les crampes musculaires. Puis les cris.

Ben avait su dès l'instant où Vincent l'avait frappé au visage qu'il allait être torturé. Il savait aussi que même si c'était la dernière chose qu'il faisait, il devait les empêcher d'obtenir le nom d'Alice Gustafson. Une fois qu'elle aurait lu la lettre qu'il lui avait envoyée et libéré Seth Stepanski, elle aurait beaucoup d'éléments pour attaquer le trafic d'organes du laboratoire Whitestone, mais seulement si elle était toujours en vie. Si Vincent et ses hommes la retrouvaient, la mort de Ben n'aurait servi à rien. Il se concentrait sur une seule chose tandis qu'on le traînait de nouveau dans la pièce : il devait concocter une histoire suffisamment proche de la réalité et convaincante, pour être acceptée comme étant vraie.

— Comment tu nous as trouvés à Cincinnati ?

— Je suis détective, putain ! C'est pour ça qu'on m'a engagé. Avec le numéro d'immatriculation, ce n'était pas si difficile.

— Qui d'autre est au courant ?

— Personne. Personne. Il n'y a que moi. Personne ne sait rien à part moi... Non ! Arrêtez !

Etait-ce le froid qui le transperçait jusqu'aux os ou son système nerveux qui lâchait, en tout cas il ne pouvait plus s'arrêter de trembler. Il y avait certaines formes de douleur que Ben pouvait supporter – les migraines, les entorses, les virus, les angines et même le passage à tabac que Vincent lui avait infligé. Mais depuis sa plus tendre enfance, il avait redouté la fraise du dentiste. Même avec la novocaïne ou tout autre anesthésique local, l'anticipation du moindre contact sur un nerf dentaire était plus qu'il ne pouvait supporter. La matraque entre les mains de Vincent était comme une centaine de fraises sur une carie sauf qu'il n'y avait pas d'anesthésie. Aucune.

De nouveau le tueur lui administra un électrochoc, cette fois sur la nuque. Chaque muscle de son corps sembla se contracter. Sa mâchoire claqua violemment, ce qui lui fit se mordre la langue et lui cassa un morceau de dent.

— Je recommence : qui t'a engagé ?

— Les... les Durkin. De Soda Springs. Leur fils a été tué par un camion en Floride... Le coroner en Floride pensait que quelqu'un lui avait prélevé de la moelle épinière. C'est la vérité. Je le jure.

— C'est moi qui décide ce qui est la vérité ou non, et si je décide que tu te fous de ma gueule, je jure que je t'éclaterai du cul jusqu'aux yeux avec ce truc. Maintenant dis-moi encore, comment es-tu arrivé au Texas ?

Ben n'avait pas à jouer la comédie pour sembler au bout du rouleau. Il n'avait plus aucune chance et tout ce qu'il voulait désormais c'était en finir avec la vie en souffrant le moins possible, tout en emportant avec lui un reste de dignité en ne livrant pas Organ Guard et sa dévouée fondatrice. Il raconta encore l'histoire du laboratoire Whitestone de Soda Springs, et son coup d'œil presque par hasard à l'adresse des tubes de sang qui allaient être expédiés à Fadiman.

Les chocs devenaient moins fréquents, mais pas moins terribles. Finalement, après ce qui sembla une éternité, Vincent fit signe à son aide de traîner Ben jusqu'au bac de douche encore une fois. Sa poitrine et son abdomen étaient couverts de bile et de bave. Incapable de se tenir sur ses jambes flageolantes, il s'assit sur le carrelage crasseux et s'appuya contre le mur tandis que l'eau glacée coulait sur lui. Il prolongea la douche aussi longtemps qu'il put la supporter, puis il rampa en titubant maladroitement vers son fauteuil.

Vincent avait disparu. A côté du fauteuil se trouvaient une grande serviette blanche propre et une pile de vêtements bien pliés : un pantalon en toile, un tee-shirt gris, des chaussettes blanches fines et des bottes noires parfaitement cirées. L'aborigène lui fit signe de s'habiller.

Ben s'était demandé comment on l'achèverait une fois que la torture ne serait plus distrayante. Il avait prévu, et même espéré, une balle dans la tête. A présent il ne savait plus que penser. S'habiller était terriblement lent et douloureux. Ses jambes étaient presque trop endolories et ses muscles trop épuisés pour se plier, il avait des brûlures électriques sur presque tout le corps et ses doigts enflés et bleuis étaient trop raides pour enfiler les bottes. Après l'avoir regardé se débattre pendant plus de quinze minutes, le garde le rattacha à la chaise et l'aida. Puis il se rendit à un petit réfrigérateur dans un coin de la salle de torture d'où il sortit une bouteille d'eau et une épaisse barre chocolatée, et il libéra une main de Ben. Celui-ci essaya d'entrer en contact avec l'homme.

— Est-ce que vous me comprenez ? demanda-t-il.

Le garde le regarda, impassible.

— Je vous ai demandé si vous me compreniez.

Il était impossible aux mâchoires blessées de Ben de faire la moindre entaille dans le chocolat. Tant mieux, songea-t-il. Son estomac, irrité à force d'avoir vomi, n'était pas en état d'accepter la moindre nourriture. Tristement, il sirota un peu d'eau entre ses lèvres desséchées et sanguinolentes. Son corps l'élançait, sa vision se brouillait, puis se dégageait, puis se brouillait encore. De temps à autre à une époque où il était plus jeune et plus enclin à philosopher, il méditait sur l'insondable en se demandant à quel âge et où il mourrait. Or il était plus étrange et plus effrayant qu'il ne l'avait imaginé de voir venir son heure.

Mais pourquoi l'avait-on habillé ?

Dix minutes s'écoulèrent. Puis encore dix. Ben, trop desséché même pour transpirer, se sentait tour à tour sombrer dans l'inconscience puis réémerger, et il aurait basculé à terre s'il n'avait pas été sanglé au dossier du fauteuil.

La porte ouverte puis claquée brutalement l'éveilla en sursaut. Même après avoir enduré une souffrance indicible, même plus ou moins préparé à affronter une mort certaine, ce qu'il vit lui serra la poitrine sous l'effet de la peur. L'homme qu'il ne connaissait que comme Vincent, le bourreau, venait achever sa tâche.

Il se tenait devant lui telle une apparition, pieds écartés, tête droite, l'air plus puissant et plus grand qu'une statue grecque. Son visage était bariolé d'une main experte avec de la peinture camouflage, qui s'accordait presque parfaitement avec son tee-shirt et son pantalon. Ses longs cheveux blonds étaient rassemblés sous un bonnet de commando. Mais cet accoutrement n'était pas la source de l'angoisse de Ben. Sur le dos du tueur, un carquois contenait une bonne dizaine de flèches, et dans sa main gauche, touchant presque le sol, se trouvait un arc sophistiqué.

— Je vais faire les présentations, dit Vincent. Voici un arc à poulies Buck Fever avec une puissance de trente-deux kilos et un repose-flèche et viseur de précision. Voici des flèches en carbone Epic de soixante-dix centimètres. Elles ont une trajectoire toute droite. On n'a pas beaucoup de temps pour la chasse pendant ces voyages. Et de toute façon, ici le gibier se fait plutôt rare. Donc forcément, en tant que chasseur...

— Je... crois que je ne pourrai même pas me mettre debout.

— Dans ce cas, la chasse ne sera pas très longue. Maintenant écoute très attentivement. Rio se trouve à environ cent vingt kilomètres au sud-est. Belo Horizonte est presque pile au nord à cent cinquante, peut-être deux cents kilomètres, mais dans cette direction il y a des collines très raides, quasiment des montagnes. Entre les deux, il y a des tas de petites villes et de villages où tu pourrais essayer de te faire un ami. Personnellement, je pense pas que tu y arrives, mais on sait jamais. D'abord, il faudra que tu réussisses à m'échapper et je crois que personne ne m'accuserait de me vanter si je disais que je suis un excellent tireur.

Il sortit soudain la main droite et attrapa Ben par les cheveux et lui tira la tête en arrière le plus loin possible.

— Il me faut du sang frais pour suivre la piste, dit-il. Je te jure, Callahan, si tu ne me donnes pas du fil à retordre, si tu ne te bats pas assez, je te blesserai d'abord sans te tuer, et je te ramènerai ici pour une nouvelle séance avec l'électrode qui ne sera pas une partie de plaisir comme la précédente.

Il relâcha son étreinte, mais avant que la tête de Ben ait pu retomber en avant, Vincent le frappa au visage, rouvrant l'entaille faite par la crosse de son pistolet.

Ben ignora le coup, et la douleur, et le sang qui coulait, détrempant son tee-shirt. De son point de vue, on ne lui donnait pas une chance de vivre, mais une chance de mourir à l'extérieur et avec un minimum de dignité. Il avait gagné son combat contre cet homme et contre Whitestone. Alice Gustafson et Organ Guard étaient en sécurité. Désormais, peu importait qu'il perde la guerre. Il avait depuis longtemps perdu la foi en l'Eglise, mais il sentait que si les prêtres et les catéchistes de son enfance avaient raison et que le paradis existait, il avait une bonne chance d'y entrer. Il espérait seulement qu'il pourrait encore faire un petit effort et que la fin ne serait pas trop douloureuse.

Je vous salue Marie pleine de grâce, le Seigneur est avec vous. Vous êtes bénie entre toutes les femmes et Jésus le fruit de vos entrailles est béni.

— Détachez-moi, s'entendit-il demander d'une voix étonnamment forte.

Vincent fit un signe à son acolyte qui s'exécuta. Ben serra les dents autant qu'il le pouvait, et se mit debout. Une vague de vertige et de nausée menaça de le faire tomber à la renverse mais il se força à rester debout, et parvint même à avaler encore une gorgée d'eau.

Sainte Marie, mère de Dieu, priez pour nous pauvres pécheurs maintenant et à l'heure de notre mort.

Tandis que le Je vous salue Marie résonnait dans son esprit, Ben fit un pas maladroit en direction de la porte. Puis un autre. Il se demandait ce que cela ferait d'avoir le corps percé par une flèche. Celles-ci n'étaient pas des flèches de colonie de vacances, mais des flèches de chasse avec trois ou quatre côtés métalliques qui se rassemblaient en une pointe mortelle.

Un autre pas, celui-là un peu plus facile. Il prit une profonde inspiration pour retrouver l'équilibre et passa la porte pour sortir sous le soleil du milieu d'après-midi. Vincent sortit derrière lui à grandes enjambées.

— Tout droit, ordonna-t-il. Je te dirai quand t'arrêter.

Ben se força à se redresser. Il avait gagné. Désormais, il lui fallait seulement faire de la figuration. Il y a deux mois de cela, si quelqu'un lui avait dit qu'il allait mourir pour une cause à laquelle il croyait, il se serait affalé dans le fauteuil éraflé de son petit bureau minable en riant aux larmes. Où était madame Sonja quand il avait besoin d'elle ? Toute la séance de torture aurait été plus supportable s'il avait su à l'avance qu'il réussirait, si seulement il avait su à l'avance qu'il emporterait le nom d'Alice et de sa mission dans sa tombe. Il aurait bien voulu voir le visage de Vincent quand il lui dirait que la partie était finie et que Whitestone avait perdu. Mais bien sûr, cela devrait rester son secret.

Il se força à relever le menton et avança péniblement, un pas après l'autre. Puis il fit une pause, but une dernière gorgée d'eau et balança la bouteille dans les buissons. Ils se trouvaient sur la route en graviers, hors de vue de l'hôpital.

Il était temps.

— Que les choses soient claires, demanda Ben, d'une voix rauque et moins forte qu'auparavant, si je vous tue, je suis libre ?

— C'est ça, fit Vincent, peut-être un peu irrité. Tu t'enfuis, tu es libre. Tu me tues, tu es libre. Tu te fais tuer, tu as perdu.

— Est-ce que quelqu'un a déjà réussi à s'enfuir à ce petit jeu ?

— A ton avis ?

— Alors il va falloir que je sois le premier.

— Tu as une minute, trouduc. Soixante secondes et *Zim*. J'aurai les yeux fermés, mais pas les oreilles. Tu peux aller où tu veux. J'ai ma revanche à prendre depuis Cincinnati, donc je te blesserai seulement avec la première flèche, et peut-être aussi avec la deuxième maintenant que j'y pense.

— Dites partez.

— Partez.

Partez !

D'un coup, la vie de Ben était chronométrée. Plusieurs précieuses secondes s'étaient écoulées avant qu'il bouge. La végétation sur sa droite semblait un peu moins inextricable, aussi plongea-t-il de ce côté, sans se préoccuper de couvrir ses traces, désireux seulement de rester debout et de mettre au moins un peu de distance entre lui et l'homme qui s'apprêtait à le tuer.

— Quarante-cinq secondes !

La voix semblait à quelques centimètres. Ben écarta quelques branches et se hissa vers l'avant en se servant de troncs d'arbres.

Au début, le terrain descendait, mais il était rocailleux et irrégulier. S'il y avait un sentier ou une piste qui aurait pu au moins partiellement masquer sa progression, il ne le vit pas. Plusieurs gros rochers annoncèrent le début d'une côte. *Il aurait dû partir de l'autre côté,* songea-t-il. Dans son état, la montée était un ennemi. Oh et puis merde, quelle différence cela faisait-il ? Ce n'était pas une question de vie ou de mort – seulement de temps. Il vivait ses dernières secondes sur terre. Sa vie, qui avait autrefois contenu tant de possibilités, allait s'achever dans la souffrance et soudain les pensées de ce qu'il avait raté, de ce qui ne s'était jamais produit, fusèrent dans son esprit.

— Trente secondes !

La voix de Vincent ne semblait guère distante.

La côte, bien plus raide à présent, ne lui aurait posé aucun problème s'il n'avait pas été si mal en point. Dans l'état actuel des choses, les vertiges et la nausée s'intensifiaient. Peut-être qu'il devrait se cacher – trouver un endroit où la végétation était dense et essayer de s'y enfouir pour attendre le tueur jusqu'à la nuit. Ridicule ! D'un, il n'avait pas suffisamment creusé l'écart entre eux, de deux, les branches se cassaient à chacun de ses pas, et de trois, là où il se trouvait, la végétation était plus clairsemée. S'il continuait debout, Vincent le verrait de très loin.

A ce moment, Ben trébucha et tomba en avant, s'écrasant contre un gros rocher en granit. Comme il était à demi enterré dans la pente, Ben se dit qu'il pourrait au moins grimper tout en haut. Et après ? La meilleure idée qu'il avait serait de se jeter d'en haut sur le tueur en essayant d'attraper une de ses flèches. C'était mieux que rien.

— Quinze secondes !

Ben se demanda quelle distance il avait parcourue. Cent mètres ? Sans doute beaucoup moins.

Il se traîna à quatre pattes en haut de l'énorme rocher. Il était étourdi et essoufflé, mais centimètre par centimètre, il avançait.

— Bon, trouduc, ça y est ! s'écria Vincent. C'est l'heure de mourir.

Ben s'aplatit près du sommet du rocher. Il se trouvait sans doute à un angle qui le rendait invisible depuis le sol, mais il se sentait tout de même exposé. Il retint son souffle et écouta. Il n'y avait que le bourdonnement de milliers d'insectes. Il regarda autour de lui. De hauts arbres, peut-être des acajous ou des eucalyptus, et une végétation épaisse, qui s'élevait à deux mètres du sol ; il n'avait plus le temps de fuir. Son seul espoir était de rester hors de vue et d'espérer que Vincent passe juste en dessous de lui, ou bien que par chance, il parte dans la mauvaise direction.

De nouveau, Ben retint son souffle. Cette fois il entendit quelque chose – un bruissement de feuillage non loin de lui sur la gauche. Vincent était proche – tout proche. Ben tourna la tête, sans la lever. Il garda la joue collée contre le granit et regarda dans la direction du bruit. Le feuillage bougeait. Si Vincent contournait le rocher par l'amont, c'en était fait de lui. Chasse terminée. Ben savait qu'il aurait dû continuer à courir. Sa seule chance maintenant, qui n'était pas bien grosse, c'était d'attendre que le tueur passe juste en dessous, puis de se jeter sur lui.

Le craquement de brindilles et le bruissement du feuillage se rapprochaient. Juste à gauche de Ben. Toujours aplati, il changea de position du mieux qu'il put. Voyant le mouvement au-dessus, Vincent dirigerait son arc vers le haut pour tenter un tir rapide. Ben éviterait la flèche, se jetterait sur lui en essayant d'atteindre le carquois.

Doucement... écoute... regarde... Ne respire pas... Ne respire pas... Je vous salue Marie pleine de grâce, le Seigneur est avec vous... et... MAINTENANT !

Ben plia les genoux et se prépara à sauter, mais au lieu de Vincent, Ben vit un chien retourné à l'état sauvage, maigre, de couleur feu, avec des pattes blanches et une longue truffe étroite, qui suivait une piste dans les broussailles. Ben sentit un élan d'espoir. Peut-être qu'après tout Vincent était passé par l'autre côté. Peut-être avait-il encore le temps de fuir. A ce moment-là, on lui tira dessus par-derrière. La flèche s'enfonça à travers le muscle à la base du cou, effleurant son omoplate, avant de ressortir avec la pointe et dix centimètres de tige juste sous sa mâchoire.

Sonné par l'impact et la douleur foudroyante, Ben s'écroula sur la surface du gros rocher, puis roula. Il atterrit lourdement sur le flanc, l'air sortant de ses poumons en explosant. Du coin de l'œil, il voyait la pointe de la flèche, et la partie de tige qui sortait de son corps.

Sainte Marie, mère de Dieu, priez pour nous pauvres pécheurs maintenant et à l'heure de notre mort...

Mais à cet instant, la mort ne vint pas, pas plus qu'au suivant. Ben reposait, immobile, ne ressentant même plus la douleur, goûtant la terre de la forêt équatoriale, dans un environnement qui n'était plus qu'un flou de marron et de vert. Finalement, il y eut un mouvement derrière lui.

— Ça c'était pour Cincinnati, fit Vincent. Celui-là, c'est pour tous les petits malins de ton espèce qui se croient supérieurs à nous autres.

La vision de Ben s'aiguisa soudain, et il vit apparaître le visage peint en camouflage, qui souriait en bandant son arc. Vincent rejeta tout à coup la tête en arrière et se donna une tape sur la joue comme s'il venait d'être mordu par un insecte gigantesque.

— Mais qu'est-ce que... ?

Ce furent les derniers mots du tueur. Surgie d'on ne sait où dans la forêt, une longue lame fine sortit des arbres en un éclair et lui transperça le cou de part en part. Le sang de l'artère tranchée se mit à jaillir de la blessure avant même qu'il soit tombé au sol. Les yeux écarquillés, dans un cri assourdi, et avec une pirouette disgracieuse, le colosse s'affala sur le sol, mort avant même de l'avoir percuté.

Ben, incapable de saisir vraiment ce qui venait de se passer, sentit l'obscurité se refermer sur lui. Au dernier moment, avant le noir total, il sentit un léger contact sur son épaule et entendit une voix, une douce voix de femme, rassurante.

— Tout ira bien, disait-elle.

Chapitre 34

Nos gardiens, autant que possible, devront être de vrais fidèles des Dieux et semblables à eux.

PLATON, *La République*, Livre II.

— DOCTEUR ANSON, S'IL VOUS PLAÎT, venez vite ! C'est Rennie. Je pense que c'est la fin pour lui. Il est encore conscient mais il n'a plus de tension artérielle.

Anson suivit la jeune infirmière jusqu'à la chambre 10, qui était presque une chambre d'isolation à l'extrémité de l'hôpital. Rennie Ono, un sculpteur sur bois d'une petite quarantaine d'années, se préparait à mourir. Il avait combattu le sida pendant une décennie, mais après des années, une infection combinée aux sarcomes avait finalement eu raison de lui. On ne pouvait plus rien faire – du moins médicalement.

Anson tira une chaise près du lit et s'assit, prenant la main émaciée de l'homme dans la sienne.

— Rennie, est-ce que tu m'entends ?

Faiblement, Ono hocha la tête, même s'il ne pouvait plus parler.

— Rennie, tu es un homme bon et généreux. Tout ira bien pour toi dans l'autre vie. Tu t'es battu avec courage contre ta maladie. Est-ce que tu as peur maintenant ?

Onon fit non de la tête.

— Je peux te lire quelque chose, Rennie ? Tu veux bien que je te fasse la lecture ? Que je te lise quelque chose pendant le passage ? Bien.

Anson ouvrit un carnet usé à feuillets mobiles. Il était rempli de dessins, de courts essais, d'entrées de journal et de poèmes, et il ajoutait quelque chose presque chaque jour. Ce qu'il s'apprêtait à lire ne portait pas de titre, seulement des mots, soigneusement inscrits sur une page plus blanche que les autres.

Le monde peut être dur, plein de supercherie,
Plein de tromperie,
Plein d'injustice,
Plein de souffrance.
Mais il existe un vide qui attend, ami, un grand vide rayonnant.
Doux et embaumé par l'essence de la paix,
L'essence de la sérénité.
Tu y es presque, ami.
Ce vide magnifique est le havre éternel de ton âme.
Prends ma main, ami. Prends ma main et avance d'un pas, rien que d'un pas.
Tu y es.

Anson sentit l'étreinte de Rennie Ono se relâcher. Le léger mouvement du drap posé sur sa poitrine cessa.

Pendant quelques minutes, ils restèrent silencieux et immobiles, l'infirmière, le médecin et le patient. Finalement, Anson se leva et s'inclina pour déposer doucement un baiser sur le front de l'homme. Puis, sans un mot, il quitta la pièce.

L'aube allait se lever, le moment de la journée qu'Anson chérissait entre tous. Depuis qu'il s'était rendu compte de la tromperie du Dr Khanduri et de la prétendue Narendra Narjot, avec la participation tacite de sa plus chère amie, Elizabeth, Joe Anson était en proie à un profond malaise. Il dormait peu et s'était plus que jamais jeté à corps perdu dans le travail, dans le soin de ses patients à l'hôpital et au dispensaire. Il avait attendu de comprendre comment il se devait de réagir. A présent, après plusieurs conversations avec l'infirmière, Claudine, qui avait été licenciée par Elizabeth, il était prêt.

Lorsque Anson atteignit le labo, son ami Francis Ngale l'attendait juste devant.

— Docteur Joe, le laboratoire est prêt, dit l'imposant garde. Le Dr Saint-Pierre vient d'arriver à l'hôpital.

— Bien.

— Rennie est-il décédé ?

— Oui.

— Paisiblement ?

— Très paisiblement, Francis.

— Merci, docteur Joe. C'était vraiment un type bien.

— Maintenant nous avons du travail qui nous attend. Puis-je avoir la télécommande ?

Ngale lui tendit un petit boîtier rectangulaire.

— Testée à plusieurs reprises, dit-il. J'espère que vous n'aurez pas à vous en servir.

— Si j'y suis obligé, je le ferai. La chaise est en place ?

— Oui.

— Vous êtes un bon ami, Francis. Vous l'avez toujours été.

Les deux hommes se donnèrent une brève accolade, puis Anson renvoya Ngale à l'hôpital. Un instant plus tard, l'homme réapparut, introduisant Elizabeth dans la pièce. Elle portait une ample jupe de coton blanche et transparente, et un chemisier assorti. Même son expression de stupéfaction et d'inquiétude ne pouvait masquer sa beauté. Anson lui fit signe de s'asseoir, et il vint se placer debout devant elle, tantôt faisant les cent pas comme un avocat, tantôt immobile et droit.

— Bon, dit-elle en anglais, je dois dire que c'est une première de me faire convoquer ici à quatre heures du matin.

— Oui, répondit Anson. En effet. Comme tu le sais, avant que tu n'organises notre voyage en Inde pour rencontrer la veuve de mon bienfaiteur, je t'ai fait la promesse de partager les derniers secrets de mes recherches sur le Sarah-9 avec les scientifiques de Whitestone.

— C'est exact.

Son expression d'étonnement s'accentua. Pourquoi lui répétait-il quelque chose qu'elle savait parfaitement ?

— Tout ce qui vous manque, c'est de savoir laquelle de nos dix souches de levure nous utilisons réellement, ainsi qu'une étape dans le processus de stimulation de la levure.

— Oui ?

— Eh bien, j'ai décidé de ne pas honorer ma part du marché.

— Mais...

— Tu m'as menti, Elizabeth. Tu as créé de toutes pièces notre amitié, puis tu en as abusé.

Anson avait toujours été un homme extrêmement pacifique, mais sa colère, une fois déclenchée, pouvait être terrible. Il s'exhorta lui-même à garder son calme, surtout avec la télécommande dans sa poche.

— Je ne sais pas de quoi tu parles, tenta Elizabeth.

Anson lança quelques phrases en hindi.

— Je suppose que tu reconnais cette langue, même si c'est l'une des rares que tu ne parles pas. Je la parle couramment, en tout cas suffisamment pour avoir identifié cette ridicule mascarade à Amritsar.

— Je ne comprends pas, dit-elle encore.

— Bien sûr que si. Dès notre retour, espérant malgré tout avoir mal interprété cet abominable scénario, j'ai contacté un ami journaliste à New Delhi. Il n'y a aucune preuve qu'un dénommé T.J. Narjot ait jamais existé, pas plus qu'il n'y a eu d'épidémie de *Serratia* dans les hôpitaux d'Amritsar.

— Attends ! implora Elizabeth qui commençait manifestement à paniquer.

— Je n'ai pas terminé, dit Anson. Depuis mon opération et ma convalescence, je me suis interrogé sur mon arrêt respiratoire qui est tombé pile au bon moment à l'hôpital. J'ai appelé Claudine, l'infirmière qui était là ce jour-là. Au début, elle a essayé de te protéger, ou plutôt de protéger sa carrière, que tu avais menacée. Mais au bout du compte c'est sa loyauté envers moi qui l'a emporté, et qu'ai-je donc appris ? J'ai appris que ma chère amie Elizabeth, ma chère vieille amie, avait failli me tuer par pur intérêt.

— Je l'ai fait pour ton bien, Joseph ! Tu avais besoin d'une greffe.

— Tu veux dire que vous, vous aviez besoin que j'aie une greffe. Mon travail n'allait pas assez vite pour vous. Ou bien était-ce que vous aviez peur que je meure avant que vos satanés chercheurs aient fini de piller mon cerveau ?

— Non, Joseph, tu es injuste. C'est Whitestone qui a construit cet hôpital. Nous avons construit ces labos.

Anson sortit la télécommande de sa poche.

— Tu connais mon ami Francis, n'est-ce pas ? demanda-t-il avec un geste en direction de Ngale.

— Bien sûr.

— Francis est très calé en démolition. A ma demande, il a équipé toute l'aile de recherche avec des explosifs. Elizabeth, tu as exactement quinze minutes pour me convaincre que tu dis la vérité, ou ce labo partira en fumée.

— Attends ! Non ! Tu ne peux pas faire ça.

— Quinze minutes et tout ceci ne sera plus que des décombres, y compris ces précieuses cuves de levure, et mes carnets, qui sont tous empilés là-bas dans le coin.

— Joseph, tu ne comprends pas, ce n'est pas à moi de te révéler quoi que ce soit. Je... il faut que je passe des coups de téléphone. J'ai besoin d'avoir la permission de partager certaines choses avec toi. Ma vie est en danger sinon. Je... il me faut plus de temps.

Anson jeta un coup d'œil théâtral à sa montre.

— Quatorze minutes.

Elizabeth fouillait frénétiquement du regard les environs, comme si elle cherchait un sauveur.

— Il faut que je passe un coup de fil.

— Du moment que cela ne te prend pas quatorze minutes.

Elle s'en fut en courant.

— Dois-je l'accompagner ? demanda Ngale.

— Sa seule option est de nous dire la vérité. Les gens qui l'emploient sont intelligents – très intelligents. Ils le comprendront.

Quelques minutes plus tard, Elizabeth était de retour.

— D'accord, d'accord, fit-elle, hors d'haleine. J'ai été autorisée à te donner certains faits, mais pas de noms. Est-ce que ça te convient ?

— C'est toi la menteuse, Elizabeth. C'est toi la dissimulatrice. Moi je ne te ferai pas de promesses.

— Très bien, alors assieds-toi et écoute.

Anson fit signe à Ngale, qui apporta une chaise, puis, après un dernier regard à son ami, sortit de la pièce.

— Vas-y, dit Anson. Mais rappelle-toi, si j'ai l'impression que tu mens, je ne te donnerai pas de deuxième chance.

Il agita la télécommande pour souligner son propos.

Elizabeth se redressa et croisa son regard d'un air de défi.

— Il y a des années, commença-t-elle, peut-être une quinzaine, un petit groupe de spécialistes de la transplantation – médecins et chirurgiens – ont commencé à se rencontrer dans le cadre de congrès internationaux sur les greffes, pour discuter des pressions de notre spécialité et de notre insatisfaction et frustration par rapport au système de don et d'attribution des organes.

— Continue.

— Dans le monde entier, une législation restrictive nous excluait, nous les spécialistes de médecine interne et les chirurgiens qui pratiquaient les transplantations, du processus de décision. Certains chirurgiens commencèrent à mentir sur la gravité du cas de leur patient afin de le mettre en meilleure position sur certaines listes. De plus, l'apathie du public et le manque d'implication des différentes autorités religieuses privaient la société d'un stock suffisant d'organes. Et enfin, peut-être le plus frustrant de tout, les gens dont le comportement autodestructeur – tabac, alcool, mauvaise alimentation – les a justement amenés à avoir besoin d'une transplantation, reprennent souvent leurs mauvaises habitudes et détruisent l'organe qui aurait pu sauver la vie d'un candidat plus responsable, plus méritant.

— Etais-tu membre de ce groupe ?

— Pas au départ. J'ai été invitée à rejoindre les Gardiens il y a environ onze ans.

— Les Gardiens ?

— Comme tu peux l'imaginer, les discussions du premier groupe de médecins étaient profondément philosophiques. Dans ce groupe se trouvaient certains des plus grands esprits de la médecine, confrontés à certains des plus grands dilemmes éthiques.

— Et avec des egos surdimensionnés, à ce qu'il paraît.

— Ces hommes et ces femmes – en particulier les chirurgiens de transplantation – portent le fardeau d'une responsabilité incalculable.

— Les Gardiens ?

— Petit à petit, en quête d'une doctrine philosophique, le groupe s'est mis à se concentrer de plus en plus sur les écrits de Platon et en particulier *La République*. Sa philosophie et sa logique parlaient à tout le monde. Réunion après réunion, par des lectures et des discussions, la base d'une société hautement secrète s'est formée.

— Le Dr Khanduri est un Gardien ?

— J'ai dit pas de nom.

— Il l'est oui ou merde ? aboya Anson.

— Oui bien sûr. Evidemment. Pourquoi cette question ?

— Parce qu'il a évoqué son désaccord avec les Sikhs à propos de leur rejet du système des castes. Platon, si je me souviens bien, divise la société en trois castes.

— Il n'a pas utilisé ce mot mais c'est exact. Les Producteurs – ouvriers, fermiers... – sont au plus bas niveau ; viennent ensuite les Auxiliaires, principalement les soldats, et au sommet de la pyramide...

— Les Gardiens, ajouta Anson, l'élite.

Saint-Pierre hocha fièrement la tête.

— D'un point de vue intellectuel, athlétique, artistique, créatif, altruiste, scientifique et politique. Pensez à ce qui serait arrivé si Einstein, Nelson Mandela ou Raymond Damidian, qui a inventé l'IRM, ou bien... mère Teresa, avaient eu besoin d'un organe pour survivre et qu'ils aient été embourbés dans une liste ou d'interminables formalités administratives, ou bien... s'il n'y avait tout simplement pas eu d'organe disponible. Pense à toi-même Joseph, et tout ce que tu es sur le point d'apporter à l'humanité grâce au poumon que nous avons pu nous procurer pour toi, et pas n'importe lequel, un poumon parfaitement compatible ! En tant que spécialistes des transplantations, les Gardiens de la République ont pour but de veiller à ce que les autres Gardiens qui ont besoin d'organes à travers le monde puissent les obtenir.

Le zèle et la passion d'Elizabeth Saint-Pierre étaient glaçants. Anson pouvait à peine respirer. Le mot « procurer » l'avait transpercé comme un poignard. Pour la première fois, il s'était mis à envisager la possibilité que la source de sa nouvelle vie n'ait pas été donnée par quelqu'un de légalement mort.

— D'où ? articula-t-il d'une voix rauque.

— Comment ?

— D'où ? D'où viennent les organes ?

— Eh bien, des Producteurs et des Auxiliaires bien sûr, dit Elizabeth. Tout de même pas d'autres Gardiens. Cela n'aurait pas de sens ! C'est contre nos principes.

Anson dévisagea la femme qu'il croyait bien connaître depuis huit ans. Son incrédulité était due non seulement à ce qu'elle disait mais surtout à l'aisance absolue avec laquelle elle expliquait cela.

— Combien de Gardiens y a-t-il en ce moment ? demanda-t-il.

— Pas beaucoup, répondit-elle. Peut-être vingt-cinq, peut-être trente. Nous sommes très sélectifs et comme tu imagines, très prudents. Seulement les meilleurs des meilleurs.

— Bien sûr, marmonna-t-il. Seulement les meilleurs des meilleurs. (Il agita la télécommande.) Elizabeth, je te promets que si tu fais une tentative de quitter ce fauteuil sans avoir répondu à mes questions, j'appuierai sur ce bouton, et tu seras anéantie ainsi que ce labo.

— Mais toi aussi tu mourras.

— Mes priorités sont très claires. Maintenant explique-moi comment vous vous procurez des organes parfaitement compatibles.

Elizabeth gigota, mal à l'aise, et regarda alentour comme si elle espérait voir arriver un chevalier errant sur sa monture.

— Eh bien, dit-elle enfin avec moins de maîtrise d'elle-même, si un Gardien doit recevoir un organe, la compatibilité doit être parfaite ou presque parfaite. Sinon il y aurait un traumatisme émotionnel et des problèmes médicaux en raison des doses importantes de médicaments antirejet. Regarde-toi, Joseph, tu n'as presque aucun traitement. Après ton opération, tu as tout de suite pu te consacrer à ton travail.

— J'imagine que beaucoup de Gardiens qui reçoivent des organes sont en mesure de les payer.

— Oui, en effet. Les sommes en question sont utilisées pour les œuvres de la société.

— A travers la Fondation Whitestone.

— Nous sommes la Fondation Whitestone, en effet. Nous accomplissons des œuvres philanthropiques partout dans le monde pour des artistes, des médecins, politiciens et scientifiques comme toi. Nous possédons les Laboratoires Whitestone, laboratoires d'analyses et laboratoires pharmaceutiques, et bientôt, si tu es un homme de parole, nous posséderons également le Sarah-9.

— Comment oses-tu parler de parole ? Ce voyage en Inde tout entier était une imposture – une grotesque mise en scène.

— C'est parce que tu as tellement insisté pour rencontrer la famille de ton donneur, et que le conseil des Gardiens de la République estimait que pour le moment, ce n'était ni réalisable ni souhaitable.

— Mon opération n'a pas été pratiquée en Inde ?

— J'ai coopéré avec toi à tous points de vue, Joseph. Maintenant, tu veux bien lâcher ce truc ?

— Où mon opération a-t-elle été pratiquée ? (Il brandit la télécommande de façon grandiloquente.) Pas de mensonges.

— Au Brésil. Elle a été faite dans un établissement Whitestone au Brésil. On t'a laissé sous sédatifs, puis on t'a transféré auprès d'un chirurgien Gardien à Cape Town dès que cela a été possible.

Anson prit une longue inspiration.

— Bon, maintenant dis-le-moi, Elizabeth, qui était-ce ?

— Comment ?

— Le donneur. Qui était-il et d'où venait-il ?

De nouveau, Saint-Pierre attendit en vain une intervention extérieure. Ses mâchoires étaient serrées de frustration.

— En fait, dit-elle enfin, c'était une femme, de Boston aux Etats-Unis.

— Elle s'appelle ?

— Je te l'ai dit, pas de...

— Merde, Elizabeth ! hurla Anson, donne-moi son nom ou prépare-toi à mourir sur-le-champ. Je ne plaisante pas et tu le sais !

— C'est Reyes. Natalie Reyes.

— Très bien. Maintenant, étape par étape, tu vas me raconter tout ce que tu sais sur Natalie Reyes et comment elle a été choisie pour me donner son poumon.

Chapitre 35

> *Lorsqu'un homme se croit aux approches de la mort, certaines choses sur lesquelles il était tranquille auparavant éveillent alors dans son esprit des soucis et des alarmes.*
>
> PLATON, *La République,* Livre I.

B*EN REPRIT CONSCIENCE* en respirant une senteur âcre quoique pas désagréable, et la voix d'une femme qui chantait doucement dans une langue qu'il ne comprenait pas. La flèche avait disparu. L'insupportable souffrance dans son épaule et le supplice de tout son corps étaient encore présents, mais étrangement modifiés. Ce n'était pas la première fois qu'il se réveillait, reconnut-il, ni la première fois qu'il entendait la femme chanter. Il était torse nu, allongé sur le dos, sur une pile de couvertures et de chiffons, à l'intérieur d'une sorte de grotte. Le soleil entrait par l'ouverture, à environ trois mètres.

Peu à peu, sa vision se fit plus précise, ainsi que sa mémoire. La flèche mortelle que Ben avait attendue n'était jamais arrivée. Au lieu de cela, il se rappelait une femme, qui s'était agenouillée auprès de lui et l'avait rassuré en anglais, lui disant qu'il allait s'en sortir. Une peau lisse et bronzée, des yeux sombres, passionnés et compatissants. Avec l'aide d'un homme portant un bandeau sur l'œil, elle l'avait remis debout et s'était débattue pour le faire marcher. Tout le reste était flou, à part son visage. Un visage charmant, intense.

Blindé contre la douleur, il essaya de s'asseoir. La femme qui chantait non loin de lui, sans âge plutôt que vieille, ne fit pas mine de l'en empêcher. Elle était indienne. Son visage, bien que profondément ridé, ressemblait par certains traits à celui de l'homme qui avait aidé Vincent à le torturer. Ben parvint à voir d'où émanait l'odeur qui emplissait la grotte : une marmite bouillait sur un petit feu derrière elle, et émettait des panaches de fumée grise.

Il se redressa quelques secondes avant qu'une vague de vertiges ne le force à se rallonger. La femme l'aida, puis elle passa une petite louche entre ses lèvres et lui tint la tête tandis qu'il buvait le liquide épais et aromatique. En quelques minutes, la douleur avait complètement disparu, remplacée par une cascade de pensées et d'images particulièrement agréables. Bientôt, tandis qu'elle remplaçait le cataplasme séché de son épaule par un autre humide, la lumière à l'entrée de la grotte commença à diminuer. Le tourbillon d'images ralentit, puis s'éteignit.

Lorsqu'il reprit conscience, la femme rencontrée dans la forêt était agenouillée à côté de lui. Son visage le fit sourire.

— Bonjour, dit-elle. Je m'appelle Natalie Reyes. Vous me comprenez ? Bien. Voilà de l'eau. Il faut boire.

Ben hocha la tête et prit quelques gorgées prudentes dans une tasse en terre. Derrière Natalie, la guérisseuse s'affairait autour de son foyer.

— Ben, articula-t-il une fois que ses lèvres furent assez humides. Ben Callahan, de Chicago. Vous êtes brésilienne ?

— Américaine. Je suis étudiante en médecine à Boston.

— Merci de m'avoir sauvé.

— C'est mon ami Luis qui vous a sauvé, pas moi. Les gens qui dirigent cet hôpital ont assassiné sa sœur qui avait tenté de m'aider. Des amis à lui par ici lui ont dit que vous aviez été torturé. Nous observions la scène d'ici quand cet homme avec l'arc vous a fait sortir de l'hôpital. Luis savait ce qui allait se passer et il a décidé de vous sauver.

— J'en suis heureux, dit Ben, et c'est un euphémisme. Je n'aurais jamais cru...

— Doucement, fit Natalie. Nous avons tout le temps.

Ben se força de nouveau à se redresser. Cette fois, les vertiges étaient minimes. Son épaule était soigneusement bandée de gaze qui n'avait pas l'air très neuve.

A mesure que ses pensées lui revenaient, son expression s'assombrit.

— Non, nous n'avons pas beaucoup de temps ! s'exclama-t-il, excité. Il y a une femme à l'hôpital. Elle s'appelle Sandy. Elle va être tuée – on va l'opérer puis la tuer. Je crois qu'ils veulent lui prendre son cœur. Ils...

Natalie l'apaisa en lui posant doucement un doigt sur les lèvres.

— Vous êtes complètement desséché et déshydraté, dit-elle. Il vous faut de l'eau. Si nous ne parvenons pas à vous hydrater suffisamment, vous ne pourrez venir en aide à personne.

— Cette femme derrière vous, elle m'a donné une drogue absolument incroyable.

— Elle est chamane, c'est une amie de Luis. Elle s'appelle Tokima, quelque chose comme ça. Elle parle un mélange de portugais, que je comprends assez bien, et une sorte de dialecte tribal que je ne comprends pas du tout, mais Luis si.

— Eh bien demandez à Luis si elle veut que je l'embauche à plein temps.

— Vous êtes devenu tout pâle, Ben Callahan. C'est votre tension artérielle qui vient de chuter. Dans quelques secondes, vous allez vous sentir très très mal, je pense que vous feriez mieux de vous allonger.

— Vous pouvez prédire ce qui va se passer ?

Natalie prit son pouls, qui était rapide et faible.

— Votre système cardio-vasculaire a subi un gros traumatisme. Il vous faut du repos et beaucoup de liquide.

— Et encore un peu de ce médicament ! dit-il juste avant de perdre connaissance.

Ben se réveilla encore deux fois. A chaque fois Natalie Reyes était près de lui, et le surveillait avec inquiétude et compassion.

— Je vous ai vu sur ce rocher alors que ce monstre vous traquait, dit-elle à un moment. Vous étiez si faible et pourtant si courageux. Maintenant que je sais ce qui vous a amené ici, je pense que vous êtes encore plus courageux.

Elle lui donna de l'eau et Tokima, la chamane, lui administra l'une de ses mixtures. A chaque fois, il se sentait plus fort et restait assis un peu plus longtemps. Peu à peu, ils purent se raconter ce qui les avait respectivement conduits à Dom Angelo.

Quand Ben ouvrit les yeux pour la troisième fois, Natalie était encore là, mais accroupi à côté d'elle se trouvait l'homme qui lui avait sauvé la vie.

— Luis, le salua Ben en roulant sur le flanc pour lui tendre la main.

— Ben, répondit Luis avec une poigne incroyablement forte.

— Luis ne parle pas anglais, dit Natalie, mais il a la gentillesse de parler portugais lentement pour que je puisse vous faire la traduction si besoin est.

— Dites-lui que je suis désolé pour sa sœur, dit Ben.

— C'est très délicat de votre part d'y avoir pensé, répondit Natalie. Courageux et délicat. J'aime bien cette combinaison.

Elle eut une brève conversation avec Luis, qui regarda Ben dans les yeux et lui adressa un signe de tête. Ben lut dans l'œil valide de l'homme la flamme du guerrier.

— La femme pour laquelle vous vous inquiétez, reprit Natalie, est toujours inconsciente à l'hôpital, sous assistance respiratoire.

— Elle a été droguée, répondit Ben. Elle a été enlevée et maintenant elle est droguée. Au Texas, elle hurlait en parlant de son enfant. Elle a dit qu'elle était enfermée dans une cage. Puis quelqu'un, sans doute Vincent, l'a fait taire.

Il se releva sans aide.

— Est-ce qu'on peut faire quelque chose ? poursuivit-il.

— Dites-nous exactement qui est venu avec vous dans l'avion.

— Trois personnes dans le cockpit, quatre dans la cabine, moins un grâce à Luis. L'une de ces personnes est, enfin était la petite amie de Vincent. Il y en avait encore deux à l'arrière avec la patiente, dont une femme assez âgée, peut-être une anesthésiste.

Natalie traduisit pour Luis et lui fournit ensuite des informations :

— A l'hôpital, il y a Barbosa, un policier corrompu, Santoro, un médecin corrompu, l'acolyte de Vincent, que vous avez apparemment rencontré, plus le personnel de la cuisine, du ménage et de l'entretien.

— Les forces ne sont pas très équilibrées, commenta Ben.

— Et ce n'est pas fini. Un autre groupe, les infirmières de Rio et l'entourage du bénéficiaire du cœur de cette pauvre femme doivent arriver très bientôt.

— Peu importe, il faut que nous la fassions sortir de là, dit Ben.

— Comment ça, nous ? demanda Natalie. Vous n'êtes pas en état de vous battre.

— Je ferai ce que je pourrai. Je viens de trop loin pour reculer maintenant. Allez, donnez-moi la main.

Ben tendit la main et Luis le hissa sans effort en position debout. Pendant quelque secondes, la grotte tourna, mais il s'adossa contre un mur et resta droit.

— Délicat, courageux *et coriace*, fit Natalie. Joli. Bon. Il y a nous deux plus Luis, son amie Rosa, et un autre type du village sur lequel Luis dit qu'il peut compter. Vous êtes bon en stratégie militaire ?

— J'ai eu un A à la fac. J'ai le temps d'aller chercher mes notes ?

— Luis, fit Natalie en indiquant Ben d'un geste, je crois que nous sommes cinq.

Luis ne répondit pas. Il se rendit auprès de Tokima et s'entretint avec elle. Elle hocha la tête, prit un petit seau en plastique, et partit dans la forêt.

— Tokima soigne les gens depuis de nombreuses années, dit-il. Peut-être quatre-vingts.

Natalie traduisit pour Ben qui sourit, hocha la tête et remarqua que même si elle avait déjà fait des miracles pour lui, il espérait que la guérisseuse pourrait lui donner quelque chose qui l'aiderait à tenir le coup pour les heures à venir.

— Est-ce qu'elle sait que mon assurance ne pourra sans doute pas couvrir ce traitement ? demanda-t-il.

Natalie traduisit pour Luis qui se dérida. Puis ils parlèrent un moment tous les deux, et enfin Natalie se tourna vers Ben.

— Comme vous le savez sans doute, il y a beaucoup, beaucoup de substances psychotropes dans les plantes par ici, dit-elle. Tokima est partie chercher la plus forte de toutes, une racine. Luis ne connaît que le nom indien, qui ressemble à Khosage. Séchée, broyée et fumée, c'est un hallucinogène très puissant, mais à trop haute dose, on a peu de temps pour profiter des effets les plus agréables et intéressants. De violents vomissements et des diarrhées, ainsi que de terribles douleurs abdominales, une perte totale de repères et parfois même la mort, interviennent rapidement. A supposer que Tokima trouve une quantité suffisante de cette racine, Luis pense qu'il pourra en mettre dans la nourriture qui sera servie au déjeuner, soit en le faisant lui-même, soit avec la complicité de l'un des aides en cuisine. Avec un peu de chance, cela devrait neutraliser quelques-unes des personnes armées à l'hôpital, tout comme celles qui doivent aider à pratiquer l'intervention.

— C'est un bon plan, dit Ben. Et Sandy ?

— Si vous êtes en état, vous et moi nous couperons à travers la forêt jusqu'à l'endroit où j'ai laissé la Mercedes du policier que j'ai tué. Puis nous reviendrons en voiture jusqu'à l'hôpital. Le temps que nous arrivions, ce devrait être le chaos absolu. Il faudra en profiter pour sortir Sandy sur un brancard et l'amener à la voiture. Luis et ses hommes devront disparaître dans la forêt.

— Il est prêt à faire ça ?

— Il était très attaché à sa sœur.

Ben donna une claque amicale à l'homme sur le bras. Puis, ne voulant pas que les autres se rendent compte que son vertige le reprenait et que ses deux genoux, tout comme le bas de son dos, le mettaient au supplice, il prit une tasse d'eau, sortit à pas lents de la grotte, jusque sur le plateau de granit et il s'assit, dos au rocher. En dessous de lui, au sud, étincelant dans la lumière de fin de matinée, se trouvait l'hôpital. *Hôpital.* Ben eut un rire désabusé. A part dans l'Allemagne nazie, le mot n'avait sans doute jamais été si impropre. La brutalité de ce qui lui avait été fait là-bas, à lui et à tant d'autres, le fit frissonner. A présent, espérons-le, tout allait se terminer.

On arrive, pensa-t-il avec férocité. *On arrive*.

Un peu plus tard, Tokima revint, avec son seau en plastique rouge débordant d'épaisses racines noueuses de couleur rouille, encore brillantes d'avoir tout juste été lavées. Presque sans un mot, elle se mit à préparer le poison. Luis, avec sa démarche furtive de prédateur, descendit la colline. Natalie sortit de la grotte, s'installa à côté de Ben et lui prit la main.

— Détective privé, hein ? demanda-t-elle. Vous avez une arme ?

— Bien sûr.

— Vous avez déjà eu à vous en servir ?

— Bien sûr. Le cimetière de Boot Hill à Chicago est rempli des hommes que j'ai butés – sans oublier femmes, enfants et animaux domestiques.

Il fit mine de tirer sur l'hôpital avec son doigt et de souffler sur la fumée qui sortait du canon.

— Absolument terrifiant, dit-elle en lui repliant doucement le doigt. Ils n'ont aucune chance.

— Et vous croyez que nous on a une chance ?

— Bien sûr.

— De toute façon, nous sommes tous les deux en sursis.

Un quart d'heure plus tard, sans bruit, invisible, Luis réapparut soudain à la porte de la grotte.

— Les gens s'inquiètent de la disparition de Vincent, dit-il. On suppose que Ben l'a tué. Je suis censé être en train de rechercher son corps en ce moment.

Il rentra dans la grotte et en ressortit avec un lourd bol en terre contenant la préparation, couverte de feuilles.

— Vous êtes prêt, Ben Callahan ? demanda Natalie en l'aidant à se relever.

Ben serra les poings et força par un effort de volonté le vertige à s'estomper.

— Prêt, articula-t-il.

— Le personnel de cuisine prépare le déjeuner, dit Luis en faisant une pause pour que Natalie partage l'information avec Ben. Il faut que je leur apporte le dernier ingrédient. Les médecins sont auprès de leur patiente et ils attendent l'arrivée de celui qui doit recevoir son cœur. L'équipage de l'avion prend le soleil près de la piscine. Santoro est partout, il prépare les deux opérations. Barbosa et l'autre garde sont sur le qui-vive. Le moment est venu.

— Venez, dit Luis. Je vais vous indiquer la direction de la voiture. Prévoyez d'être devant l'hôpital dans une heure. Avec un peu de chance, nous vous amènerons votre patiente pour partir faire un tour.

Chapitre 36

Il n'y a pas de sentier, [...] les bois sont sombres et déroutants; pourtant nous devons poursuivre.

PLATON, *La République*, Livre IV.

LA MARCHE À TRAVERS LA FORÊT fut épuisante. La chaleur et l'humidité étaient intenses, et le terrain montait presque tout au long du trajet. Se repérant à l'aide du soleil, Natalie et Ben contournèrent la ville de loin et poursuivirent tout droit vers le nord. Elle était convaincue qu'en suivant bien cette direction, ils croiseraient tôt ou tard la route de Dom Angelo. Puis il suffirait de tourner vers la droite et là, elle était certaine de retrouver l'impasse où elle avait caché la voiture de Vargas.

Avec Luis, ils avaient compté une heure et demie pour qu'il glisse la mixture hallucinogène toxique dans la nourriture servie pour le déjeuner et que celle-ci ait le temps d'être répartie et distribuée dans tout l'hôpital, tandis que Ben et elle iraient chercher la Mercedes et la gareraient à l'arrière du bâtiment. C'était, comme l'avait dit Ben, un bon plan, mais plutôt risqué. Avec si peu de temps et la sécurité de l'hôpital en état d'alerte à cause de la disparition de Vincent, bien des choses pouvaient tourner de travers.

Natalie n'avait qu'une vague idée de la distance à parcourir jusqu'à la route, ainsi que de la difficulté du terrain, si bien qu'elle adopta un rythme un peu plus forcé que ce qu'elle aurait voulu. Au bout d'une demi-heure, l'altitude et la montée constante avaient usé son énergie déjà amoindrie.

Cependant elle voyait que c'était encore plus dur pour Ben, bien qu'il suive le rythme et qu'il refuse de capituler.

— Faisons une pause, proposa-t-elle en respirant lourdement et lui tendant la gourde.

— Vous tenez le coup ?

— Ça va. On ne doit plus être trop loin maintenant.

Natalie ne prit pas la peine de lui retourner la question ; il dirait que tout allait bien même si elle savait pertinemment que ce n'était pas le cas. Le tour de ses lèvres était à nouveau livide et il avait un voile sur les yeux qui ne présageait rien de bon. Elle ne pouvait imaginer tout ce qu'il avait dû endurer avant le moment où on l'avait lâché dans la forêt pour le traquer. Il avait de terribles brûlures électriques qui lui tachaient une bonne partie du corps, ses doigts étaient gonflés et décolorés et les orifices d'entrée et de sortie de la flèche dans son épaule, malgré les cataplasmes de Tokima, montraient les premiers signes d'infection. Elle se demanda comment il allait pouvoir encore tenir. Heureusement, songea-t-elle, ils n'avaient plus qu'à arriver à la voiture. Après cela, Ben n'aurait qu'à se laisser conduire.

— Prêt ? demanda-t-elle.

— Allons-y. Je vais y arriver.

— Prenez encore un peu d'eau.

— Si vous le dites, mais bon, j'ai quand même l'impression que toute cette eau que j'ai bue n'est pas franchement de la Crystal Springs. Le Dr Banks, mon médecin à Chicago, va avoir du pain sur la planche pour diagnostiquer toutes les blessures, parasites et autres maladies que je vais ramener de ce voyage. Il va falloir vous dépêcher de finir vos études de médecine pour l'aider à me soigner.

— Pas de problème. Comme beaucoup de femmes, je suis affligée du besoin compulsif de recueillir des hommes blessés, cassés, et de les remettre sur pied.

Ils s'arrêtèrent une fois encore pour se reposer et boire, et au moment où Natalie se demandait s'ils ne s'étaient pas égarés, ils arrivèrent sur une route qu'elle reconnut avec certitude comme celle de Dom Angelo. Ben traînait la patte et ne pouvait plus désormais dissimuler sa faiblesse. Malgré tout, s'ils trouvaient facilement la Mercedes, ils seraient à peu près dans les temps.

— Tenez bon, Ben Callahan ! l'exhorta-t-elle. On y est presque.

Après une bifurcation vers ce qu'elle espérait être le village, puis cinq minutes de marche, elle trouva l'impasse envahie par la végétation.

Ben était si loin derrière que dans certains tournants, elle le perdait complètement de vue. Elle attendit qu'il la rattrape, puis elle le conduisit jusqu'à la voiture. Dès l'instant où elle vit les branches qu'elle avait utilisées comme camouflage, gisant à terre, elle sut qu'il y avait un problème.

La Mercedes de Rodrigo Vargas se trouvait bien là où elle l'avait laissée, mais elle n'était plus guère en état de rouler, ni maintenant, ni sans doute plus jamais. Les quatre pneus étaient crevés et aplatis. La capot avait été forcé et une grande partie du moteur détruite. Les vitres étaient brisées en mille morceaux. Le moral aussi à plat que les pneus, Natalie regarda sous le siège du conducteur où elle avait caché les munitions supplémentaires. Envolées.

— Y a de l'eau dans le gaz, dit Ben en prenant appui contre le coffre. Tout ça semble trop complet et méticuleux pour un simple acte de vandalisme.

— Je pensais la même chose, répondit Natalie en regardant sa montre. Ben, je peux redescendre jusqu'à l'hôpital mais je ne crois pas que vous en soyez capable.

— Je ne sais pas. Je pense...

— S'il vous plaît ! On dirait que vous êtes sur le point de vous écrouler. Vous devriez soit m'attendre ici avec de l'eau, ou bien essayer de regagner le village. Je vous ai parlé du père Francisco. Vous le trouverez là-bas. Racontez-lui ce qui se passe, et ce qui vous est arrivé. Il vous soignera. J'en suis sûre. Peut-être même qu'il pourra se procurer une voiture pour vous conduire jusqu'à l'hôpital.

— Mais...

— Ben, je vous en prie ! Luis est en train de tout risquer pour nous aider. Il faut que je sois au rendez-vous. C'est surtout de la descente et je peux emprunter la route. Je suis une athlète. J'y arriverai.

— D'ac-d'accord.

— Gardez l'eau, je n'en aurai pas besoin.

— N'oubliez pas de revenir me chercher, dit-il.

— OK, j'ajouterai ça à ma liste. Récupérer Ben. A bientôt l'ami. C'est promis. Saluez de ma part le père Francisco.

Elle l'embrassa sur la joue, tourna les talons et, pour la première fois depuis l'incendie de Dorchester, Massachusetts, à huit mille kilomètres et plusieurs vies de là, elle courut.

Jamais, au cours des plus gros défis de sa carrière d'athlète, Natalie n'avait autant poussé son corps qu'au cours des vingt minutes qui suivirent. Elle courait avec un seul poumon, endommagé, chargée d'un sac à dos contenant le lourd pistolet de Vargas, du ruban adhésif noir, de la corde et un couteau suisse. Le chemin en pente mettait à rude épreuve ses chevilles et ses genoux. Plus elle était essoufflée, moins elle réussissait à garder l'équilibre. A deux reprises elle trébucha, une fois elle tomba, s'égratignant les paumes des mains. Sa poitrine était en feu. Elle ne réussissait pas à inspirer suffisamment d'air. Elle ralentit, puis ralentit encore. Cependant, elle restait toujours en mouvement. Finalement, incapable d'inspirer correctement une seule bouffée d'air, elle s'arrêta, hors d'haleine, et s'accrocha à un tronc d'arbre. Au bout de trente secondes, elle était repartie, titubant dans la descente comme une ivrogne.

Elle marqua une autre brève pause, essoufflée et essayant d'ignorer le martèlement explosif de son cœur, puis arriva sur le plat. Après un long virage vers la droite, elle se retrouva devant l'entrée de l'hôpital par laquelle Ben avait été expulsé la veille dans l'attente d'une mort certaine. Les mains sur les genoux, elle laissa sa respiration s'approfondir jusqu'à ce qu'une inspiration bienvenue se fraie enfin un chemin jusqu'au fond de son poumon.

Après avoir balayé les alentours du regard, elle sortit l'arme de son sac à dos et commença à contourner les logements de fonction, effectuant à peu près le même itinéraire qu'elle avait suivi pour s'échapper après sa dernière visite. Elle resta sous le couvert des arbres et contourna de loin l'extrémité de l'aile.

Alors qu'elle atteignait le vaste patio et la piscine, elle devina instantanément que Luis avait réussi au moins la première phase de sa mission. Trois hommes se trouvaient autour de la piscine, tous en maillot, et en train de s'esclaffer. Sur les tables près d'eux étaient posés des bols contenant un genre de ragoût.

— Et alors elle amène le plateau, rempli de charcuterie et de tripes, et elle renverse tout le machin sur les genoux du rabbin !

Celui qui racontait l'histoire, un rouquin proche de la trentaine, éclata d'un rire incontrôlable à sa propre blague, renversant son verre sur ses jambes, sans faire mine de se nettoyer.

L'équipage de l'avion, déduisit rapidement Natalie.

L'un des hommes, qui semblait plus vieux que les autres – probablement le commandant –, était à quatre pattes et vomissait violemment sur un petit bosquet tout en continuant simultanément à rire.

— Je ne me sens pas très bien, répétait sans cesse le troisième. Je ne me sens pas très bien.

Natalie n'avait aucun moyen de gagner le cabanon de stockage pour emprunter le passage souterrain jusqu'à l'hôpital sans être vue du trio. Elle posa son sac par terre, puis braqua son pistolet à long canon sur le rouquin.

— Allez, sur le ventre ! aboya-t-elle. Tous les trois !

Les hommes, y compris le commandant, la regardèrent, tendirent la main et hurlèrent de rire. Nat hésita à leur tirer tout simplement une balle à chacun dans les jambes mais elle savait qu'elle n'en serait capable qu'en dernier recours. Au lieu de cela, elle s'approcha du rouquin et lui frappa l'arrière de la tête avec le canon de son arme, ce qui lui entailla le cuir chevelu sur quatre centimètres. L'homme cria en s'écroulant sur le béton, face contre terre, puis il recommença à rire en marmonnant : « Putain, pourquoi t'as fait ça ? »

Natalie les dévisagea l'un après l'autre, se demandant quelle stratégie adopter. Avaient-ils des armes dans leurs chambres ? Combien de temps pouvait-elle compter sur les effets de la préparation de Tokima ? Luis n'avait aucun moyen de contrôler la quantité ingérée par chacun. Allaient-ils tous en mourir ?

Alors qu'elle s'interrogeait, l'homme qui ne se sentait pas bien bascula de sa chaise et vomit dans la piscine. Natalie avait décidé qu'elle pouvait sans risque les laisser là, quand une femme portant un treillis militaire vert kaki surgit du cabanon, armée d'une mitrailleuse semi-automatique. Elle mesurait au maximum un mètre cinquante et avait un visage brun agréable et de larges hanches. Elle balaya vivement la scène du regard.

— Tu es Natalie ? demanda-t-elle dans un portugais rugueux.

— Rosa ?

La petite amie de Luis sourit et hocha la tête.

— Il faut les attacher, dit-elle en désignant la corde et le ruban adhésif. Luis a dit qu'on devait attacher tout le monde.

A elles deux, sans craindre de résistance de la part des hommes, elles leur attachèrent rapidement les chevilles et leur scotchèrent les poignets derrière le dos. Le contenu de leurs estomacs était maintenant répandu à travers le patio et la piscine.

Les deux femmes s'essuyèrent les mains sur d'élégantes serviettes de plage, puis elles se hâtèrent vers le cabanon et descendirent dans le tunnel. Dans la salle à manger, elles découvrirent les aides-cuisiniers ligotés et bâillonnés d'une manière semblable à l'équipage de l'avion.

Non loin des Brésiliens, avec un regard qui menaçait de percer un trou dans la poitrine de Natalie, était attachée une femme à la taille étroite, aux cheveux blonds sales et portant un tatouage de fil barbelé autour du bras. Natalie fit un geste vers elle pour demander silencieusement qui elle était, mais Rosa ne put que hausser les épaules.

Cela pourrait être pire, avait envie de dire Natalie à la femme furieuse. *Tu aurais pu goûter à notre ragoût.*

— Tu sais où est Luis ? demanda Natalie alors qu'elles se déplaçaient sans bruit, l'arme au poing, dans la salle à manger, puis passaient devant le salon où elle s'était cachée derrière le canapé, tout près de Santoro et Barbosa.

— Il est passé par là, chuchota Rosa en risquant un coup d'œil dans la première salle de réveil, et lui faisant signe de la suivre.

Natalie s'aplatit contre le mur en face de Rosa et regarda dans la pièce. Là, sur le sol, les yeux écarquillés et ligotés d'une manière qui aurait donné du fil à retordre à Houdini, se trouvaient un homme costaud et une femme aux cheveux argentés, tous deux vêtus de tenues chirurgicales stériles. Ils étaient manifestement en détresse, notamment parce qu'ils vomissaient par le nez et autour du ruban adhésif collé sur leur bouche. Sur le lit d'hôpital à côté d'eux, plongée dans une bienheureuse inconscience, était étendue une jolie femme rousse. Sandy.

— Je pense qu'on devrait la laisser comme ça pour l'instant, dit Natalie. Tu es d'accord ?

Rosa opina et s'élança dans le couloir. Natalie, qui avait hâte de quitter l'atmosphère fétide de la pièce, procéda rapidement à quelques ajustements sur le respirateur puis la suivit. Trois cuisiniers, trois membres d'équipage. La femme qui devait être la copine de Vincent et les deux médecins. Neuf en tout, mais aucun de ceux qui présentaient un réel danger. Ceux-là étaient toujours quelque part dehors. Natalie rattrapa Rosa près de l'entrée principale. Le couloir qui menait à la macabre salle de traitement du Dr Donald Cho était désert. Le fait que le maître ès réalité virtuelle et psychopharmacologie n'ait pas été invité pour ce cas en disait long sur le destin de Sandy. Pour elle, il n'y aurait nul besoin d'un lavage de cerveau.

Rosa, qui se tenait derrière la lourde double-porte vitrée, porta un doigt à ses lèvres et lui fit signe de sortir. Là, face contre terre, se trouvait un homme à la peau rouge qui portait un treillis semblable à celui de Rosa. On ne voyait pas de sang, ni de blessure apparente sur son corps, mais s'il n'était pas mort, sa prestation était digne d'éloges.

— Salazar Bevelaqua, chuchota Rosa. Il bat sa femme. Luis ne l'a jamais aimé.

— Tu me rappelleras de ne pas me faire un ennemi de Luis, rétorqua Natalie.

Le déséquilibre des forces devenait moins flagrant. Si Natalie comptait bien, il y avait Rosa et elle, plus Luis et son allié. Quatre. Contre eux, Santoro, Barbosa et deux autres des gardes venus en avion. Soudain l'air calme de l'après-midi fut transpercé par une volée de coups de feu. Un homme se mit à hurler de douleur. Puis, aussi abruptement qu'elle avait commencé, la fusillade s'interrompit. Un peu plus loin sur la droite, elles entendirent un gémissement et un homme qui poussait des tas de jurons en anglais.

L'arme à la main, Natalie suivit Rosa dans cette direction. Sur le bord du bâtiment, étalé sur le dos, criblé de balles, se trouvait l'homme de Dom Angelo. Rosa se précipita vers lui, prit sa tête entre ses mains, puis elle se tourna vers Natalie, le visage fermé. Non loin de lui, les mains enserrant son abdomen, son pull en jersey blanc trempé de sang, était agenouillé un autre homme, sans doute un garde de l'avion, songea Natalie.

— Oh, bon Dieu de merde ! ne cessait-il de gémir. Oh, je vous en prie, aidez-moi !

Sans un instant d'hésitation, Rosa se leva, et tira en plein dans le front de l'homme. Natalie n'était même plus étonnée de son propre détachement et de son manque d'émotion. Le monde des Laboratoires Whitestone était un monde d'argent, de violence et de mort. Elle y avait été attirée malgré elle et désormais elle s'y était accoutumée.

Animées de la même inquiétude muette quant au sort de Luis – où se trouvait-il, avait-il été blessé ? –, les deux femmes regagnèrent prudemment l'hôpital et empruntèrent la partie du couloir qui débouchait sur le laboratoire de Cho. Natalie s'arrêta devant la porte close de Santoro et appuya sur la poignée. Elle fut surprise de constater qu'elle n'était pas fermée et elle avait déjà risqué un pas dans la pièce lorsque la porte fut brutalement ouverte et que l'avant-bras puissant de Barbosa passa au-dessus de ses épaules et se resserra sous sa gorge. Il mesurait presque une tête de plus qu'elle, avec un gros ventre tout dur qui se pressait contre son dos. Les poils de ses bras faisaient comme du papier de verre sur la peau de Natalie.

— Lâche-le ! siffla-t-il. Lâche ton arme !

Prise de haut-le-cœur à cause de la pression sur sa trachée et son larynx, Natalie s'exécuta immédiatement. Barbosa ouvrit lentement la porte et se servant d'elle comme d'un bouclier, il sortit dans le couloir en criant :

— Laisse tomber, Rosa ! Rends-toi tout de suite ou bien je lui brise la nuque et je te tue en même temps... tu sais que j'en suis capable et que je n'hésiterai pas. Très bien. Maintenant à plat ventre ! Vite !

Les lèvres retroussées en un rictus de tigre, Rosa obtempéra doucement. A l'instant où elle s'allongeait, la porte extérieure s'ouvrit à toute volée et Luis entra en boitant. Il était échevelé, blessé au moins en deux endroits, une fois dans l'épaule gauche et une fois dans la poitrine du côté droit. Du sang, qui n'était pas seulement le sien, maculait son visage et les jambes de son treillis. Sa main droite, munie d'un pistolet, se balançait impuissante à son côté. Natalie sentit que Barbosa souriait.

— Alors, le traître ! dit-il en gardant son avant-bras bien en place, c'est terminé pour toi ! Lâche ton arme et allonge-toi à côté de ta femme, et je verrai si l'un de nos chirurgiens peut te sauver la vie.

— Ce serait vraiment très gentil à toi, Oscar, dit Luis. Je sais que tu es un homme de parole.

Son bras se leva alors d'un coup comme l'attaque d'un cobra, si soudainement que Natalie comprit à peine ce qui se passait jusqu'à ce que ce soit fini. La bouche de son pistolet cracha un feu orange. Au même instant, l'étreinte de Barbosa autour de sa gorge se relâcha. Elle tomba à genoux et pivota à temps pour voir le policier chanceler et tomber en arrière. Ses doigts, à travers lesquels suintait du sang, recouvraient son œil droit. Sa silhouette massive heurta violemment le mur près de la porte de Santoro, puis il s'affala au sol, maintenu par sa corpulence dans une macabre position assise.

— Je t'avais dit que j'étais doué pour tuer, articula Luis d'une voix rauque avant de s'effondrer.

Chapitre 37

L'opulence et la pauvreté ; l'une engendre la mollesse et l'oisiveté, et l'autre produit la bassesse des sentiments et l'envie de mal faire.

PLATON, *La République*, Livre IV.

PENDANT UN MOMENT, Ben resta assis par terre, appuyé contre la Mercedes, et sirota le peu d'eau qui restait dans la gourde. Il se sentait fiévreux et faible. Son épaule l'élançait et une migraine tambourinait directement derrière ses yeux. Natalie avait eu raison de l'abandonner. Il aurait dû le lui suggérer lui-même. Et voilà où il en était à présent. Il se demanda comment réagirait Alice Gustafson à ce qui lui arrivait. Elle avait risqué sa vie à maintes reprises pour dénoncer ceux qui se livraient au trafic d'organes, donc peut-être ferait-elle peu de cas du fait que lui avait mis sa vie en jeu lorsqu'il avait passé la grille de Whitestone au Texas Cependant, il en doutait.

A cause de ceux qui avaient vandalisé la voiture, le plan sur lequel Luis, Natalie et lui s'étaient mis d'accord s'était désagrégé avant même d'avoir commencé. Il semblait encore possible que Luis ait pu introduire la drogue de Tokima dans la nourriture de l'hôpital. Il semblait possible que les gardes et les tueurs professionnels qui défendaient l'endroit puissent être battus. Il semblait possible que Natalie arrive à temps à l'hôpital pour apporter son aide et qu'elle réussisse à sortir Sandy de l'assistance respiratoire, à la mettre dans la voiture de quelqu'un et à remonter la colline pour le récupérer.

Tout cela était possible, mais assez peu probable.

Ben se redressa et lutta contre le vertige et la nausée qui l'assaillaient. Il était allé trop loin pour se contenter d'attendre la suite. Natalie avait dit qu'il pourrait apporter son aide s'il atteignait le village et contactait le prêtre. S'il tentait le coup et qu'il finissait par pourrir sur le bas-côté de la route, au moins il mourrait en sachant qu'il avait tout tenté. Au moins il aurait fini sa vie pour une cause noble.

Alors qu'il s'éloignait de la voiture, sa main effleura la poche contenant le petit revolver que Luis lui avait donné. Il avait complètement oublié qu'il se trouvait là. C'était un .38, un « saturday night spécial » au nez émoussé qui n'était pas sans rappeler l'arme qui se trouvait toujours cachée dans la Chrysler de Seth Stepanski, là-bas à Fadiman.

Il fit plusieurs pas supplémentaires, puis se força à se redresser et regagna la route. Les deux femmes fantastiques qui étaient entrées dans sa vie, Alice et Natalie, seraient fières de son cran. Tout comme Sandy si jamais elle le savait. Comme c'était étrange de penser à elle, rendue inconsciente par les médicaments, tandis que tant d'événements, qui la concernaient directement ébranlaient l'hôpital.

Il ne prit pas la direction par laquelle il était venu avec Natalie, mais celle du village. Un pas, puis un autre. La tête haute, les épaules en arrière, il essaya d'ignorer la douleur qui résonnait dans tout son corps.

Continue... continue...
Père, pardonne-nous pour ce que nous devons faire
Pardonne-nous et nous te pardonnerons
Sainte Marie Mère de Dieu...
Nous nous pardonnerons les uns les autres jusqu'à l'asphyxie
Priez pour nous pauvres pécheurs...

Le soleil de l'après-midi tapait fort et à cette heure-ci, la route de forêt offrait peu d'ombre. D'abord John Prine, puis Je vous salue Marie, puis John encore... ligne à ligne, vers par vers, Ben continuait à avancer, en trébuchant parfois mais sans jamais tomber. Peut-être avait-il marché plus d'un kilomètre, ou bien juste quelques centaines de mètres. Il n'aurait su le dire et cela n'avait pas d'importance. Il n'y avait plus d'eau et son espoir d'arriver au but, quel qu'il soit, s'amenuisait. Il avait la tête baissée et regardait ses chaussures avancer, à pas comptés. Puis, une légère rupture de pente lui fit lever les yeux et il découvrit le village en dessous de lui, comme une carte postale de bâtiments lilliputiens, nichés dans une vallée luxuriante. La douleur et les vertiges le rendaient presque fou, mais il avait réussi. Ses lèvres desséchées se retroussèrent vers le haut en un âpre sourire de défi. Il se traînait plus qu'il ne marchait lorsqu'il atteignit enfin les faubourgs du village. Des yeux curieux le suivirent tandis qu'il se dirigeait vers le centre.

— Agua, por favor, demanda-t-il à une vieille femme en se servant des quelques mots d'espagnol qu'il connaissait, espérant qu'il y aurait quelques similitudes avec le portugais. *¿ Donde está Padre Frank... Padre Francisco ?*

La femme ratatinée ne lui offrit pas d'eau, mais elle fit un geste vers le haut de la rue d'où s'élevait une pittoresque chapelle. Dans plusieurs rues, Ben aperçut des véhicules d'un genre ou d'un autre. Si quelqu'un pouvait emprunter, louer ou même réquisitionner l'un d'eux, c'était bien le prêtre du village. Le peu d'ombre qu'il y avait eu sur la route avait désormais disparu et la chaleur rayonnait de la terre battue comme dans un four. Il continua à se traîner, tout en sentant qu'il pourrait s'effondrer à tout moment. Autour de lui tout devenait flou, et à l'approche de l'église, il sentit ses jambes se dérober.

Je vous salue Marie pleine de grâce, le Seigneur...

Petit à petit, il revint doucement à lui. La première chose qu'il sentit, c'est qu'il se trouvait dans un lit, avec des draps propres, et un oreiller, non, deux. L'arôme du café en train de passer l'aida à reprendre conscience.

— Alors, fit une voix en anglais, mon patient américain se réveille ?

— Comment le savez-vous ? demanda Ben.

— Vous avez un peu déliré pendant près d'une demi-heure. Ce que vous disiez n'avait absolument aucun sens, mais comme je suis de Brooklyn, je reconnais l'américain. Frank Nunes, père Frank si vous voulez, Padre Francisco pour faire plus exotique. Vous avez bu deux verres d'eau, il y a un moment. En voulez-vous encore ? Du café ?

Ben retrouva ses esprits d'un seul coup. Il se redressa et sauta du lit, sans se soucier des coups de canon de la migraine entre ses deux yeux.

— Ecoutez-moi, s'il vous plaît, mon père. Je viens de la part de Natalie Reyes, elle a dit qu'elle...

— Ah, la vagabonde disparue. Je l'ai accompagnée à un emplacement pour qu'elle campe et le lendemain matin, quand je suis passé la voir, elle avait disparu.

— Elle est à l'hôpital, dit Ben hors d'haleine. Il y a des problèmes là-bas. De gros problèmes. J'ai besoin de votre aide.

— Mon aide ?

— Il y a une femme qui est arrivée par avion. J'y étais moi aussi. Si nous n'allons pas là-bas rapidement avec une voiture, elle va mourir, non, pas simplement mourir, elle sera assassinée. Il faut que je trouve une voiture et que j'aille là-bas tout de suite.

— La senhorita Reyes va bien ?

— Je ne sais pas, mon père, elle... Ecoutez, je n'ai pas vraiment le temps de vous expliquer. C'est une urgence. Natalie est en danger, tout comme certaines personnes du village. Luis...

— Luis Fernandes ?

— Je ne connaissais pas son nom de famille, mais il essaie de nous aider.

— Nous ?

— Natalie Reyes et... s'il vous plaît, vous devez nous croire. Des gens vont mourir là-bas. Peut-être beaucoup de gens. Si vous pouviez trouver une voiture, je vous expliquerais en chemin. Peut-être que vous pourrez intervenir. Faire quelque chose pour...

Ses yeux se posèrent sur la table de la cuisine sur laquelle était posé un trousseau de clés. Le père Frank suivit son regard.

— Ma voiture n'est pas très fiable, dit-il.

Ben commençait à être exaspéré.

— On peut au moins essayer ! implora-t-il. Ou... peut-être une autre du village. Vous pouvez certainement...

— Je regrette.

Ben se leva.

— Très bien, si vous ne pouvez pas m'aider, je vais trouver quelqu'un d'autre.

— Asseyez-vous ! lui enjoignit Frank d'une voix forte.

— Non ! J'ai besoin de votre voiture.

Ben essaya d'attraper son revolver, mais sa poche était vide.

— Ce petit .38 était dangereux, fit le prêtre. Le canon était encrassé. Impossible de savoir dans quel sens la balle va partir. Un Glock en revanche, c'est une autre histoire.

Il sortit un pistolet étincelant de sous sa soutane et dirigea le canon vers Ben.

— Je brique ce .45 tous les dimanches, juste après la messe. Certaines parties de la forêt tropicale sont sauvages et dangereuses. Il y a des fois, même pour un prêtre, où le bouclier de Dieu n'est pas une protection suffisante.

— Vous n'êtes pas un prêtre ! s'écria Ben.

Furieux, et suffisamment désespéré pour ne pas redouter les conséquences de son action, il se jeta sur l'homme. Le père Frank para l'attaque facilement, repoussant Ben sur le lit.

— Doucement, dit le prêtre. Je n'ai aucun désir de vous blesser, car je suis bien, en fait, un homme d'église, moins pieux que certains, je vous l'accorde, mais beaucoup plus que d'autres. Il se trouve que je ne suis pas persuadé de la dignité ou de la sainteté qu'il y a à être pauvre. C'est l'un des rares dogmes que je ne partage pas avec les Ecritures. Les gens qui dirigent cet hôpital veillent à ce que notre église reste solvable et que je puisse exercer mon ministère dans des conditions correctes.

— Et tout ce que vous avez à faire c'est de maintenir les villageois dans le droit chemin.

— Ainsi que de prévenir les autorités de l'hôpital lorsqu'une étrangère un peu trop curieuse, au volant d'une voiture qui ne lui appartient pas, arrive en ville avec des chaussures de marche toutes neuves en prétendant faire une randonnée dans la forêt tropicale.

— C'est vous qui avez saboté la voiture, n'est-ce pas ?

— Je fais ce qu'on me dit de faire. De toute façon, les Mercedes ne tiennent pas le coup dans la jungle.

— Donc, nous avons un prêtre qui porte une arme, qui vandalise les voitures, qui prêche à des gens qu'il considère comme trop pauvres pour être dignes, et qui finance son église et lui-même en se faisant payer par des assassins. Ce n'est pas banal ! Voilà qui me rend fier d'être catholique.

— Xavier Santoro n'est pas un assassin. Ni aucune des autres personnes qui travaillent dans cet hôpital. Monsieur Callahan, le trafic d'organes soi-disant illégal a lieu partout dans le monde. L'argent change de main et les reins ou d'autres organes changent de corps. Qu'y a-t-il de mal à cela ? Chacune des deux parties bénéficie de la transaction d'une manière ou d'une autre. En fait, à mon avis, il n'y a aucune raison pour que de tels échanges soient considérés comme illégaux ni même immoraux.

Abasourdi, Ben scruta le prêtre, essayant de déterminer si oui ou non l'homme croyait à ce qu'il venait de dire. Puis il se rappela qu'il avait déclaré la même chose à Alice il n'y a pas si longtemps.

— Frank, demanda-t-il en retrouvant son calme, savez-vous qui est Natalie, et pourquoi elle est là ?

— A part le fait qu'elle est à la recherche d'une parente, et qu'elle se fait passer pour quelqu'un qu'elle n'est pas, non. Je ne sais rien d'elle.

— Posez votre arme, mon père. Je ne vais pas tenter de m'enfuir. Merci. Maintenant j'ai encore une question pour vous et ensuite je ferai ce que vous voudrez, et je vous dirai ce que vous voulez savoir.

— Quelle est cette question, monsieur Callahan ?

— Padre Francisco, est-ce que vous savez ce qui se passe vraiment dans cet hôpital ?

Chapitre 38

De quelle manière survient la tyrannie ? – il est évident qu'elle a une origine démocratique.

PLATON, *La République*, Livre VIII.

LA SALLE À MANGER RESSEMBLAIT à un MASH, un hôpital mobile militaire. Rosa et Natalie avaient poussé les tables et les chaises sur un côté, et regroupé leurs prisonniers dans la partie salon où un enclos artisanal de canapés, de fauteuils et de tables retournés permettait de les avoir tous sous les yeux. Pour le moment, elles avaient laissé l'équipage de l'avion près de la piscine, mais le reste des employés de l'hôpital et du personnel de sécurité étaient tous présents.

Luis, bien que grièvement blessé, avait pu accompagner Natalie jusqu'au laboratoire de réalité virtuelle au bout du couloir, où elle avait découvert Xavier Santoro et un garde de l'avion. L'élégant et policé Santoro avait été violemment malade et il était à présent prostré dans un coin, où il se débattait contre le fruit de ses hallucinations. Il avait toutefois des périodes de lucidité durant lesquelles il ne cessait d'expliquer à Natalie qu'elle commettait une terrible erreur.

Non loin du chirurgien se trouvait un jeune homme costaud avec une arme à la main, trop désorienté pour tirer. Natalie le soulagea sans mal de son arme puis elle l'amena sous la garde de Rosa, avant de revenir chercher Santoro en fauteuil roulant. L'amie revêche de Vincent, qui semblait au départ la seule non affectée par le ragoût, s'était soudain mise à vomir et avait commencé à montrer d'autres signes d'intoxication. Luis et sa chamane avaient bien fait leur travail.

Malgré leur triomphe, Natalie et Rosa étaient sombres. Luis, étendu sur l'un des canapés, n'allait pas bien. Natalie avait soigné ses blessures de son mieux et avait commencé à lui faire une perfusion de solution saline pour empêcher sa pression artérielle déjà faible de tomber à un niveau critique, mais il était hors de doute qu'il avait une hémorragie interne, peut-être due à une lacération du foie.

L'objectif était dorénavant de le stabiliser aussi vite que possible, de réveiller Sandy et de les transférer tous deux à un hôpital, en s'arrêtant pour récupérer Ben au passage. Natalie avait vu deux petites voitures garées à l'arrière de l'hôpital. Ils pourraient avoir besoin des deux pour transporter cinq personnes, et ils en auraient besoin très vite. Quelque part, des gens étaient en route pour l'hôpital – au moins des infirmières de Rio, un ou deux chirurgiens et un patient qui avait besoin du cœur de Sandy.

— Luis, dit Natalie après avoir vu que sa pression artérielle dépassait à peine les quatre-vingts, pour le moment il faut que je te mette dans la salle où nous avons un monitoring cardiaque.

Le soldat secoua la tête et souleva le pistolet qu'il avait coincé derrière lui.

— Les autres arrivent, dit-il. Il faut qu'on file d'ici ou qu'on se prépare à leur arrivée.

— Nous sommes près du but, Luis. Nous allons y arriver, mais seulement si tu es encore là pour nous sauver la vie si nous nous mettons encore dans le pétrin. Tu es mon héros, et j'ai été tellement occupée que je ne t'ai même pas remercié de m'avoir sauvé la vie.

Elle se tourna vers Rosa et fit un geste vers ses lèvres puis vers celles de Luis. La femme sourit et donna sa permission d'un signe de tête.

— Merci Luis, murmura Natalie en l'embrassant légèrement sur la joue puis sur les lèvres. Merci de m'avoir sauvé la vie.

Luis esquissa un faible sourire.

— Ce n'est rien, dit-il. Dans des situations dangereuses comme celle-ci, on n'a souvent qu'une seule chance. J'ai été obligé de la saisir.

— Le tir qui a achevé Barbosa était incroyable. Tu n'avais même pas l'air de viser. J'ai senti l'air de la balle quand elle m'a frôlée.

— J'ai eu de la chance, répondit-il. Si je t'avais touchée, j'aurais tiré une deuxième fois, c'est tout.

Il ponctua cette remarque par un clin d'œil.

Laissant les prisonniers sous la garde de Rosa, Natalie partit réveiller Sandy. En fait, la perfusion de morphine était terminée et la femme, déjà plus consciente, commençait à vouloir rejeter le respirateur.

— Sandy, tout doux..., lui enjoignit doucement Natalie en lui caressant le front. Doucement. Sandy, serrez ma main si vous me comprenez... Allez-y, serrez ma main... C'est bien. Sandy, je m'appelle Natalie. Je suis étudiante en médecine à Boston et je suis là pour vous aider. Tout va bien. Serrez ma main si vous comprenez...

Il fallut quelques minutes pour que Sandy Macfarlane soit suffisamment réveillée afin que l'on puisse lui enlever le tube. Désorientée, la voix rauque, proche de l'hystérie, elle ne cessait de marmonner au sujet de son fils dans le Tennessee et de quelqu'un qui s'appelait Rudy, mais elle fut tout de même capable d'écouter les explications de Natalie et de coopérer suffisamment pour passer sur une civière.

Natalie la poussa jusqu'à la salle à manger. Il y avait peu de changement chez les personnes intoxiquées. La plupart essayaient de lutter contre les effets de l'hallucinogène. L'un d'eux, l'homme costaud en tenue chirurgicale stérile, soit un anesthésiste soit un aide-chirurgien, était recroquevillé sur le côté en position fœtale, il ne bougeait pas, et à regarder de près, il ne respirait pas non plus. Epuisée et impatiente de trouver un moyen de transport, Natalie ne fut pas capable d'éprouver plus qu'un bref pincement au cœur pour cet homme.

Elle repartit en courant et posa un genou par terre près de Santoro qui avait le teint terreux.

— Santoro, j'ai besoin d'une voiture ou d'une camionnette. Qu'est-ce que vous avez ?

— Je n'ai rien pour vous. Vous commettez une erreur terrible, terrible.

Natalie, qui n'avait pas le temps d'argumenter, pressa la bouche du lourd pistolet de Vargas contre l'entrejambe du chirurgien.

— Peut-être que vous ne vous souvenez pas de moi, dit-elle en anglais, mais j'espère que si. Il y a deux mois, vous et votre pote le Dr Cho, vous avez aidé à voler l'un de mes poumons. Vous m'avez causé une grande souffrance et détruit ma vie, et ça ne me posera aucun problème de vous rendre la pareille.

Pour bien se faire comprendre, elle appuya le pistolet encore plus fort.

— Je vais compter jusqu'à cinq. Si vous ne m'avez pas dit où je peux trouver les clés d'au moins deux voitures ou un minibus, je vais presser la détente et faire voler en mille morceaux ce que vous avez entre les jambes. Et vous savez quoi ? Ça me fera plaisir. Peut-être que vous serez le premier dans ce bloc opératoire à devoir vous faire greffer des parties génitales.

— Non, attendez ! Aidez-moi, je suis malade, je...

— Cinq... quatre... trois... deux...

— Attendez, mon bureau, mon bureau. Les clés du minibus de l'hôpital sont dans le tiroir du haut de mon bureau.

— Un minibus ? Je n'ai pas vu de minibus, juste deux petites...

— Il est de l'autre côté de l'hôpital. Par là-bas. Maintenant aidez-moi, je vais encore être malade.

Natalie l'ignora et se précipita vers le bureau où elle trouva les clés, puis revint en hâte là où Luis était allongé. Sa pression artérielle était stable et il avait le teint pâle. Elle était certaine qu'il devait souffrir de ses blessures. Pourtant il n'en montrait aucun signe.

— Luis, nous sommes prêts. J'ai les clés du minibus de Santoro. Il devrait y avoir assez de place pour nous cinq.

— Je ne crois pas, dit-il. Laissez-nous Rosa et moi. Nous avons des amis dans le village, nous pouvons nous débrouiller.

— Hors de question. Il faut qu'on t'amène à l'hôpital. Et Ben aussi.

Luis ne répondit pas. Il posa un doigt sur ses lèvres et tendit la main en direction de la piste d'atterrissage.

— Un hélicoptère, dit-il. Il vient d'atterrir.

— Je n'ai rien entendu.

— Il est probablement arrivé sous le vent.

Natalie fit signe à Rosa d'approcher.

— Rosa, chuchota-t-elle. Luis dit qu'il a entendu un hélicoptère arriver et atterrir. Tu as entendu quelque chose ?

— Non, fit Rosa. Mais crois-moi, s'il l'a entendu, c'est que c'est vrai.

— Peut-être que nous pourrons forcer le pilote à emmener Luis et Ben à Rio.

— Je vais aller voir, dit Rosa en changeant le clip de munitions dans son arme. Je vais sortir par-derrière près de la piscine et je passerai par la forêt.

— Fais bien attention.

Rosa n'eut pas le temps de suivre le conseil de Natalie. Son arme à la main, elle ouvrit prudemment la porte menant sur la piscine et le patio. Avant même qu'elle ait fait un pas au-dehors, il y eut un bruit de mitrailleuse qui la coupa presque en deux, et la fit reculer de plusieurs pas vers l'intérieur avant de s'écrouler, sans vie, sur le sol.

Natalie s'était à peine dirigée vers elle que deux hommes basanés en tenue commando et keffieh arabe firent irruption dans la pièce, suivis de deux autres. En quelques secondes, avec des déplacements d'une extrême précision, ils se positionnèrent de façon stratégique dans la pièce, prêts à tirer. L'un d'eux pointa son arme automatique sur Natalie et lui cria un ordre en arabe. Natalie ouvrit la main et lâcha son arme. Puis elle leva les deux mains en l'air.

Les soldats balayèrent la pièce du regard à la recherche d'une menace, enjambant le cadavre affaissé et ensanglanté de Rosa comme si elle n'avait pas été là. Puis l'un d'eux ressortit à l'extérieur. Trente secondes plus tard il revint, accompagné d'un homme vêtu d'une djellaba et d'un keffieh élégants.

Etait-ce le patient destiné à recevoir le cœur de Sandy ?

Natalie se sentit aussi malade que ceux qui avaient ingéré la potion de Tokima. Tous les quatre – Ben, Rosa, Luis et elle-même – avaient tenté l'impossible et quelques instants plus tôt, on aurait pu croire qu'ils avaient réussi. Maintenant, Rosa était morte, Ben malade, Luis gravement blessé et elle complètement démunie face à une équipe de soldats professionnels. Ils avaient tenté leur chance et ils avaient perdu.

— S'il vous plaît ! s'écria-t-elle à travers la pièce en direction du dernier arrivant, je vous en prie, écoutez-moi ! Vous savez ce qui se passe ici ?

L'homme, plus grand que les autres, et d'allure autoritaire, la dévisagea, impassible.

— Parlez-vous anglais ? insista-t-elle. Portugais ? Je veux quelqu'un qui parle anglais ou portugais.

— Vous avez de la veine, mademoiselle Reyes, parce que je parle couramment les deux.

Sur ces mots son mentor, Doug Berenger, entra dans la pièce à grands pas.

Chapitre 39

Le premier qui reçoit le pouvoir d'être injuste est le premier à en user, autant qu'il dépend de lui.

PLATON, *La République*, Livre II.

DÈS L'INSTANT OÙ NATALIE vit Berenger, les pièces manquantes du puzzle de sa vie s'emboîtèrent à une vitesse vertigineuse. Aussitôt consumée par une haine plus puissante que toutes les passions qu'elle avait connues, elle abaissa lentement les mains et resta là, bras croisés, tandis qu'il étudiait, impassible, le carnage et la maladie qui les entouraient. Puis il se tourna vers elle.

— Notre ami au village, le père Francisco, a prévenu par radio le sergent Barbosa ici à l'hôpital qu'une écolo belle et sexy avec des chaussures de marche toutes neuves venait d'arriver à Dom Angelo. Quand j'ai entendu la description de Barbosa, j'ai eu l'impression que ça pouvait être toi. Toutes mes félicitations pour être arrivée jusque-là.

— Allez vous faire foutre Doug ! lança-t-elle, peinant à se retenir de lui sauter à la gorge pour essayer de lui arracher les yeux avant que les soldats arabes la mettent en pièces. Vous êtes un salopard de meurtrier – un assassin !

Son esprit bouillonnait. Au cours des années où il avait été son mentor, puis son ami, elle avait cru bien connaître cet homme.

Maintenant, elle essayait de mettre en rapport ce qu'elle savait de lui et son implication dans ce trafic. Il y avait peu de chance, songeait-elle, pour qu'elle survive, non, corrigea-t-elle immédiatement, il n'y en avait aucune. Cependant, il fallait qu'elle réussisse à l'atteindre d'une manière ou d'une autre. Il fallait qu'elle réussisse à profiter de son arrogance, de son amour du pouvoir et de son énorme ego. Il fallait qu'elle l'ébranle, qu'elle le ridiculise de manière à le pousser à la faute. Dans tous les cas, elle ne mourrait pas sans avoir fait l'impossible.

— George Washington a tué pour une cause, disait-il. Tout comme Eisenhower, Truman, et Moïse, Mandela et Simón Bolívar. Quant à Lincoln, il a approuvé la mort de centaines de milliers de personnes dans une optique de justice.

— Je vous en prie, épargnez-moi vos pitoyables tentatives pour vous justifier. Vous êtes un monstre !

Les yeux du chirurgien lancèrent des éclairs et elle sut qu'elle l'avait piqué. Ce ne serait pas la dernière fois, se promit-elle.

Berenger se détourna pour parler au directeur de l'hôpital.

— Santoro, où est Oscar ?

— Mon ventre. J'ai mal, je suis si malade...

Le chirurgien se mit à cracher et tousser de la bile.

— Bon Dieu, Xavier, où est-il ?

— Je... sais pas.

— Il est mort, annonça nonchalamment Natalie. Je lui ai tiré dessus. Juste là, dit-elle avec un geste vers ses yeux. C'était un porc et un assassin tout comme vous.

— Et vous ma chère, vous n'êtes qu'un petit moucheron exaspérant, égocentrique et opportuniste, une punaise qui ne mérite certainement pas le statut de Gardien.

— Qui ne mérite pas quoi ?

— Dis-moi avec quoi vous avez empoisonné ces gens.

— Je ne sais pas. C'est une chamane que j'ai rencontrée dans la forêt, qui m'a préparé ce petit quelque chose. (Elle balaya la pièce du regard). Mais elle aurait dû m'écouter, je lui avais dit de le faire beaucoup plus fort.

Berenger se dirigea vers la femme aux cheveux argentés qui était allongée et gémissait en se serrant le ventre. Il posa ensuite les yeux avec dégoût sur le corps à côté d'elle, qu'il enjamba soigneusement.

— Dorothy, dit-il sans un mot de compassion pour son état, êtes-vous capable de travailler ?

— Je... je n'arrête pas de vomir, parvint-elle à articuler. On dirait que mon estomac va se déchirer en deux. C'est quelque chose dans la nourriture de ce midi. J'ai aussi eu des hallucinations. Le pauvre Tony n'arrêtait pas de vomir non plus. Comment va-t-il ?

— Pas terrible. Dorothy, j'ai besoin de vous. Je comptais sur vous pour l'anesthésie des deux opérations. C'est elle, la femme là-bas ?

En voyant le geste de Berenger dans sa direction, Sandy recommença à crier de façon hystérique.

— Non, je vous en supplie, non ! J'ai un petit garçon. Il a besoin de moi. Je vous en prie ! Je vous en supplie ! Ne me faites pas de mal !

— Oh, c'est trop mignon, Doug, ricana Natalie. Elle a un petit garçon. Vous êtes fier de vous j'espère !

— Ferme-la !

Berenger murmura vivement quelque chose à son acolyte, et celui-ci se tourna aussitôt vers deux de ses hommes pour leur donner un ordre rapide. Alors que Sandy continuait à crier lamentablement, les soldats la poussèrent sur le brancard pour l'installer dans le bloc opératoire le plus éloigné. Puis, le silence se fit.

Avec l'aide de Berenger, l'anesthésiste se remit debout. Elle ne put manquer de voir le cadavre de Tony.

— Oh mon Dieu ! s'exclama-t-elle. Le pauvre !

— Dorothy, écoutez-moi. Nous prendrons soin de la famille de Tony. Ils auront une très grosse compensation. Maintenant il faut vous reprendre. Le prince sera là d'une minute à l'autre. Il a fait une insuffisance cardiaque congestive et il est peut-être déjà en état de choc cardiogénique. Il faut agir rapidement, et pour ça nous avons besoin de vous. Lorsque ce sera terminé, lorsque vous nous aurez aidés à rendre la vie à l'un des dirigeants les plus éclairés et les plus puissants du monde, vous ne serez plus jamais obligée de travailler si vous n'en avez pas envie. Vous vivrez dans le luxe pour le reste de votre vie. Vous y arriverez ?

— Je... je peux essayer.

Tandis que la femme sortait en vacillant de la salle à manger, en se tenant le ventre et secouant la tête comme pour s'éclaircir les idées, Natalie remarqua que Luis, pâle comme un linge, avait changé de position et qu'il déplaçait sa main sous lui pour atteindre son arme. Elle secoua vivement la tête en signe d'avertissement, mais soit il ne la remarqua pas, soit il n'en tint pas compte.

— Alors, dit Natalie, espérant distraire son mentor, la conférence que je devais faire au colloque international sur les greffes, tout était calculé pour me faire venir ici ?

— S'il n'y avait pas eu de colloque, j'avoue en toute humilité que j'aurais trouvé un autre moyen. Tu vois, ce n'était pas seulement le hasard et une passion pour les athlètes aux longues jambes qui m'ont amené à faire ta connaissance quand tu étais à Harvard. C'était...

— Laissez-moi deviner. C'était une prise de sang que j'ai faite dans un Laboratoire Whitestone. Un tube à capsule verte, pour être précise.

Berenger sembla sincèrement surpris.

— On dirait que lorsque les opérations seront terminées, toi et moi nous allons avoir une petite conversation pour déterminer qui sait quoi sur ces tubes.

— Ce que je sais, c'est que vous êtes un assassin, un tueur en série de la pire espèce.

— Pense ce que tu veux, dit Berenger. Nous préférons nous considérer comme des médecins engagés qui corrigent une grave anomalie du système.

— Oh, je vous en prie !

— Tu avais une compatibilité de douze sur douze avec une personne dont nous savions qu'elle aurait un jour besoin d'un nouveau poumon – une personne dont le travail est sur le point de révolutionner la médecine. Douze sur douze, Natalie. Cela voulait dire presque aucun traitement antirejet pour le ralentir. Toute l'humanité bénéficiera de son travail. Sans ton poumon, cet homme aurait très bien pu mourir.

— Donc vous m'avez invitée à déjeuner et vous avez fait comme si vous vous intéressiez sincèrement à moi.

— Il fallait qu'on te garde à portée de main. Je te pose la question, qui mérite le plus ce poumon, de toi ou de lui ?

— Ce n'est pas à vous de prendre cette décision, Doug.

— Tu crois ? Tu sais, jusqu'à récemment, j'ai essayé de te soutenir. Il y avait un autre donneur possible, un ouvrier, qui avait une compatibilité de onze sur douze avec notre patient. Mais ensuite, quand tu as fait preuve de tant de grossièreté et d'arrogance en essayant de poignarder le Dr Renfro dans le dos et en te faisant renvoyer de l'école, il est devenu clair que tu t'étais discréditée et montrée indigne de ton statut de Gardien.

— Gardien ? Gardien de quoi ?... Mais de quoi vous parlez ?

— Je ne m'attendais pas à ce que tu le comprennes.

— Ce genre de gardien ?... Attendez une minute, vous parlez des gardiens de Platon ? Les philosophes rois ? Vous ne croyez tout de même pas... Ah mais si, n'est-ce pas ? Vous vous considérez comme un philosophe roi !

Natalie savait que dans son assaut pour déstabiliser et ébranler l'homme, elle venait d'obtenir une nouvelle arme.

— Combien êtes-vous là-dedans, Doug ? Combien de philosophes rois assassins ? Vous faites partie d'une sorte de société secrète ? Un club platonicien ?

L'expression de Berenger trahissait qu'il avait été égratigné.

— Tu n'es pas en position de te moquer ! déclara-t-il. Les Gardiens de la République sont parmi les plus grands, les plus doués, les plus éclairés des hommes et des femmes sur terre. En prenant en charge le processus de décision relatif à l'allocation des organes, nous avons fait plus de bien à l'humanité que tu ne saurais l'imaginer.

— Les Gardiens de la République ! Oh, c'est trop ! Avez-vous un hymne, Doug ? Un mot de passe ? Des messages codés ? Une poignée de main secrète et des badges de mérite comme chez les scouts ?

— Assez !

Berenger fit un pas en avant et gifla Natalie en pleine figure de toutes ses forces, la faisant tomber sur un genou.

Natalie, les yeux emplis de larmes sous la force du coup, passa sa langue sur le coin de ses lèvres et sentit le sang.

— Ça c'est courageux, Doug, dit-elle en se relevant. J'espère que vous vous êtes cassé la main.

— Tu n'as pas eu cette chance.

— Dommage. Alors dites-moi quel mal cette pauvre femme a-t-elle fait, pour que vos précieux Gardiens aient décidé de la sacrifier ?

— Tu ne comprendras jamais.

— Essayez toujours.

— C'est une Productrice, elle appartient au groupe social le plus bas. Compare la valeur de sa vie avec celle du grand homme qu'elle s'apprête à sauver. Soit elle doit mourir, soit c'est lui. C'est aussi simple que cela. Et selon moi il n'y a pas photo. Les organes doivent être attribués pour sauver la vie de ceux qui peuvent et veulent le mieux servir l'humanité.

— Et qui par ailleurs peuvent raquer un max de dollars.

— Faux ! Beaucoup des Gardiens que nous sauvons ne disposent pas de grosses fortunes.

— Comme c'est charitable. Et moi qui étais si surprise et fière de vous quand vous avez remis Tonya à sa place pour traiter de façon si humaine ce pauvre homme qui n'arrivait pas à arrêter de fumer.

— Si tu n'avais pas été là, j'aurais embrassé Tonya pour sa réaction ! J'aurais voulu tuer cet abruti de Culver d'avoir gaspillé ce cœur ! J'aurais voulu le tuer sur place. J'avais envie de lui ouvrir la poitrine avec une lame émoussée, enlever le précieux cœur que le système m'avait forcé à y placer pour le donner à quelqu'un qui le méritait davantage et qui en prendrait mieux soin.

Du coin de l'œil, Natalie voyait que Luis avait saisi son arme et qu'il la poussait avec lenteur derrière lui pour réussir à la sortir d'entre ses jambes. Sa pâleur avait encore empiré, si cela était possible, et ses yeux paraissaient presque sans vie. Presque.

— Alors, Douglas le Grand, dit Natalie, la raison pour laquelle vous ne vous êtes pas contenté de me tuer et de m'enterrer ici, c'est quoi ? Non, ne vous donnez pas la peine de répondre, Seigneur Philosophe Roi. Je sais. Je suis en vie au cas où, par malchance, mon poumon serait rejeté ou ne fonctionnerait pas pour je ne sais quelle raison ; vous voulez que je conserve le deuxième.

— Combien de temps ce poison fait-il effet ? demanda Berenger.

— Je vous conseillerais bien d'aller vous faire foutre, mais j'ai de grands espoirs d'être élevée une nouvelle fois au rang de Gardien et je ne voudrais pas dire quelque chose de grossier qui compromette mes chances.

Natalie vit que le coin de l'œil de Berenger avait commencé à tressauter. Un autre point pour elle. Lui tournant le dos, il ordonna à Santoro de se lever.

— Venez, Xavier, j'ai besoin de vous au bloc.

Santoro essaya de se lever, glissa sur ses propres déjections, tomba et se mit à pouffer de rire et à gémir en même temps. A ce moment-là, un hélicoptère survola de près l'hôpital, puis la piste d'atterrissage. L'un des soldats fut envoyé accueillir les derniers arrivants.

— Bon Dieu, Santoro ! aboya Berenger, levez-vous, prenez une douche, habillez-vous et préparez-vous à m'assister au bloc !

Il attrapa l'homme par le dos de sa chemise et le mit brutalement sur pied. La douche purificatrice n'aurait jamais lieu. Luis leva son arme et avant qu'aucun des deux soldats restants n'ait pu réagir, il tira à six mètres de sa cible. La balle se logea dans la poitrine de Santoro, le faisant basculer à la renverse sur un fauteuil, un étrange sourire aux lèvres. La deuxième balle, sans doute destinée à Berenger, fit voler une vitre en éclats.

— Non ! hurla Natalie tandis que les deux soldats arrosaient Luis du feu de leurs mitrailleuses, faisant tressauter son corps comme celui d'un pantin. Non !

Elle aurait voulu se précipiter vers lui, mais elle ne pouvait plus rien faire et les soldats arabes étaient extrêmement nerveux. Au lieu de cela, elle s'effaça sur le côté et se consola en se disant que son héros était désormais en paix, tout comme elle le serait sans nul doute bientôt.

Berenger perdait les pédales. Il se rua vers la petite amie de Vincent, qui secouait la tête en tous sens et donnait des coups de pied en direction des hallucinations invisibles qui la tourmentaient.

— Qui êtes-vous ? Que faites-vous ici ?

La femme lui jeta un coup d'œil et se mit à rire, hystérique. Puis, sans préavis, elle vomit, éclaboussant les chaussures de Berenger.

Avec mépris, il les essuya sur le pantalon de Connie, puis se retourna vers l'entrée du patio où trois soldats arrivaient en trombe, poussant un brancard à roulettes, sur lequel reposait un jeune homme à moustache et au teint cuivré avec un moniteur-défibrillateur portable et un masque à oxygène. Sa respiration était laborieuse. Derrière lui arrivait un médecin arabe en tenue stérile et blouse blanche et un mince jeune homme noir qui poussait une petite armoire vitrée montée sur roulettes et qui contenait un certain nombre de flacons de sang.

— Vous travaillerez dans la salle 1 comme d'habitude, Randall, dit Berenger. La pompe de CEC est telle que vous l'avez laissée. Vous savez où se trouvent vos instruments de travail. Préparez tout avec soin, mais vite.

Il tapota l'épaule du praticien en circulation extracorporelle, se précipita vers le prince et ausculta son cœur et ses poumons.

— Je n'aime pas ça, dit-il en anglais au médecin. Je n'aime pas ça du tout. Où se trouvent Khanduri et les infirmières ?

— Nous les avons survolés. Ils sont dans deux voitures, à environ vingt kilomètres d'ici. Sur cette route avec tous les virages, ils en ont peut-être pour une demi-heure, pas plus.

— Vous auriez dû embarquer tout le monde dans le jet.

— Vous avez entendu ce qu'a dit le pilote à Rio. Il a dit que les volets ne fonctionnaient pas bien et que c'était trop dangereux.

— Punaise. Quand le prince a-t-il commencé à décliner ?

— A l'aéroport, au moment où nous le transférions dans l'hélicoptère.

— OK, OK. On peut encore réparer ça. Pouvez-vous m'assister en salle d'opération ?

— Je n'ose pas quitter le prince, surtout dans son état.

— Très bien. Amenez-le en salle de repos et voyez ce que vous pouvez faire pour le stabiliser en attendant l'arrivée de Khanduri. Attendez, comment s'appelle le ministre ?

— Ministre al-Thani.

— Je vais lui demander s'il peut m'assister en salle d'opération.

— Je ne pense pas que ce soit approprié, quelles que soient les circonstances, dit le médecin. Il est...

— Mais j'ai besoin d'aide, bordel ! J'ai besoin d'une autre paire de mains, même si la personne à qui elles appartiennent ne connaît rien en... Non attendez, c'est bon. Amenez le prince en salle de repos et stabilisez-le. Je vais commencer à prélever le cœur afin d'être prêt à l'arrivée de Khanduri et des infirmières.

— Mais qui va vous assister ?

Berenger eut l'ombre d'un sourire.

— Elle ! lança-t-il avec un geste en direction de Natalie.

Chapitre 40

On ne doit à un ennemi que ce qui convient, c'est-à-dire du mal.

PLATON, *La République*, Livre IV.

— *VOUS AVEZ PERDU LA TÊTE !* s'écria Natalie. Je n'irai pas vous assister au bloc. Ni maintenant, ni jamais. Plutôt mourir.

Berenger, presque toujours calme, affable et maître de lui était clairement ébranlé par l'aggravation subite de l'état de son patient, la mort violente de Xavier Santoro et les piques constantes de Natalie.

— En fait, Natalie, dit-il sans desserrer les dents, ce n'est pas toi qui vas mourir – en tout cas pas tout de suite.

Il se baissa et ramassa le pistolet de Vargas.

— C'est eux, dit-il en désignant le personnel de cuisine et d'entretien. Si tu n'es pas en tenue stérile en train de te laver les mains dans deux minutes, je vais commencer par l'extrémité de la rangée et en tuer un par minute jusqu'à ce que tu obéisses.

— Mais...

— Je continue. Si tu ne veux pas m'assister, je vais devoir me servir de Dorothy, mon anesthésiste. Je lui demanderai de sangler la patiente à la table puis de la laisser se réveiller. Et là nous prélèverons son cœur.

— Bon Dieu, Doug, quel genre d'homme êtes-vous ?

— En ce moment, je suis un homme qui a besoin d'agir rapidement. Tu coopères ?

Il visa nonchalamment une des femmes de chambre, une jolie Indienne qui ne devait pas avoir plus de seize ans.

— Le philosophe roi ! marmonna Natalie en partant vers la salle d'opération.

Berenger la suivit.

— Il y a des tenues stériles pour nous dans ce placard, dit-il. Je ne materai pas si tu ne mates pas.

— Matez tout ce que vous voulez.

— Mon chirurgien en second et les infirmières seront là d'une minute à l'autre. A ce moment-là j'aurai toute l'aide dont j'ai besoin et tu pourras retourner auprès des autres en sachant que tu as sauvé de nombreuses vies.

Après avoir enfilé les masques et les charlottes, il conduisit Natalie dans l'étroite salle de préparation, placée entre les deux blocs opératoires, et lui indiqua d'un signe de tête l'un des deux éviers en inox. Tandis qu'ils se lavaient bras et mains avec des éponges imprégnées d'antiseptique, elle ne pensait qu'à une chose : la manière dont elle pourrait le tuer. Antonio Vargas, et sans doute Luis également, étaient des tueurs par nature, mais ce monstre et ses fanatiques de Gardiens donnaient la mort par choix. Si on lui mettait une arme entre les mains, elle n'aurait aucun scrupule à viser son ancien mentor, l'homme qui lui avait servi de modèle, et à presser sur la détente.

— Et donc, était-il en train de dire, au cœur même de l'action des Gardiens se trouve le mythe platonicien des Formes et sa conclusion que la perfection est innée chez les Gardiens. Platon a utilisé ce concept pour démontrer que l'âme d'êtres tels que nous est immortelle, car sinon comment la perfection pourrait-elle être présente à la naissance ?

— Mes cours de philo à Harvard remontent à un bout de temps, répondit Natalie, mais d'après mes souvenirs, votre interprétation n'est pas bonne. La seule chose parfaite que vous autres Gardiens accomplissiez, c'est d'être parfaitement immoraux.

Dans le miroir, Natalie distinguait la crispation et la tension dans la mâchoire de Berenger.

Continue d'attaquer, se disait Natalie. *Quoi que tu fasses, continue d'attaquer.*

— Les Formes ne sont pas de cet avis, déclara-t-il. Notre organisation a prospéré et a bénéficié à des millions et des millions de citoyens à travers le monde pour un très faible coût. Les gens ne sauront jamais quels musiciens ils peuvent écouter grâce à nous, ou bien quels bâtiments ils admirent alors qu'ils auraient pu ne jamais être conçus. Ils ne sauront jamais que le médicament miraculeux qu'ils prennent a pu être développé parce que nous avons été capables de fournir à son inventeur un organe parfait au moment adéquat. Tu vois, chère Natalie, que les Gardiens sont bien dans le domaine de la perfection et des Formes. A présent, prélevons ce cœur pour le placer là où il doit être et où il fera le plus de bien.

— Si on prélevait plutôt le vôtre ?

A ce moment-là, la porte de la salle de préparation s'ouvrit et Randall, le praticien en circulation extracorporelle, entra en trombe.

— La pompe est prête, docteur !

— Des nouvelles du Dr Khanduri ou des infirmières ?

— Aucune. Le Dr al-Rabia vous fait dire que le prince s'affaiblit.

— Merde. Envoyez un hélico pour voir où en sont les autres, puis préparez-vous. Si nécessaire, nous mettrons le prince dès maintenant sous CEC. En attendant, je vais commencer à côté. Venez, assistante, on y va.

Berenger suivit Natalie dans la salle d'opération, où l'anesthésiste, qui avait déjà endormi et intubé sa patiente, les aida à revêtir gants et sarrau.

A voir Sandy Macfarlane si sereine, Natalie sentit un soupçon de réconfort pénétrer sa profonde tristesse.

Juste avant l'intervention sur son tendon d'Achille, elle se rappelait avoir demandé à l'anesthésiste, à moitié par gestes :

« Comment saurais-je si jamais je ne me suis pas réveillée ? »

— Dorothy, êtes-vous prête ? demanda Berenger. Il faut qu'on se dépêche.

— Prête.

— Avez-vous la glace sous la main ? Il va y avoir un laps de temps entre le prélèvement et la greffe.

— Oui bien sûr.

Natalie examina les yeux de Berenger. Il semblait éreinté, mais cela faisait vingt ans qu'il était l'Homme de la situation, à l'intérieur comme à l'extérieur du bloc, et il avait surmonté d'innombrables crises médicales.

En l'absence d'une infirmière pour les aider, l'anesthésiste avait disposé deux grands chariots d'instruments de part et d'autre de la table d'opération de manière à ce que le chirurgien et son assistante puissent y accéder tous deux. Doug Berenger n'était pas seulement l'un des chirurgiens les plus élégants et les plus brillants que Natalie ait vus, il était également l'un des plus rapides. Sans rien demander à Natalie, il commença à étaler un antiseptique, de la Bétadine de couleur brune, sur la poitrine de Sandy.

— Je vais te le dire une dernière fois, Natalie, si tu fais un seul mouvement bizarre ou inhabituel, un seul, je dirai à Dorothy de couper l'anesthésie avant l'intervention. Est-ce que j'ai été clair ?

— Très clair.

— Alors maintenant tais-toi et fais ce que je te dis. Prépare des éponges et des pinces hémostatiques au cas où.

Tandis que Natalie attrapait les instruments demandés par Berenger, elle remarqua trois scalpels côte à côte à l'autre bout du plateau d'instruments. Elle n'avait aucun moyen de les attraper sans se faire voir, mais rien d'autre ne pouvait faire office d'arme. A situation désespérée mesure désespérée, et elle savait bien que de toute façon, comme la pauvre femme étendue sur la table, elle ne survivrait pas à l'opération.

Sans un mot, Berenger attrapa vivement l'un des scalpels sur le plateau et pratiqua une incision de trente centimètres de haut en bas le long du sternum de Sandy. Le sang commença immédiatement à couler d'une dizaine de petits vaisseaux, mais à moins que l'un d'entre eux ne commence à faire une hémorragie rapide, Berenger ne se donnerait pas la peine d'arrêter le saignement.

C'était inutile.

— La scie est juste là, Natalie. Les écarteurs aussi.

Natalie eut la nausée en les lui tendant.

La porte de la salle s'ouvrit et Berenger se tourna pour découvrir al-Rabia, le médecin arabe.

— Docteur Berenger, fit l'homme d'une voix pressante. La pression artérielle du prince est tombée à zéro ! Je n'arrive pas à la faire remonter !

Les quelques secondes durant lesquelles Berenger fut distrait suffirent à Natalie pour agir. Elle passa sa main gantée sur les deux scalpels restants et en fourra un dans la manche de sa blouse. Puis, elle regarda l'anesthésiste pour s'assurer qu'elle aussi était concentrée sur al-Rabia.

Maintenant, sa mission était claire : réussir à s'approcher assez de Berenger, puis, pour Luis, Rosa et Ben, pour elle-même et toutes les autres victimes des Gardiens, agir sans peur.

Berenger était à cran – comme un jongleur déjà à son maximum et à qui on ajoutait une balle supplémentaire.

Mais il était toujours l'Homme de la situation.

— Très bien, docteur, dit-il vivement. Transportez-le rapidement au bloc, je vais le mettre sous CEC. Dorothy, laissez l'anesthésie et venez avec nous. Natalie, dépêche-toi, nous avons du travail.

Berenger fit un pas vers la porte, puis un autre. Natalie, qui arrivait depuis l'autre côté de la table, était à un mètre derrière lui.

On n'a souvent qu'une seule chance.

Tandis que les paroles de Luis résonnaient dans son esprit, elle fit glisser le scalpel dans sa main.

— Doug !

Berenger sursauta et se retourna vers elle, exposant sa mâchoire et le côté de son cou.

Sans peur !

De toutes ses forces, Natalie brandit le scalpel qu'elle tenait caché à hauteur de ses hanches et donna un grand coup en travers de la gorge de Berenger. D'un coup, sa trachée fut sectionnée au niveau du larynx. Une seconde plus tard, le sang rouge vif d'une artère se mit à jaillir à l'endroit où la carotide avait été lacérée, éclaboussant Natalie et nappant le sol.

Incapable de parler, portant vainement les mains à son cou, l'homme qui se faisait appeler Socrate, l'un des fondateurs des Gardiens de la République, tituba en arrière et tomba lourdement, couvert de son propre sang qui coulait à flots. Ses derniers instants se passèrent à regarder Natalie dans une incrédulité absolue, les yeux écarquillés.

— Venez, docteur Berenger ! cria al-Rabia depuis l'autre bloc. Le cœur du prince s'est arrêté !

Natalie ôta vivement son sarrau et se précipita pour les aider, mais elle savait qu'à moins de pouvoir remplacer le muscle dysfonctionnel qui avait provoqué l'arrêt cardiaque, ni les médicaments ni les massages cardiaques ne pourraient le sauver.

— Oh, cher Allah ! ne cessait de murmurer al-Rabia. Cher Allah, aide-nous !

Natalie continua à pratiquer la réanimation mais l'électrocardiogramme restait désespérément plat. Elle envisagea d'essayer, avec l'aide du technicien, de lui installer la pompe de circulation extracorporelle, mais ses compétences et connaissances chirurgicales ne le lui permettaient pas. Al-Rabia, d'évidence un bon médecin, essaya quelques chocs avec le défibrillateur, tout en sachant que le problème de son maître n'était pas la fibrillation - un rythme cardiaque potentiellement fatal - mais plutôt un arrêt cardiaque complet - une ligne plate quasi irrémédiable.

Le ministre, al-Thani, se tenait sur le seuil, à seulement quelques pas du corps couvert de sang de Berenger. Ses yeux mi-clos étaient sombres, et il croisait les bras sur la poitrine. A l'évidence, il savait que le sort du prince était scellé.

Natalie, qui suivait de son mieux les ordres d'al-Rabia, attendait qu'il arrête la réanimation, mais l'homme continuait contre tout espoir. Soudain, l'un des deux pilotes d'hélicoptère apparut près d'al-Thani et essaya d'abord de parler portugais avant de se lancer dans un anglais approximatif.

— Maître. Deux voitures sur la route. Arrêtées. Les gens par terre sur ventre. Des hommes et des femmes avec des armes autour d'eux.

Ben !

Le ministre, impassible, laissa tout de même échapper un soupir. Puis il donna un ordre sec au médecin en arabe et tourna les talons.

Quelques instants plus tard, on abandonnait la réanimation du prince.

Al-Rabia, les yeux brillants, regarda Natalie d'un air lugubre et secoua la tête.

— Allah prendra soin de lui, dit-il, mais c'était un homme très bon, qui aurait fait un excellent souverain pour notre peuple.

— Je suis vraiment désolée, répondit-elle. Si je peux me permettre, je trouve que vous avez fait du très beau travail. Il avait une affection cardiaque qui ne pouvait pas être traitée.

— Peut-être qu'un jour le traitement existera.

— Peut-être, répéta-t-elle.

— Natalie, c'est votre nom ?

— Natalie Reyes, oui c'est cela.

— Eh bien Natalie Reyes, cela ne sert à rien maintenant, mais je tiens à vous dire que l'on nous avait assuré que le donneur du cœur pour le prince était en état de mort cérébrale. Jusqu'à notre arrivée ici, nous en étions persuadés. Sous la houlette du Dr Berenger, les choses ont échappé à notre contrôle.

— J'apprécie que vous me le disiez. Le Dr Berenger et les membres de son organisation étaient corrompus par l'orgueil et la cupidité. Ils ne pouvaient supporter que des gens qu'ils considéraient comme inférieurs leur disent ce qu'ils devaient faire de leur incroyable talent.

— Je comprends. Si le ministre m'autorise à laisser le prince seul, peut-être sous la surveillance de l'anesthésiste, je souhaite venir vous aider à suturer la poitrine de cette pauvre femme.

— Ce serait parfait, docteur al-Rabia, dit Natalie. J'aimerais beaucoup travailler avec vous.

A eux deux, le médecin arabe et l'étudiante en médecine américaine retournèrent dans la salle d'opération où était paisiblement étendue Sandy Macfarlane sous les draps chirurgicaux, sous assistance respiratoire et endormie par un gaz anesthésique soigneusement mesuré. L'incision de sa poitrine au-dessus du sternum saignait, mais pas assez abondamment pour constituer une menace. Natalie cautérisa le plus gros des vaisseaux sanguins, puis tandis qu'al-Rabia tenait les bords de la peau, elle se mit à recoudre méticuleusement l'incision.

Tout en travaillant, Natalie eut une vision de la scène aux urgences du Metropolitan Hospital quelques heures avant que Berenger lui enlève arbitrairement son statut de Gardien, sous prétexte qu'elle avait été expulsée de la faculté de médecine. A côté d'elle, l'infirmière Beverly Richardson, et sur la table devant elle, le jeune Darren Jones, la seule personne qu'elle avait suturée... jusqu'à maintenant.

Sous son masque, Natalie se prit à sourire.

Chapitre 41

Tu es paresseux et tu comptes nous priver de tout un chapitre, qui constitue une partie très importante de l'histoire.

PLATON, *La République*, Livre V.

LAISSANT L'ANESTHÉSISTE RAMENER Sandy Macfarlane à la conscience, Natalie se dirigea vers la salle à manger, pleine d'excitation. Le ministre, al-Thani, était là, mais il ne restait plus qu'un seul soldat ; les autres avaient disparu.

— Puis-je sortir ? demanda-t-elle d'une voix pressante à al-Rabia. Il y a quelqu'un dehors, un ami. Il faut que je m'assure qu'il ne se fasse pas blesser.

— Est-ce lui qui a retardé l'arrivée du chirurgien et des autres ?

— Je crois.

Al-Rabia secoua la tête dans un geste d'irritation et il consulta du regard le ministre qui semblait avoir compris la requête de Natalie.

— Oui, oui, allez-y, dit-il. On ne leur fera pas de mal.

Avant que Natalie ait pu sortir, Ben et le père Francisco entrèrent dans la salle à manger, les mains en l'air, suivis par trois soldats arabes et l'homme que Natalie supposait être le chirurgien en second de Berenger.

Al-Thani lança un ordre bref et les soldats abaissèrent leurs armes, puis reculèrent.

— Où se trouve Berenger ? demanda le chirurgien.

Al-Rabia fit un signe avec son pouce.

— Dans le couloir, lança-t-il sans plus d'explication.

Natalie se précipita en courant vers Ben qu'elle serra dans ses bras, le faisant vaciller d'un pas en arrière.

— Alors tu as tout l'hôpital sous contrôle ? dit-il en désignant la pièce.

Son regard s'arrêta sur le corps de Luis criblé de balles.

— Oh, non !

— Il a combattu jusqu'au bout, dit Natalie. Il a toujours semblé prêt à donner sa vie. Avant d'être tué, il a fait le nécessaire pour détruire cet endroit.

— Peut-être sa sœur pourra-t-elle reposer en paix.

— Je n'en ai pas cru mes oreilles quand le pilote d'hélico a dit que quelqu'un avait arrêté le chirurgien et les infirmières et les avait fait allonger au sol. Je savais que c'était toi. Quand Berenger m'a dit que le père Francisco leur était acquis, ça m'a rendu malade de penser que je t'avais envoyé chercher de l'aide auprès de lui. Que s'est-il passé ?

— Croyez-le ou non, déclara Francisco, jusqu'à ce que M. Callahan ici présent me convainque du contraire, j'ignorais que les donneurs qui passaient par l'hôpital étaient kidnappés. Il m'a raconté l'histoire de la chercheuse de Chicago et du petit garçon de la ferme en Idaho. Il m'a opposé des comparaisons entre le fait de pousser les pauvres et les déshérités à la prostitution et l'esclavage et le fait de leur acheter des organes, ou en l'occurrence, de leur voler.

— Nat, le père Francisco a vraiment bien agi au moment nécessaire. Il lui a fallu à peine quelques minutes pour réunir les dix hommes et femmes les plus costauds que j'aie jamais vus. Nous avons eu la chance d'arriver sur la route de l'hôpital en même temps que les autres. L'homme là-bas est un chirurgien. Il a commencé à nous prendre de haut en nous expliquant à quel point c'était important qu'ils arrivent à l'hôpital. Et tout à coup, ils se sont jetés au sol. Puis ces soldats sont sortis des arbres et nous aussi on s'est retrouvés à terre.

Natalie se tourna vers al-Rabia.

— Que va-t-il nous arriver, à nous et à ces gens ? demanda-t-elle.

Le médecin attendit la réponse muette du ministre avant de prendre la parole.

— Contrairement à ce que vous semblez croire, nous n'avons pas l'habitude d'employer la violence aveugle, dit-il. Le ministre al-Thani est triste et en colère, mais pas contre vous. Le corps du prince sera embarqué à bord d'un hélicoptère et ramené à l'aéroport. A notre retour dans notre pays, il recevra les funérailles de héros qu'il mérite.

Ils attendirent tous d'un air sombre tandis que les soldats traversaient le patio en poussant le corps du prince sur la civière, suivis d'al-Rabia et du ministre.

Enfin, Natalie se tourna vers le père Francisco.

— Dès que l'équipage de l'avion sera sur pied, nous nous ferons ramener à Rio pour transférer Sandy à l'hôpital. Puis je prendrai contact avec l'ambassade américaine et l'inspecteur de la Police militaire que j'ai rencontré au Botafogo. Il ne m'a pas traitée avec beaucoup d'intérêt, mais j'ai senti qu'il tirait une certaine fierté de son travail et de son grade. Et comme Rodrigo Vargas le détestait, j'en déduis qu'il est recommandable. Il s'appelle Perreira.

— Je vais vérifier auprès de quelques amis si c'est quelqu'un à qui vous pouvez faire confiance.

— Merci, père Francisco. Aujourd'hui vous vous êtes comporté en véritable homme de Dieu.

Le prêtre lui serra la main, puis lui donna une accolade et la remercia pour l'aide qu'elle avait apportée à leur ville.

— Vous savez, dit-il, cet homme a un vrai don d'éloquence. Il m'a conquis – il m'a absolument emporté comme des vagues sur la plage. Hé, vous savez ce que je pense, monsieur Callahan ? Je crois que vous devriez envisager de devenir avocat, ou peut-être même prêtre !

— Aucune chance, mon père, dit Ben en passant le bras autour des épaules de Natalie pour retrouver l'équilibre. Je serai bien trop occupé à écrire mon premier roman policier.

Épilogue

L'âme de l'homme est immortelle et ne périt jamais.

PLATON, *La République*, Livre X.

— JE VOIS POURQUOI TU AIMES tant l'automne en Nouvelle-Angleterre, dit Ben. Je suis très heureux d'être de retour ici.

Natalie lui serra la main et leva les yeux vers lui en souriant. Quatre semaines avaient passé depuis Dom Angelo et Ben venait la voir à Boston pour la deuxième fois. Leur relation, qui était née dans la forêt vierge, devenait de jour en jour plus forte et plus passionnée, même si aucun d'eux n'avait envie de trop forcer les choses ni d'aller trop vite.

— J'ai quelque chose à te confier, dit Natalie en passant devant l'esplanade où quelques mois plus tôt elle était venue avec des amis voir les Pops célébrer le 4 Juillet, mais d'abord raconte-moi comment ça s'est passé au Texas.

— C'était un voyage assez surréaliste, dit-il. Les policiers savaient qui j'étais et ils ne m'ont rien fait payer pour la fourrière. Puis en sortant de la ville, sans réfléchir, je me suis dirigé vers John-Hamman Highway pour voir une dernière fois le site de stockage de Whitestone. La grille était fermée par une chaîne et un verrou et l'Oasis semblait déserte. Je suis resté à me balader là un moment, juste pour absorber tout ça.

— Cela a dû être un moment intense.

— Oh ! oui. J'étais là à me demander : combien ? Combien de gens qui ne se doutaient de rien étaient inscrits dans leur base de données ? Des millions, je suppose. Combien de gens avaient-ils choisis pour leur typage HLA ? Combien étaient morts ?

— Ben, tu as contribué à mettre un terme à tout cela.

— J'espère. Et toi, qu'est-ce que tu ressens à l'idée de prendre un congé sabbatique ?

— C'est la seule chose à faire. Je ne suis pas encore apte ni mentalement ni physiquement à retourner à la fac de médecine, mais j'irai si je peux. Peut-être l'année prochaine. En attendant, je vais passer du temps avec ma nièce Jenny. Entre son infirmité et la mort de ma sœur, ça n'a pas été rose pour elle et je voudrais être sûre que la vie lui rende tout ce qu'elle lui doit. En plus j'adore vraiment passer du temps avec elle.

— Et l'internat ?

— Allons-y doucement, Ben.

— Je comprends. Je suis toujours en colère et frustré pour toi, c'est tout.

— Je ne peux pas espérer de nette amélioration de mon état de santé, mais au moins je ne me balade plus en pensant à résoudre mes problèmes avec des cachets et un sac plastique.

— J'espère bien que non.

Sans se soucier des gens qui passaient en courant ou sur des rollers, Ben lui souleva le menton pour l'embrasser doucement.

— Tu veux t'asseoir un peu ? demanda-t-il.

— Pourquoi, je respire encore bizarrement ?

— Hé hé, ne sois pas si susceptible ! Rappelle-toi notre marché. Tu restes cool au sujet de ton poumon et moi je reste cool sur le fait de n'avoir aucune carrière, zéro intérêt pour rien en dehors de toi et du trafic d'organes et aucune perspective de boulot. Travail ou pas travail, poumon ou pas poumon, on a toujours la même chose que les autres : aujourd'hui. Alors, qu'est-ce que tu voulais me dire ?

Natalie ne répondit pas immédiatement. Elle posa la tête sur l'épaule de Ben et essaya de chasser des pensées désagréables. Finalement, elle sortit une lettre de sa poche.

— C'est arrivé hier, dit-elle. Regarde les bateaux, je vais te la lire. (Elle ne parvenait pas à chasser la mélancolie de sa voix.) Désolée si je te parais déprimée, je n'ai pas encore mis un point final à tout cela et parfois, je pense à l'avenir et cela me déprime.

— Hé, vas-y, lis et ne t'en fais pas. Mes cicatrices ont presque disparu. Les tiennes, moins, dit-il en passant doucement la main sur son côté droit. Tout ce qui peut t'aider à mettre ce point final, fais-le.

Natalie porta la main de Ben à ses lèvres.

La lettre était pliée en quatre et déjà cornée.

— Elle vient de l'inspecteur Perreira, dit-elle en l'ouvrant.

Chère senhorita Reyes,

Cette lettre, comme la première, a été traduite par un ami brésilien qui enseigne l'anglais et sur qui on peut compter pour être parfaitement discret. Je veux d'abord vous dire que l'avocat que vous avez engagé ici s'est montré très actif et me semble extrêmement compétent. Je suis persuadé qu'en définitive, il n'y aura pas officiellement de charges retenues contre vous en relation avec ce qui s'est passé à Dom Angelo.

Je voudrais aussi vous remercier ainsi que M. Callahan de m'avoir mis en contact avec votre amie Alice Gustafson. Je trouve que c'est une femme charmante et pleine de ressources qui se trouvait encore chez nous hier soir pour le dîner. Nous nous sommes rendus ensemble, elle et moi, à Dom Angelo (c'était mon troisième voyage là-bas), pour prendre des photos et pour qu'elle examine l'hôpital. Grâce à des renseignements d'un habitant du village, plusieurs corps ont été exhumés. Il sera difficile mais non pas impossible de les identifier; toutefois le professeur Gustafson est persuadée que la clé du mystère se trouve à Londres, où elle se rendra en partant d'ici. Les enquêteurs de Scotland Yard ont travaillé de leur côté sur cette affaire et ils attendent avec impatience son arrivée. Bien que cela risque de prendre du temps d'identifier toutes les personnes impliquées, elle est convaincue que les premières arrestations sont imminentes. Le professeur Gustafson, comme vous devez le savoir, est une femme très déterminée.

Ici, à Rio de Janeiro, nous avons beaucoup de respect pour votre courage et pour le service que M. Callahan et vous avez rendu à notre pays. J'espère que l'empressement avec lequel nous donnons suite à cette affaire et les arrestations auxquelles nous avons procédé ont changé votre opinion de la Police militaire brésilienne.

Quand vous reviendrez dans notre pays, si vous en avez le souhait, veuillez accepter mon invitation de vous servir d'hôte.

— Le pouvoir corrompt, dit Ben.

La réponse de Natalie fut étouffée par la sonnerie de son téléphone, qui annonçait un appel par une mélodie de Vivaldi. Comme il n'y avait personne autour d'eux que cela puisse déranger, elle laissa sonner deux fois avant de répondre.

— Allô ?

— Vous êtes bien Natalie Reyes ? demanda une voix féminine.

— Est-ce que vous vendez quelque chose ? Parce que...

— Veuillez m'écouter quelques instants, je vais tout vous expliquer.

— Très bien, je suis Natalie. Maintenant qui êtes-vous et que voulez-vous ?

— Natalie, je sais que vous êtes allée chercher Ben Callahan à l'aéroport en début de journée. Est-il toujours avec vous ?

— Ecoutez, soit vous me dites de quoi il s'agit, soit je vais...

— D'accord, d'accord. Cela a un rapport avec le Brésil.

Instantanément, l'irritation de Natalie s'évanouit.

— Quoi, à propos du Brésil ?

— Natalie, si vous n'êtes pas encore assise, je vous conseille de le faire.

— Nous sommes assis.

— Parfait. Pouvez-vous placer le téléphone de façon à entendre tous les deux ?

Natalie attira Ben vers elle et s'exécuta.

— Voilà, dit-elle. On entend tous les deux.

— Natalie, je m'appelle Beth Mann. Je suis détective privée ici à Boston. Pour un de mes clients, j'ai fait une enquête sur vous depuis votre retour du Brésil. Rien de trop indiscret...

— Une détective avec des principes ! chuchota Ben en s'écartant un instant. Ça doit être un canular.

— Continuez, dit Natalie.

— Au cours de mon enquête, j'ai eu un certain nombre de conversations avec le Dr Rachel French...

— Ma pneumologue, murmura Natalie à Ben.

— ... ainsi qu'avec votre ami le Dr Terry Millwood. Il est à White Memorial Hospital en ce moment, et attend votre appel. Ces deux spécialistes se sont entendus avec la direction de l'hôpital et tous les arrangements nécessaires ont été faits.

— Les arrangements nécessaires pour quoi ? demanda Natalie complètement déconcertée.

— Natalie, le nom du Dr Joseph Anson vous dit-il quelque chose ?

— Non, est-ce que ça devrait ?

— Pas vraiment. Le Dr Anson vient d'Afrique de l'Ouest, du Cameroun pour être plus exacte. C'est un médecin dévoué et un brillant chercheur dans le domaine de la néovascularisation physiologique.

— La création de nouveaux vaisseaux sanguins, chuchota Natalie à Ben. Continuez.

— En ce moment, le Dr Anson est à Boston ou dans les environs. J'ignore où. Il a pris une décision sur laquelle il n'a nullement l'intention de revenir. Cette décision a été prise après que je lui ai parlé de l'incendie chez votre mère et des dommages causés à votre poumon lorsque vous avez sauvé votre mère et votre nièce.

— Mais comment...

— Monsieur Callahan, vous voulez un instant pour expliquer à cette femme ce que nous faisons, nous autres enquêteurs ?

— Nous enquêtons, dit Ben.

— Continuez, s'il vous plaît, dit Natalie en pressentant, sans vouloir y croire, ce qui allait suivre.

— A vingt et une heures ce soir, dans sept heures, le Dr Anson va paisiblement se donner la mort. Je recevrai un appel d'un avocat qui me dira où retrouver le corps du Dr Anson. Puis je recevrai un appel du Dr Anson. A partir de ce moment-là, j'attendrai exactement trente-sept minutes avant d'envoyer une ambulance à l'adresse en question. Lorsqu'ils arriveront, le cœur du Dr Anson battra toujours mais il sera en état de mort cérébrale. Croyez-moi, Natalie, le Dr Anson est un génie et il est tout à fait capable de réaliser cela. Lorsqu'un neurologue aura confirmé la mort cérébrale, le Dr Millwood et son équipe se tiendront prêts à transplanter le poumon du Dr Anson dans votre poitrine.

— Mais... mais pourquoi ? Pourquoi ne pas seulement me donner un poumon et garder l'autre pour lui ?

— Parce que, Natalie, Joseph Anson n'a qu'un seul poumon qui fonctionne, le vôtre.

Natalie sentit son corps s'affaisser et se demanda si pour la première fois de sa vie, elle allait s'évanouir. Ben lui serra la main si fort qu'elle eut mal.

— Oh mon Dieu ! dit-elle. Il y a déjà eu tant de morts. Il n'y aurait pas un moyen pour que je parle à cet homme ?

— Croyez-moi, Natalie, je lui ai parlé à plusieurs reprises et j'ai mené une enquête approfondie sur lui. Le Dr Anson est en paix avec ce qu'il fait. Tout ce dont nous avons besoin désormais, c'est de votre coopération.

Ben lui fit un vigoureux « oui » de la tête.

— Alors... je pense que vous l'avez, s'entendit-elle déclarer.

— Dans ce cas, le Dr Millwood attend votre appel. Il vous expliquera ce qui va se passer. Je suis très heureuse pour vous. N'hésitez pas à me rendre visite à mon cabinet une fois rétablie.

— Mais si jamais...

Beth Mann avait raccroché.

Natalie, sans essayer de cacher ses larmes, prit les deux mains de Ben dans les siennes.

— Tu te souviens de ce que je disais à propos du point final ? demanda-t-elle.

*

Le moment est venu, pensait Anson. *Le moment est venu.*

Il se trouvait dans un petit garage qu'il avait loué, à un kilomètre et demi de l'appartement de Natalie Reyes, assis dans une berline dans l'obscurité complète. La fenêtre côté passager était ouverte de quelques centimètres, mais scellée avec des chiffons, au milieu desquels dépassait vers l'intérieur l'extrémité d'un tuyau d'arrosage. L'autre extrémité était reliée au pot d'échappement. Les calmants puissants qu'il avait pris à un moment soigneusement calculé à l'avance commençaient à faire effet.

Il avait lu et relu le rapport de deux cents pages de Beth Mann sur Natalie Reyes, sa famille, et même le nouvel homme dans sa vie. Il avait étudié les nombreux articles de l'époque où Natalie était athlète et étudiante à Harvard. Il avait regardé des vidéos de plusieurs de ses courses. Et enfin, il l'avait croisée dans la rue, d'assez près pour la frôler.

Oh oui, le moment était parfait.

Natalie Reyes, et peut-être aussi Ben Callahan, convenaient parfaitement pour contrôler le recrutement d'une nouvelle équipe de direction à son hôpital et le destin du Sarah-9. Une fois qu'elle serait rétablie après l'opération, elle et, s'il le souhaitait, Callahan, seraient convoqués au bureau de son notaire pour recevoir ses carnets et un DVD détaillé qu'il avait enregistré pour elle.

Elle ne serait pas tenue de rester indéfiniment au Cameroun, mais il soupçonnait qu'une fois qu'elle aurait respiré l'air merveilleux de la jungle et rencontré les gens sur place, elle en aurait peut-être envie. Elle et Callahan étaient tout ce que les soi-disant philosophes rois de la triste organisation d'Elizabeth et de Douglas Berenger n'étaient pas. Ils étaient des Gardiens.

Anson alluma la lumière intérieure et regarda l'heure. Puis il ouvrit le carnet sur ses genoux et lut à voix haute.

Le monde peut être dur, plein de supercherie,
Plein de tromperie,
Plein d'injustice,
Plein de souffrance.
Mais il existe un vide qui attend, ami, un grand vide rayonnant.
Doux et embaumé par l'essence de la paix,
L'essence de la sérénité.
Tu y es presque, ami.
Ce vide magnifique est le havre éternel de ton âme.
Prends ma main, ami. Prends ma main et avance d'un pas, rien que d'un pas.
Tu y es.

Anson prit son téléphone mobile et composa un numéro.

— Mme Mann, dit-il. Vous pouvez lancer le chronomètre.

Sans attendre de réponse, il posa le téléphone, éteignit la lumière, fit démarrer le moteur et posa son carnet sur un exemplaire corné de *La République* de Platon.

NOTE DE L'AUTEUR

Mon but lorsque j'écris un thriller est tout d'abord de distraire mes lecteurs et de les arracher, même brièvement, au stress et aux soucis de leur vie pour les transporter dans un monde romanesque. Mes buts secondaires sont d'informer et de présenter, sans y répondre, des questions importantes de société et d'éthique.

J'espère sincèrement que vous avez trouvé *Le Dernier Echantillon* plein de suspense et divertissant. A présent, je vous remercie d'avoir pris le temps de lire cette note et d'en discuter avec vos proches. Elle traite, comme vous pouvez l'imaginer, du don d'organes, et de l'importance de participer à cet acte d'humilité et de générosité ultime, selon moi, qui consiste à rendre vos organes disponibles aux autres dans l'éventualité d'une mort cérébrale diagnostiquée scientifiquement, attestée et vérifiée.

Le sujet n'est pas des plus amusants, mais il est crucial.

La plupart d'entre nous accepterions une greffe pour sauver la vie d'un de nos proches ou la nôtre. A partir de là, il est inconcevable que nous ne nous soyons pas tous préparés à être donneurs dans le cas où la maladie ou un traumatisme nous aurait rendus cliniquement morts, c'est-à-dire en état de mort cérébrale irréversible prouvée par les tests neurologiques les plus sophistiqués. Des milliers de patients attendent actuellement un organe. Beaucoup d'entre eux mourront avant de l'avoir reçu. Pendant ce temps, d'innombrables organes seront perdus dans des cercueils ou dans les flammes, uniquement parce que les dispositions nécessaires n'ont pas été prises.

Les organes et tissus donnés par une seule personne peuvent améliorer ou sauver la vie d'une à cinquante personnes.

Cinquante !

Cela ne coûte rien d'être donneur, or cela peut donner un sens et de la dignité à ce qui n'est sinon qu'une tragédie.

Devenir donneur potentiel est très simple : il suffit de porter une carte de donneur d'organes ou tout simplement d'en informer vos proches.

Dans la collection Grand Format

(Dernières parutions)

Cobb (James), **Ludlum** (Robert)	*Le Danger arctique*
Cussler (Clive)	*Atlantide ■ Odyssée ■ L'Or des Incas ■ Vent mortel*
Cussler (Clive), **Cussler** (Dirk)	*Le Trésor du Khan*
Cussler (Clive), **Dirgo** (Craig)	*Bouddha*
Cussler (Clive), **Du Brul** (Jack)	*Quart mortel*
Cussler (Clive), **Kemprecos** (Paul)	*A la recherche de la cité perdue ■ Glace de feu*
Cuthbert (Margaret)	*Extrêmes urgences*
Davies (Linda)	*Dans la fournaise*
Dekker (Ted)	*Adam*
Evanovich (Janet)	*Deux fois n'est pas coutume*
Farrow (John)	*La Dague de Cartier*
Hartzmark (Gini)	*A l'article de la mort ■ Mauvaise passe*
Larkin (Patrick), **Ludlum** (Robert)	*Le Vecteur Moscou*
Ludlum (Robert)	*L'Alerte Ambler ■ Le Code Altman ■ Le Pacte Cassandre*
Lustbader (Eric Van)	*Le Gardien du Testament*
Lynds (Gayle)	*Le Dernier maître-espion*
Martini (Steve)	*L' Accusation ■ L'Avocat ■ Le Jury ■ Pas de pitié pour le juge ■ Réaction en chaîne ■ Trouble influence*
McCarry (Charles)	*Old Boys*
Moore Smith (Peter)	*Los Angeles*
Morrell (David)	*Double image ■ Le Sépulcre des Désirs terrestres*
O'Shaughnessy (Perri)	*Intimes convictions*
Palmer (Michael)	*Le Dernier échantillon ■ Le Patient ■ Situation critique ■ Le Système ■ Traitement spécial*
Ramsay Miller (John)	*La Dernière famille*
Scottoline (Lisa)	*La Bluffeuse*
Slaughter (Karin)	*Indélébile ■ Sans foi ni loi ■ Triptyque*

Cet ouvrage a été imprimé par

Mesnil-sur-l'Estrée

pour le compte des Éditions Grasset
en mai 2009

Imprimé en France

Dépôt légal : juin 2009
N° d'édition : 15801 – N° d'impression : 95537